創作された『歴史』をめぐる30の物語

下

捏造と欺瞞の世界史

バリー・ウッド
B a r r y　W o o d

大槻敦子【訳】

Invented History, Fabricated Power

原書房

捏造と欺瞞の世界史　下

創作された「歴史」をめぐる30の物語

目次

【上巻目次】

16 ムハンマド、クルアーン、イスラム教

歴史上主要な宗教指導者のひとり、ムハンマド（570〜632）は、彼が作った宗教であるイスラム教が信者の数でキリスト教に次ぐという点で、イエスに次ぐ教祖である。彼の生涯のおもなできごとは繰り返し語られてきたため、原典となる記録がほぼなくても、宗教学校の生徒に受け入れられている。イスラム教徒以外の人はたいていイスラム教の聖典クルアーン（コーラン）しか知らず、そこにムハンマドの生涯が記されていると考える。しかしながら、ムハンマドのものとされるクルアーン（「詠唱すべき言葉」）には、彼の生涯を知る手がかりになるものはほとんどない。

19世紀以降のイスラム教学者は数十年にわたって批判を積み上げてきた。今からおよそ100年前、C・スヌック・フルフローニェはよく知られる伝記について「偏向的なフィクションだ。［中略］神の言葉を伝える人として出現する前のムハンマドの生涯についてはほぼ何もわかってい

ない。信者が尊んでいる伝説的な生涯と比べると、実質的に何もない」とまとめている。多くが「福音書の模倣」で、そこにある話は「歴史ではない。史実にもとづいているのかどうか確信が持てない架空の話が大部分を占めている」。ジョン・ガンサーはムハンマドの生涯について皮肉たっぷりにひと言で表している。彼は「死後、５７０年に生まれた」。彼の人生の「事実」にまつわる当時の記録はないが、イスラム教の伝統を形作っている「物語《ナラティブ》」（ハディース）集のなかにはある。それらの物語はイスラム暦の2〜4世紀、つまり西暦8〜10世紀に作られたもので、現在は神聖な記録として扱われている。

　その死後に書かれた伝記によれば、彼の両親はクライシュ族で、父は彼が生まれる前に、母は彼が6歳のときに死んだため、孤児となった彼は保護者がころころ変わる波乱の少年時代を送った。さまざまな伝説では、彼は砂漠の遊牧民ベドウィン、養父母、祖父、おじと暮らし、9〜10歳のころには遠くシリアまで商いに連れ出されるようになって、商人になったといわれている。彼は、少なくとも若いころは、読み書きができなかったと考えられている。そのため、彼のユダヤ教とキリスト教に関する知識には、初期のキリスト教派でよく知られていた話、あるいは正典にはない怪しげな福音書が織り込まれていて、聖書の記録と異なっていたのかもしれない。伝統によれば、ムハンマドは30歳のときに、2度の結婚を経験していた資産家の未亡人ハディージャの目に留まり、彼女と結婚した。ふたりのあいだには何人かの息子と4人の娘が生まれたが、息子たちは死んでしまった。40歳のころ、メッカの近くにある洞窟で瞑想をしていたとき、彼は天使ジブリール（ガブリエル）から啓示を受け、それを人々に伝えた。ムハンマドがこのときすでに読み書きができるようになっていたのかどうかはわからない。啓示の体験は数年続き、彼はその新たな信仰をメッカのコミュニティーに伝えようとしたが、拒絶された。その後、彼は自分を暗殺する計画があると知り、622年にメッカから北のメディナ（アラビア語でマディーナ）へ移った。

メディナでの一連の込み入ったできごとのあと、ムハンマドは軍を作り、1万の兵とともに10年ぶりにメッカへ戻って勝利したといわれている。それが彼の人生と地域の歴史の転機になった。やや省略しすぎで疑わしいこの伝説では、メッカで部族の諸神を敬っていたさまざまなアラブの部族が自発的に信仰を捨て、ムハンマドが示す新しい一神教を取り入れたことになっている。この話は彼のカリスマ的な力と彼が信奉した新しい宗教のすばらしさのしるしとして引き合いに出されることが多い。聖遷《ヒジュラ》として知られるムハンマドのメディナへの移住（622）がイスラム暦の紀元となり、信者たちが、「革の端切れ、平たいラクダの骨、壺のかけら、ヤシの葉といったさまざまなもの」に記されていたいくつもの啓示をもとに、イスラム教の聖典クルアーンを編纂したといわれている。

この要約されたムハンマドの生涯には、客観的な歴史の基準には届かない伝統と超自然的な「物語」が混じっている。ヒューストン・スミス、マクシム・ロダンソン、シーザー・ファラー、カレン・アームストロングといった20～21世紀の宗教学者たちが描くような伝記は、経験にもとづく記録としてはありえない奇跡や超常現象への言及を避ける傾向にある。ロダンソンは、若いころの人生の何がムハンマドの生涯を決定づけたのかを探るなかで、エリク・エリクソンがいうところの「サイコヒストリー（心理歴史的方法）」のような方向へと舵《かじ》を切っている。よく知られる伝記から除外されている内容に、ムハンマドがメディナにいたところにユダヤ人に仕掛けた一連の戦いによって多くの死傷者が出て、たくさんのユダヤ人捕虜が処刑された話がある。また、ムハンマドのハレムについても言及されていない。彼にはハディージャのほかにも11人あまりの妻がいて、そのなかには17歳のときに今述べた戦いで捕虜にされ、夫を殺され、イスラム教に改宗するなり寝床に連れていかれたユダヤ人サフィヤ（６１０生）も含まれている。宗教的な枠組みでしか語ることのないムハンマドの生涯は、じつは、このように一連の暴力、欲にまかせた振る舞い、あいまいな服従ともつれ合っている。これらが除外された結果が、現実にありえそうなもののごとに焦点を当てることでムハンマドを好ましい姿で描き、ひいては正当な歴史に見えるようにした、浄化された伝記である。

「ありうる」できごとや「真実であるらしい」ものごとの多くは証拠にならない、また証拠として用いてはいけないという事実はたいてい無視される。宗教には教祖が必要だ。信者は尊敬する人を無関心ではいられないほどの崇拝の対象として持ち上げる。宗教史学者たちは、信頼できそうな詳細をもとに教祖の伝記を書こうと最大限の努力をする。モーセ、釈迦《しゃか》、イエスについては確かにその傾向があった。怪しげな情報に対する警告は熱心な信者からは無視される。なぜなら彼らは自分たちが信じたいものごとの裏づけを求めているからだ。たとえば、事実だと思われるものに関するロダンソンの詳しい説明にはたくさんの警告が含まれているが、それらを読み飛ばすことは簡単である。「ムハンマドの誕生がいつなのかはだれも知らない［中略］その話はおそらくただの伝説だ〔中略〕ムハンマドの子ども時代については知られていることはいずれも確証がない。その穴が伝説で埋められるようになった。〔中略〕次の話は〔中略〕明らかに粉飾されており、ことによればまったくの作り話かもしれない。〔中略〕この話は完全な作り話の可能性がある」。こうした緩衝表現や修正を真剣に受け止めれば、彼の生涯についての情報の多くあるいはほとんどが創作されたものであることがわかるはずである。

信者はムハンマドについての伝承であるハディースを額面通りに受け取る。なぜならそれらの物語にはたいてい権威者の名が連なり、よくあるようにビン（〜の息子）でつながっているからだ。けれども、マイケル・クックが指摘しているように「誤った帰属」はよくあることで「一連の権威者の名前」や「当事者以外の証人」のものとされる話も「信頼できない」

ロダンソンが指摘している決定的な事実が、信頼できる伝記の構築が難しいことを明示している。それは、歴史の資料がムハンマドの死から100年以上経ってからのものしか存在せず、その期間に事実をうやむやにしてしまうような神話と伝説が積み重ねられてしまったことである。その積み重ねとは、ムハンマドの死後130年が経過した768年ごろに完成したイブン・イスハークの『預言者の伝記 *Sirat Rasul Allah*』だ。この書物は現存していないが、のちの伝記作家によって300年ものあいだ広範囲にわたって引用され、物語の一部が再現された。最古の伝記作家6人のうち、イブン・イスハークの内容をもっとも維持していることで知られているのはイブン・ヒシャーム（834没）で、その後の伝記作家はみなそれを参考にしている。けれども、ロバート・スペンサーはいう。「イブン・イスハークが描くムハンマドの生涯は、臆面もなく彼を聖人扱いしているため、その正確性は疑わしい。預言者の伝記作家はムハンマドを実際より誇張した姿で描くことに熱心なイスラム教徒だった」

ロダンソンの『ムハンマド *Mohammed*』にはわかりやすい系図があり、現代の学者たちが学問の基準に見合う伝記を作成するために情報をふるいにかけたことがわかる。ロダンソンは1ページ全体に示された系図で、5世紀のクサイイまで5世代さかのぼってムハンマドの祖先をたどっている。昔の系図に多くの時間を費やす読者はいないだろう。おそらく何の疑いも抱かずにその5世代の血統を受け入れるはずだ。文字の記録がほとんどなかった口承文化のものであることを思えばこの系図はもっともらしく見えるが、イスラム教のハディースと照らし合わせると、ロダンソンの系図は誤解を招きかねないほど短い。イブン・イスハークの『預言者の伝記』には、祖先にまつわるたくさんの話が織り交ぜられ、ヘブライ人の太祖にまでさかのぼる、驚くべき系図が示されている。そこにあるのは、いかなる伝統にも見られないほど広範囲にわたる創作物語だ。いうまでもなく、そのような血統は権威と権力をもたらすと考えられていた。

ヘブライ文化とキリスト教の主要な血筋は、ヤハウェが子どものできないアブラハムの妻「サラを顧みて」から生まれた息子イサクを通る。けれども、アブラハムはサラの許可を得てすでに、サラのエジプト人の女奴隷ハガルとのあいだに息子イシュマエルを授かっていた。推定できるかぎりでは、アブラハムの伝説は紀元前18世紀ごろの話である。数世代より前の系図はみなかなり怪しく、事実というよりはフィクションだ。イブン・イスハークによるムハンマドの系図は、紀元前18世紀から後6世紀までの2400年にまたがっている。他に類を見ないその長い系図は明らかな創作物である。簡単な計算からそれがわかる。24世紀で30世代では1世代が80年となって生物学的に不可能なのだ。系図の作者は妥当な生物学に照らし合わせることなくそれを作ったのだろう。ロダンソンは、ほかの現代の伝記作家と同じようにイブン・イスハークの系図を知っており、それを信心深いフィクションと認識しているため、彼女が編集した系図は許容できる範囲内の5世代分しかないのである。事実や、記録上事実として伝わっているものごとに焦点を合わせようとする現代の学者にはよくあることだ。著書『わたしはなぜムスリムではないのか *Why I Am Not a Muslim*』（1995）で広範囲に批判を展開しているイブン・ワラクは、イスラム教の出典と歴史が抱える多くの問題を提示する一方で、この捏造の系図がもたらす疑問には触れていない。だが、そのように編集したり避けたりしてしまうと、残されている資料を解釈できないという問題が生じる。明らかな作り話を除外して理にかなった記述だけを追う学者としての伝記作家たちは、本物らしい、説得力のある伝記を作り上げてきた。学者は昔の伝記に綴られた神話のようなできごとを見て、それでは事実志向の読者に信頼されないだろうと考える。そして政治、社会、心理の影響を考慮することなく、教養ある欧米人の読者が受け入れる情報を選ぶのだ。現代の読者が事実として認めてくれるか、受け入れてくれるかという基準でそのように簡略化してしまうと、入念に作り上げられた「物語」が持つ文化的な機能に目が向けられない。教祖の力は事実と考えられるものごとからは見えてこない。事実を神話と「物語」で強化したもののなかにある。

イブン・イスハークの系図からは、アブラハムの子孫でありたいという、もしかするとムハンマドの、そして間違いなく彼の信者たちの大きな願いが見て取れる。トーラーと聖書の歴史書にある系図は、全人類の祖先がアダムとノアであることを示し、複雑な系図を通してアラブ人の祖先はノアの息子セムだと述べている。ムハンマドは、アラビアの一神教のユダヤ人たちからそうした過去の話を聞いていた。話は多神教のアラブ人部族とはまったく異なっていた。ムハンマドはアブラハム、モーセ、ダビデ、ソロモン、旧約聖書の預言者たち、そしてイエスへの神の啓示や、キリスト教における「新しいエルサレム」の啓示を知っていた。ユダヤ人の壮大な史詩は、抗《あらが》いがたいほど強烈なオーラを放っていた。イブン・イスハークのムハンマドとその弟子の系図は壮大な次元の並行「物語」であり、イスラム教という新しい宗教の教えを、大いなる古代の宗教の伝統と結びつけるものである。

太祖とイスラム教を結びつける歴史的証拠はひとつも発見されていないが、イスラム教の伝統の中心にあるのはまさにその結びつきだ。クルアーンにある「イブラーヒームとの契約」によれば、カアバ殿として知られる「家」あるいは「アッラーの家」は、アラブ人部族の信仰場所として古くからメッカに存在していた。クルアーンでは、カアバ殿の起源が何世紀も昔に引き伸ばされ、それはイブラーヒーム（アブラハム）とイスマーイール（イシュマエル）が建てたもので、イブラーヒームはイスマーイールと母ハージャル（ハガル）をその聖なるカアバ殿の近くに住まわせたことになっている。イスハークはさらに「彼［イスマーイール］が死んだとき、カアバの聖域の母ハージャルの隣に葬られた」とつけくわえ、ふたりがベエル・シェバの荒れ野へ追放されたという聖書の話を退けている。もちろん聖書の創世記を史実と断言することはできないが、事実かどうかに関係なく、クルアーンの書き手あるいは書き手たちはそれを無視して、自分たちの物語を創作した。

イスラム教の書き手たちは、ムハンマドを太祖の伝統と結びつけはしたものの、正確な聖書の知識は持ち合わせていなかった。イブラーヒームとイスマーイールがカアバ殿の基礎を築く話は「力の物語《ナラティブ・オブ・パワー》」の強化であり、カアバ殿の神聖さを崇高な過去にたどる起源の神話である。結局それは、ムハンマドから見た自分自身の姿、弟子たちのあいだに芽生えたうぬぼれ、そしてそれを強化するための偏った伝統の創作だった。「イブラーヒームは、ユダヤ教徒でもキリスト教徒でもありませんでした。しかしかれはまっすぐなムスリム」でしたというクルアーンの断定は、のちに追加されたものであって、「ムスリム」の誕生より前にムハンマドが受けたはずの啓示や宗教的な概念ではない。どう見ても、ムハンマドの弟子たちが太祖の原始の宗教への回帰としてムハンマドの宗教的信条を作り上げたとしか考えられない。そうして、出エジプト記やレビ記に見られるヘブライ人の律法尊重主義や、4世紀ごろに発達したキリストの神性にもとづく巧妙な神学は省略された。

クルアーンの順序は時系列ではないため、イブラーヒームは数多くの章《スーラ》に登場するが、唯一の原典である聖書の創世記の文脈で出てくる箇所はほんのわずかである。クルアーンでは、イブラーヒームは偶像崇拝、太陽崇拝、月や星の崇拝に異を唱えるが、それらの説教はいずれも聖書の太祖の「物語」にはない。この作られた説教は、依然としてアラビアに残っていた多神教を非難するもので、時代遅れだった。太陽、月、星の崇拝はおもに、クルアーンが形になろうとしていた時代のアラビアの問題だった。もっとも、詳細にまつわるこの種の社会的また文化的な解釈は、神聖な書は歴史、社会、文化の影響にまさるという考えを維持したいイスラム教徒にとってはタブーである。しかしながら、本書の観点に立てば、8世紀当時の問題に対する批判を2400年前のイブラーヒームの物語に投影するという行為は、ムハンマドが述べたといわれる特定の道徳論にはるか古代の起源を持たせて、ムハンマドの時代の社会で彼に権威と権力をもたらすことにほかならない。

イスハークの系図は、創世記にあるユダヤ人の系図にしたがって、イブラーヒームの祖先をアーダム(アダム)にまでさかのぼって記している。イスマーイールの息子はナービトとされているが、これはもしかすると聖書に名前が記されている12人の息子のうちの11番目、ナフィシュと関連づけられているのかもしれない。そこから先は聖書を離れてアラブ人の子孫へとつながっていくが、裏づける資料はなく、出典を解明することは不可能だ。細かく枝分かれした血統が、聖書にあるユダヤ人部族の一覧とよく似た名前の羅列になっており、究明を妨げている。系図はたくさんの物語、伝説、逸話によって中断され、それらすべてが膨大な歴史の記録であるかのような印象を与えている。語られているできごとがみな、2000年以上も前の、歴史的記録がまったくなかった時代に生じたことを踏まえれば、イスハークの系図は詳しいけれども疑わしい作り話である。

イブン・イスハークによるムハンマドの系図は歴史ではないが、捏造された「力の物語」としては、シュメール王名表、ヘブライ人の王たちの系図、リウィウスが語るローマ皇帝のトロイアの祖先、そして『ジャータカ物語』で繰り広げられる釈迦の数多くの前世と同じように、とてつもなく大きな文化的価値がある。崇高な古代の起源につながる系図は、由緒ある伝統、権威、神聖な祖先、そして地位を子孫に与える、もっとも有効かつ普遍的な「力の物語」を作り上げる。

しかしながら、イブン・イスハークの細かい系図は、イスラム教内外におけるムハンマドの解釈に大きな矛盾を生んでいる。伝統的に彼の書はアッラーの啓示とみなされ、ムハンマドはそのなかで重要な役割を果たす人物として描かれている。けれども、クルアーンでは、啓示を聞いた者たちがムハンマドに要求する。

わたしたちに、あなた（ムハンマド）が地から泉を湧き出させるまでは、あなたのことは信じません。または、あなたがナツメヤシやブドウの果樹園を所有し、それらを通じて川を溢れ出させるまでは（信じません）。またはあなたが（起こると）主張したように、大空を粉々にして、わたしたちに落とすまでは。またはあなたがアッラーと天使たちを、（わたしたちの）面前に連れて来るまでは。またはあなたが黄金の装飾の家を持つまでは。または天に昇って、わたしたちが読む啓典を、あなたが降ろしてくるまでは、あなたの昇天も信じません。（クルアーン17章90～93節）

証拠として執拗《しつよう》に奇跡が求められているが、ムハンマドの答えは神というより人間のもので、彼の使命の証拠として奇跡を起こすことを拒否したことが暗に示されている。「わたしの主に賛美あれ、わたしは一人の人間の使徒にすぎないのではないか」(クル17章93節)。けれども、イブン・イスハークの手で伝記が書かれるころまでには、数多くの奇跡がムハンマドと結びつけられ、それぞれが本物であるとみなされていた。伝えられるところによれば、ムハンマド自身が「わたしが母の胎内にいたとき、母の体から光が出て、シリアの城を照らした」と述べたといわれる。幼いころには、「白装束の」ふたりの男が彼をとらえ、腹を切り裂き、心臓を取り出して「黒い雫《しずく》を搾り出して投げ捨てた」。これは明らかに道徳的な浄化のたとえ話だ。イスハークによれば、「10人と重さを比べても、彼のほうが重かった」という。

木は折れ曲がってムハンマドに木陰を作る。彼の背には彼が使徒であることを示す「しるし」がある。のちには木々や石が彼にあいさつをするようになる。敵が彼に石を投げようとすると、手が萎えてしまう。ムハンマドの奇跡の一部が自然界を支配するところは、モーセが起こしたといわれるさまざまな奇跡に似ている。剣を壊した仲間がこん棒を拾い上げると、それが剣に変わる。ムハンマドが祈ると、雨雲が出現して雨を降らせる。あるいは、祈りによって岩から水が噴き出ることもある。ムハンマドはひと握りのナツメヤシの実と1頭の羊を焼いた肉から、多くの人々に食べものを与える。こうした奇跡は明らかに、シナイの砂漠でイスラエル人に食べものが与えられた奇跡と、イエスによって５０００人に食べものが与えられた奇跡の模倣である。それ以外にも、メディナとメッカにおける数多くの戦いでたくさんの奇跡が起きている。ムハンマドだけでなくモーセ、釈迦、あるいはイエスにもあてはまるが、イスラム教学者のヨーゼフ・ホロヴィッツは、強力な「伝説を作ろうとする本能」に言及し、それは「時と場所を選ばず、民衆に崇拝される英雄が必ず通る変化」だと述べている。魔法や奇跡のような行動の積み重ねはたんなる伝記にとどまらず、神ではなくとも、他者にとっては神に等しい力を操ることのできる理想のムハンマドを作り上げる役割を担っている。

　彼の力を証明するもっとも効果的で印象に残るイスラムの「物語」は、ムハンマドがエルサレムへ赴く夜の旅だ。それはあいまいで短いクルアーンの話から始まる。「かれの僕を、禁忌のあるマスジド（モスク）から、われらが周囲を祝福した至遠のマスジドに、夜間、旅をさせた方に賛美あれ。これは、われらが数々の印をかれに見せるためのものです」(クル17章1節)。この要約では、「禁忌のある」モスクと「至遠の」モスクがどこなのか、どのように「旅をさせた」のかはわからないが、のちのハディースによる解釈の拡大では、禁忌のあるモスクは現在メッカの大モスクとして知られるマスジド・アル＝ハラーム、至遠のモスクはエルサレムの「岩のドーム」の隣にあるマスジド・アル＝アクサとされている。しかし、そうなるとなおさら問題が持ち上がる。イスラム教の書き手たちは、ムハンマドの夜の旅は６１６〜24年ごろと特定しているが、マスジド・アル＝アクサは６３２年のムハンマドの没後、６３４年に２番目のカリフ（最高指導者）になったウマルが建てたものだ。岩のドームが完成したのはさらにあとの６９１年である。この神聖な場所がたとえ時代が違っていても伝記に持ち込まれたのは、象徴的に重要な意味を持っているためである。岩のドームの中央には、アブラハムの信仰の深さを示すための怪しげなフィクションとはいえ、アブラハムが息子のイサクをいけにえに捧げようと彼を横たえたといわれる「聖なる岩」がある。その場所はまた、ユダヤ人にとっては、ソロモンの神殿の至聖所でもある。イスラム教のハディースは、そうした創作された伝統、つまりイスラム教徒にとっては象徴として大きな意味を持つけれども物語の範疇《はんちゅう》を超える歴史的根拠はない物語との結びつきを土台にしている。

至遠のモスクをマスジド・アル＝アクサとみなしたのは、ムハンマドの時代から100年以上あとに『預言者の伝記』を書いたイブン・イスハークだったようである。彼は意味ありげな言葉を残している。「旅の行き先とその内容の探究は試練である［中略］知識が試されている」。イスハークは確証がもてなかったはずだ。彼にできたのは、起源となる系図をならべて一連の伝統を作るいつもの方法で、「マスウードの息子のアブドゥラ」から聞いたという一連の話をならべることだけだった。ところが彼は、それ以外にも系図をともなう資料を列挙して、それらを「つなぎ合わせると次のような物語になり、それぞれの内容が、彼が耳にした内容ついて何らかの貢献をしている」と記している。そうしてつなぎ合わされた物語は以下のようにまとめられた。天使ジブリール（ガブリエル）が眠っていたムハンマドを揺り起こし、翼を持つ4つ足の「白い動物」へと彼を導いて、その天馬ブラークに乗ったムハンマドとともに「エルサレムの神殿まで旅をした。ムハンマドはそこでイブラーヒームに会う。そこには神、ムーサー（モーセ）、イーサー（イエス）が預言者たちとともに集まっていた」。イスハークが語る「物語」は、ある程度までそれが正しいと思わせることに成功している。ムハンマドの旅はアッラーの思し召しで、彼は天使ジブリールにともなわれ、メッカからエルサレムまでありえない天馬に乗って空を飛び、アラブ人の祖先やユダヤ教とキリスト教の教祖に会う。創作されたそのそれぞれの詳細が、預言者の力を高めている。

続くイスハークの「物語」では、ムハンマドがさまざまな天界へと案内される。ムハンマドが番人のいる門から入ると、数の誇張によって状況が大きく膨らまされている。彼はイスマーイールという名の天使に会うが、イスマーイールの指揮下に1万2000人の天使がおり、そのひとりひとりの指揮下にさらに1万2000人の天使がいる。この1億4400万人もの天使は、『ラリタヴィスタラ』でボーディサットヴァが生まれ変わるときにトゥシタ天で彼の出立を見送った莫大《ばくだい》な数の神々を思い起こさせる。さまざまな天界に上ったムハンマドは幾人もの旧約聖書の登場人物に出会う。たとえば、ヤークーブ（ヤコブ）とユースフ（ヨセフ）は3番目の天界に、ムーサー（モーセ）は6番目、神は7番目にいる。旅は短い静想で締めくくられ、そのときに日に5回祈りを捧げるというイスラム教の伝統ができあがったという。「物語」はやや唐突に終わるが、イスハークの『預言者の伝記』が完全な形で残っていないこと、のちの書き手たちが書き直したことなどが、分断の原因かもしれない。

イブン・イスハークの「物語」で不明確だった箇所は、ハディースで詳細に描かれていることが多い。イグナーツ・ゴルトツィーエルが述べているように、ハディースを売って儲けていた物語の書き手にしてみれば、楽しく読めるハディースを創作したほうが実入りが多くなる。結果として、物語の数は数千に膨れ上がったが、スンニ派のイスラム教徒が正しいと認めているハディース集は6つだ。もっとも信頼できると考えられているのがアル＝ブハーリーのものである。ジョナサン・ブラウンによれば、ブハーリー（870没）は正しく伝わっているものを選び出そうと、多くの年月を費やして、24年のあいだに蓄積され、多くが口承だった60万あまりのハディースを集めて分類したという。彼はそのなかから正当だと思われる7400の話を抜き出し、同じものを消去して2600話にまで簡素化した。それでも途方もない量のハディースが集まった。ムハンマド・カーンが英訳したブハーリーのハディースは全部で9巻にのぼる。数千あるハディースのなかでも、エルサレムへの夜の旅は、「力の物語」が進化するようすがもっとも豊かに表現されている部分かもしれない。

エルサレムへの夜の旅に次々に追加された詳細を10世紀初めより前にたどることは、学者にとって非常に困難な作業で、どうしても対象を現存しているものにかぎらざるをえない。幸い、『ミラージ・ナーメ *Miraj Nameh*』として知られる、すばらしい彩飾の写本が15世紀に作られている。そこにはイブン・イスハークの「物語」をはるかに超えた、ムハンマドの奇跡の旅が絵で示されている。その写本が残っているおかげで、10世紀から15世紀にかけて発達し、成長した物語の姿がわかる。アラビア語の原典がいつ作られたのかは特定されていないが、イスラム暦の840年、西暦1446年に作品はテュルク語の方言（ウイグル語）に訳された。トルコ東部の詩人ミール・ハイダルが翻訳したそれは、いくつかの写しが残っているようである。ホラーサーン（現在のアフガニスタン）のヘラートにあった彩飾の工房で、おそらく3人と考えられている熟練の職人たちが、鮮やかな色刷りの写本を作った。豪華な宮廷を持っていたティムール朝3代目の王シャー・ルフ（在位1404〜47）の時代に、おそらくひとつだけ作られたのだろう。宮廷には詩人、作家、哲学者、画家、音楽家がいて、中世ヨーロッパや中国の作品にひけをとらない書体や彩飾が施された写本の図書館があった。写本『ミラージ・ナーメ』ではハイダルの細かい装飾文字の「物語」のなかに、58点のペルシアの彩飾画が埋め込まれている。この芸術作品は、何世紀も前にさかのぼるビザンティンの伝統から、モンゴルの拡大にともなって西へと広がった中国までの影響を受けている。9〜24枚目の絵では、ムハンマドが7つの天界を旅するときに様式化された中国風の雲が繰り返し用いられている。『ミラージ・ナーメ』では、人々の姿や顔が描かれているところにみな東アジアの影響が色濃く出ているが、これはイスラム教が中心の地域には見られない特徴だ。イスラム教徒は写実的な描写は偶像崇拝だと考えるためである。

およそ100年後（1673）、写本は東洋趣味のフランス人に買い上げられ、やがてパリの王立図書館にたどりついた。さらに19世紀になってから人々の目に留まり、解読されて、パリにある国立図書館のマリー＝ローズ・セギによる広範な序文と解説がつけられて、『マホメットの奇跡の旅（ミラージ・ナーメ）*The Miraculous Journey of Mahomet*（*Miraj Nameh*）』として刊行された。芸術的に表現された超自然の「力の物語」として、これほどすばらしい例はない。

セギによる「物語」の移り変わりの説明では、夜の旅が8世紀のあいだにどれほど進化したかが簡潔にまとめられている。「ヒジュラ紀元1世紀から、この物語はアラビアでもっとも知られるストーリーとなり、その後、神学、神話、あるいは文学を経て、少しずつ、最後の審判にもとづくイスラム教の終末論信仰に組み込まれていった」。彩飾は「物語」を慌ただしく前へ進める。2枚目では天使ジブリールがムハンマドの前に姿を現し、3枚目でムハンマドが天馬ブラークにまたがって空を飛び、あっという間に旅を終えて、エルサレムのモスクに入ると、4枚目では神々しさを示す金色の炎に包まれたイブラーヒーム（アブラハム）、ムーサー（モーセ）、イーサー（イエス）とならび立つ。伝統によれば、エルサレムのモスクは、天馬で赴く7つの天界への旅（7～25枚目）の出発点である。途中、彼は預言者アーダム（アダム）、ヤフヤー（ヨハネ）、ザカリーヤー（ザカリア）、ダーウード（ダビデ）、スライマーン（ソロモン）、ヤークーブ（ヤコブ）、ユースフ（ヨセフ）、イスマーイール（イシュマエル）、イスハーク（イサク）、ハールーン（アロン）、ルート（ロト）、ムーサー（モーセ）、ヌーホ（ノア）、イドリース（エノク）に会い、最後にもう一度イブラーヒームと顔を合わせる（26枚目）。このうちの幾人か（ヤークーブ、ユースフ、ムーサー）はイスハークの「物語」に登場するが、それ以外のたくさんの聖書の人物は、何世紀ものあいだに追加されたものだ。旅を続けるムハンマドは「永遠なる者」の前に首《こうべ》を垂れ、日に5度の祈りを捧げるイスラム教の慣習を学ぶ（34～35枚目）。これはイスハークの『預言者の伝記』から生き続けている最後のできごとだ。

彩飾版ではさらに23枚のストーリーが続く。ムハンマドは楽園（40枚目）にたどり着くが、そこからは広く地獄や罰が描かれ、暗く不吉な雰囲気をまとっていく。地獄への入り口はそびえ立つ炎に覆われており（44枚目）、冥界の木、邪悪な声、欲にまみれた罪人、争いの扇動者、恥知らずな女、偽りの信者、孤児の相続財産を乱用する者、ふしだらな女といった、それより先にあるものすべてが炎に包まれているのをムハンマドは見る（45～51枚目）。同じような炎による罰を受けている守銭奴、不義を犯した女、偽の証言をした者、偽善者、おべっか使い、うぬぼれ屋、ワインや発酵飲料を飲む者（54～58枚目）なども描かれている。

テーマという意味では、導かれるままに天国と地獄をめぐるこの旅はダンテの『神曲』（1300頃）の「地獄篇」と「天国篇」によく似ている。テュルク語の写本が描かれた年代（1436）を考えればダンテの影響を受けた可能性がないとはいえないが、ほとんどありそうもない。イスラム教徒がイタリア、つまりキリスト教の文学を読んだとは考えられないためだ。ただし、マクシム・ロダンソンが述べているように、逆の可能性はありうる。最初のテュルク語の写本は彩飾版よりも2世紀前に存在していた。スペイン語版は13世紀初期にアラビア語の原典をもとに作られた。さらにそこから聖ボナヴェントゥラの手でフランス語とラテン語に訳されたのが1264年で、その写しは現在フランス国立図書館にある。ダンテの母国イタリアでは、ローマ教皇庁も写しを保管している。西欧諸国にアラビア語やその他の写本がたくさんあって、中世後期やルネサンス初期にそれらがヨーロッパの言語に訳されたことはアラブの世界でもよく知られていた。よって、ダンテが『ミラージ・ナーメ』を知っていて、それにもとづいて天国と地獄を鮮明に描写した可能性は十分にある。もしそうした影響があったのなら、ダンテはテュルク語の「物語」を教義ではなく文学や象徴として解釈して、ムハンマドの旅を自分の旅に置き換えたのだと思われる。「地獄篇」はダンテが夜に森のなかで道に迷うところから始まる。信仰の旅の中ごろに生じたムハンマドの夜の旅との類似点は見誤りようがない。

エルサレムと天界へのムハンマドの夜の旅には、導き手として天使ジブリール（ガブリエル）が登場する。天使の影響はクルアーンの一節にあるこのひとつのできごとだけにしか表れていないように見えるが、ジブリールは、聖書の啓示と同じように、ムハンマドに授けられた神の啓示を伝えた存在だと考えられている。ダニエル書やルカによる福音書では、ガブリエルはダニエルやイエスの母マリアに啓示を告げている。ジブリールの名はクルアーンの2か所と、遠回しに「清魂《せいこん》」と「信頼される魂」として登場するが、のちのハディースではその清魂が擬人化されて、アッラーとムハンマドのあいだの使者（ギリシア語のアンゲロス）という天使の役割が強化されている。イスラム教の伝統では、クルアーン全体が、ムハンマドがメッカに近い荒れ野で謎めいた瞑想をしていたときに、仲介者を通して彼に伝えられた啓示といわれている。

エルサレムと天界へと向かったムハンマドの夜の旅と、クルアーン全体の着想は、世界のいかなる宗教にも負けていない。ムハンマドの昇天は、長い年月をかけた釈迦の悟りへの道や、燃える柴に姿を現してからシナイの荒れ野で律法を授けられるモーセとヤハウェとの対話に類似している。クルアーンのもとになったといわれているムハンマドの言葉は、ヒンドゥー教のさまざまなヴェーダや『ラーマーヤナ』のような宗教的な作品、そして神の啓示が源だと主張する旧約聖書の預言者たちと同じ部類に入る。旧約聖書で主張されている奇跡は最初の啓示の奇跡であるのに対して、イスラム教ではクルアーンそのものが最終的な啓示だと主張されている。

しかしながら、ムハンマドの啓示の優位性を阻むものがひとつある。それは、イエスを神の地位へと高めた、いわゆる復活だ。ムハンマドのクルアーンはその点で矛盾している。イエスが処女から生まれたことを含めてユダヤ教とキリスト教の伝統を受け入れておきながら、クルアーンはためらうことなく復活を省いている。それは特に、イエスが十字架にかけられて死んだことを認めないという点に顕著に表れている。ユダヤ人はそのメシア／マリアの息子／アッラーの使者が殺されたと述べたのかもしれないが、クルアーンには「かれを殺したのでもなく、かれを十字架のはりつけ刑にしたのでもなく、かれらにそう見えたまででした。［中略］アッラーはかれを御元に召されたのです」と記されている。要するに、イエスの十字架の処刑は幻覚であり、ユダヤ人は見たというが、実際にはそのようなできごとは起こらなかったというのである。アッラーが処刑より前に彼を連れ去り、彼を直接昇天させた。そのほうが都合がよかったのだ。イエスを蘇った神ではなくただの預言者に格下げすることで、アッラーの最後の預言者であるムハンマドは彼と肩をならべることができるからである。

学者たちはクルアーンの着想が精査に耐えないことを以前から見抜いていた。クルアーンでは、旧約聖書のおもな登場人物（アダム、カインとアベル、ヤコブ、ヨセフ、モーセとエジプト脱出、ダビデ、ソロモン、シバの女王など）にまつわる聖書の話が繰り返され、イエスの名が何十回も出てくる。けれども、ジュリアン・オバーマンがまとめているように、それらの扱いには「甚だしい食い違い、誤り、思い違い」が含まれており、「解説的な粉飾」が特徴的な聖書後の伝説にもとづいていることが多い。ムハンマドが語るユダヤ人の歴史は神の啓示というよりむしろ聖書の資料を不正確にまとめたもので、これまで見てきたように、ムハンマドの信仰とその信者にとって都合のよい創作「物語」になっている。クルアーンの着想には大きな矛盾がある。十字架の処刑と復活は幻覚だと述べてイエスの神性を否定する歴史を語り、クルアーン全体の話を伝えたとされる天使ジブリールは、処女マリアにイエスの奇跡の誕生を告げ、イエスが神の息子であることを告げた天使ガブリエルと同じ存在なのである。この皮肉は広範囲に影響をおよぼしている。クルアーンの話がそれと並行する聖書の話と相反する部分ではみな、同じ天使から授かったとされる神のお告げが論理的に説明できなくなってしまう。

　これらはみなよく知られている。アーサー・ジェフリーが始め、F・E・ピーターズが引き継いだ「歴史上のムハンマドを探す旅」が困難であることは、１００年以上前から学者のあいだでは明白だった。イブン・ワラクやカール・ハインツ・オーリヒが集めた詳細な研究調査では、啓示というよりむしろ世俗的なクルアーンの源、もっと前の古い文化にあるイスラム教の知られざるルーツ、そして多くのハディースのあいまいな性質が明らかにされている。だが、一神教の信仰を共有し、歴史や信仰の起源に関する知識が乏しい信者にとっては、これらは何ひとつとして問題ではないようだ。世界のどの宗教でも、信者はたいてい彼らの聖典を客観的に評価するにはあまりに歴史を知らない。何百万という敬虔《けいけん》なイスラム教徒にとって、イスラム教の起源、ムハンマドの生涯、クルアーンの原典、そしてワラクが批判しているようなイスラム教徒の道徳性について、あらゆる側面を綿密に調べることなど、単に理解不可能で、不当で、非難に値する。ユダヤ教、キリスト教、聖書の根拠についての批判的な調査はすでに３００年以上も続けられている一方で、イスラム教の根拠に対する批判的調査は絶対に許されない。そのため、身の危険を感じた匿名の作家は「イブン・ワラク」というペンネームで彼の正体を隠している。伝統的な信者にとって、神から告げられたクルアーンの「物語」、その文字通りの解釈、アッラーからジブリール、そしてムハンマドへと直接伝えられたまぎれもない真実である啓示は、いかなる疑問や疑念よりも重んじられる。彼らにとって、クルアーンで明かされる真実は、宗教のすべての側面を正当化する「力の物語」だ。アッラーの絶対的権力、天使の存在、ムハンマドの権威、クルアーンの神聖さ、そして膨大な数のハディースがみなそこに包まれている。熱心なイスラム教徒にとって、一生に1度の巡礼（ハッジ）、年に1度の断食（ラマダン）、そして現在世界各地のイスラム教の街のほとんどでモスクの塔から放送されている、日に5度の祈りの呼びかけ（アザーン）から自分たちを切り離すことは難しい。アジア各地の都市に聞こえる祈りの呼びかけそのものが、信者に対する強力な働きかけだ。それは、キリストの聖体を崇める中世の儀式、アンコール・ワットのたくさんのバスレリーフ、プランバナンで行われる『ラーマーヤナ』の舞踏劇、あるいはヘンデルが作曲した聖譚曲《せいたん》『メサイア』に似ている。それらもまた形を変えた「力の物語」である。

＊　本節ではクルアーンは『クルアーン――やさしい和訳』（水谷周監訳）より引用した。

17 聖母マリア

口承から始まり、文字になったのがだいぶあとだったモーセ、釈迦、イエス、ムハンマドの伝記とは異なり、マリアの「物語《ナラティブ》」はヨーロッパとその植民地の文字文化から発展した。ざっと見たかぎりでは、現在知られている聖母マリアの存在を裏づける史実はないといえる。マリナ・ウォーナーによれば、新約聖書における彼女の登場は「驚くほど少ない場面しか占めていないにもかかわらず、それをもとにすばらしく豊かなマリア学が成り立っている」。マリアの物語の発展は、すべての歩みが、ローマ・カトリック教会の教理問答《カテキズム》に記されている教義についての表明のなかにある。しかしながら、多くの場合、教義の発展というものは、大衆の感情を踏まえた新しい「物語」であり、場合によっては人々が信じるようになったものごとが何世紀もあとになってから承認されることもある。『ナショナル・ジオグラフィック』誌の2015年12月号に掲載された表紙の関連記事では、彼女は「世界でもっとも力のある女性」と呼ばれている。

最古の福音書であるマルコによる福音書では、マリアは5回しか言及されておらず、単にイエスの母であるだけだ。イエスを産んだ処女の母としてのマリアのストーリーは、その後、1世紀になってからマタイとルカの福音書に登場する。マルコによる福音書に出てこない理由としてふたつの可能性があげられる。マルコによる福音書の作者が、イエス（もしくは義の教師）の誕生について何も知らなかったか、知っていた内容がごく普通のつまらない話であえて書くに値しなかったかだ。年代としては、処女降誕の物語は70年にユダヤ戦争が終わるまで存在しなかった。本書の観点に立てば、処女降誕は歴史的事実ではなく、そもそもありえない話である。それを形にできるのは物語だけで、マリアの場合は、マルコによる福音書（70以降）とマタイやルカの福音書（80～90）のあいだに出現した創造性豊かなフィクションということになる。

イエスが誕生したとされる年から80年以上、あるいは、先に述べたように、1世紀にイエスと名が変わったエッセネ派の義の教師の紀元前2世紀の誕生から200年も経ってから、どのようにしてマリアの物語が生まれたのだろう？　マタイによる福音書1章23節が短い答えを出している。処女降誕は「主が預言者を通して言われていたことが実現する」ためで、「見よ、おとめが身ごもって男の子を産む」という言葉は紀元前8世紀の預言者のものだった。現代の歴史学者にとっては予言も預言も信頼できる歴史の証拠にはならないが、たとえこの古代の文脈で預言の実現が「証拠」になるのだとしても、マタイがイザヤの預言を利用するのには無理がある。まず、トマス・ペインが指摘しているように、イザヤ書7章14節の言葉は絶対にイエスを指すものではない。その先を何節か読めば、アハブ王に宛てられたその言葉は戦争が迫っている状況下のもので、言及されている「子ども」はそのあとすぐ、戦争が始まる前に生まれることになっているからである。イザヤ書7章14節はけっしてイエスの預言ではなく、イザヤの時代の話なのだ。ランデル・ヘルムズは述べている。「マタイは内容を吟味しなかったためにイザヤ書7章14節を読み違えている——彼の時代でも現代でもよく用いられている解釈法だが、愚かであることに変わりはない」。実際、ペインは「預言の検証」に乗り出し、新約聖書で「実現」したとされる「預言」はどれもまったく預言などではなく、福音書の作者が盗用したあからさまな例であることを示している。

ふたつ目の問題はもっと深刻だ。原典のヘブライ語では、イザヤ書7章14節は「見よ、若い娘（アルマー）が身ごもって男の子を産む」と読める。ヘブライ語のアルマーは若いというだけで処女という含みはない。既婚か未婚かを問わずすべての若い女性に当てはまるのだ。「アルマー」は創世記の処女リベカとソロモンの雅歌《がか》の処女ではないハレムの女たちの両方に使われている。ところが、このヘブライ語が紀元前3世紀にギリシアの七十人訳聖書へ翻訳されたとき、「若い娘」は必ず「処女」であるとの偏見からアルマーがパルテノス（処女）に誤訳された。正しくギリシア語に訳したならネアニス（若い娘）となっただろう。ヘブライ語のもとの「物語」には、アハブ王の時代でもそれ以降も、処女から奇跡的に子どもが生まれるという含みはない。けれども、ギリシア語版しか使っていなかったマタイとルカは、誤訳されたイザヤ書7章14節にもとづいて、イエスがパルテノス、つまり処女から生まれるという預言を作った。預言を予言とする概念自体がエセ科学やエセ宗教に匹敵する誤りで意味がないとはいえ、ほとんどの宗教の信者はそれを事実として受け入れている。けれども、預言と奇跡の誕生物語としてすでに2000年ものあいだ受け継がれてきた話の原点は、誤訳だったのだ。4世紀、ラテン語のウルガタ訳聖書はギリシア語の誤訳をそのままにしてイザヤ書7章14節にウィルゴ（処女）を用い、その後、トリエント公会議でウルガタ訳を正式なカトリックの聖書とすることが宣言されて、誤訳を訂正する機会は事実上そこで失われた。プロテスタントの欽定《きんてい》訳聖書もイザヤ書7章14節の「処女」の誤訳を維持している。「預言」の怪しげな出どころとは裏腹に、欽定訳は何世紀にもわたって、英語の読者がイエスの処女降誕は旧約聖書の預言の実現ではないと悟る機会を奪った。20世紀の改定標準訳聖書、新英語聖書、新エルサレム聖書になってようやく、旧約聖書のイザヤ書7章14節のアルマーが、もとのヘブライ語に忠実に「若い娘」と訂正されたが、マタイとルカの福音書の誤訳「処女」（パルテノス）は注釈もつけられずそのまま放置された。どうやら、処女降誕があまりにも深く浸透しているため訳の改定は見送られたようである。

処女降誕のこのいい加減な始まりは、預言を信じ、預言の実現を証明したいと願い、そして古代の文書を批判することなくそのまま用いてしまうことによって、いかに「物語」が発展していくかを示すよい例なのかもしれない。マタイとルカは、七十人訳聖書を使ってギリシア語で福音書を書いた。ヘブライ語の原典を参照していたなら、「処女」ではなく「若い娘」だと気づけたかもしれない。そうはいっても、彼らをはじめとする新約聖書の執筆者たちにヘブライ語の知識があったことを示す証拠は何もない。彼らが書いた処女降誕説には、サミュエル・コールリッジがいうところの「積極的な不信の停止」が表れている。それが作り話や科学的に不可能な話を幅広く受け入れてしまう原因となっているのだ。処女降誕を信じるかどうかは、自然の法則を無視する奇跡を信じるかどうかに左右される。マタイもルカも、処女降誕が伝説、神話、架空の話であるとの認識は持っていなかった。それどころか、あまりにも魅力的な話だったので、その上にいくつもの章を積み重ねた。今ではカトリックの文化に深く浸透しているため、おそらくこれからも、どのような理由があってもけっして覆されることはないだろう。

もうひとつ、ヨセフはイエスの誕生に直接かかわっていないにもかかわらず、マタイもルカも、処女降誕と、イエスがヨセフを通してダビデの血筋を受け継いでいるということのあいだに矛盾があるとは考えていなかった。ヨセフの父親は、マタイによる福音書ではヤコブ、ルカによる福音書ではエリと異なっているため、どちらか、もしくはどちらも創作された系図である。古代の文学では逸話的な構成要素をつなぐことで「物語」が拡張されたが、そうした構成要素が一致するとはかぎらない。たくさんの話が矛盾しないよう説明する試みはルネサンス以降のものだが、そのように説明しようとすると、やはり聖書の話は歴史の土台というより「物語」だとわかる。

処女であるイエスの母の創造は、何世紀にもわたる紆余曲折《うよきょくせつ》を経てきた。注目すべきは、イエスの弟ヤコブが書いたといわれる、16章からなる「ヤコブ原福音書」だ。最終的に外典（正統ではない）とみなされたこの福音書は、当初はマリアの描写という点で大きな影響力を持っていて、アレクサンドリアのクレメンス（１５０〜２１５）やオリゲネス（１８５〜２５４）といった神学者が処女降誕の証拠として取り上げていたが、イエスが生まれたといわれる時期の次の世紀にヤコブが書いたといわれていることから、正典とみなすには疑わしく、作り話だと考えられるようになった。この福音書には、子宝に恵まれなかったアンナに思いがけずマリアが生まれた話と、その後マリアが14歳で処女のままイエスを産んだ話が含まれている。この福音書はヤコブが書いたといわれながらも、1世紀末のマタイやルカの福音書に大きく頼っており、少なくとも80年という時間の経過がヤコブによる執筆を不可能にしている。

ヤコブ原福音書には驚くべき不可能が記されていて、かなり偏向的なフィクションだといえる。マリアの産後、産婆はサロメに「かつてない見物をお話ししなくてはなりません。処女が自然では考えられないお産をしました」と述べる。だが、サロメは証拠を見せられるまでそれを信じない。そしてサロメが部屋に入ると、産婆がマリアにいう。「みなりを整えなさい。あなたについて小さからぬ争いが起きています」（以上、荒井献訳）。その後、サロメは納得した。処女である唯一の証拠は処女膜が破れていないということだ。そのくだりは読む人にサロメが「触れられざる処女」を確認したと思わせる。しかしながら、子どもを産んだのに処女膜が破れていないわけがない。これは、書き手（おそらくヤコブ以外の男性）がこのときだけ論理的に考えられなかったのか、あるいはもう少し親切な見方をするなら、処女マリアの奇跡を包み込む大きな物語のなかにある逸話同士の矛盾の例だと容易にわかる。

マリアが処女であることが強調されるのは、性交の抑制と処女を含む禁欲主義が理想の精神として掲げられていた時代だったためである。俗世からの隔離は、古代ヘブライ人のナジル人《びと》と呼ばれる苦行者たちによってすでに何百年も続けられていた。彼らの厳しい修行は民数記6章に記されているイスラエル人の40年にわたる荒れ野の生活に由来している。のちの預言者の多くはそれとは無関係の禁欲主義者で、新約聖書の時代とその前の時期に、たとえばエッセネ派は精神を向上させるために不可欠であるとして禁欲生活を実行していた。もっとも禁欲主義は古代ギリシアやローマからヒンドゥー教や仏教のインドまで広く見られる。そうして理想は続いた。モートン・ハントによれば「その後の２００年にかけて、キリスト教は処女のすばらしさに異様なほど執着するようになった」という。マリアの話をもとに、カトリック教会と東方正教会の両方の教義で、処女はスピリチュアルな「力の物語《ナラティブ・オブ・パワー》」の中心となり、その「物語」は、いくつかの聖書の文言と矛盾してもそれらを上書きしてしまうほどの大きな力を持つようになった。けれども、マリアの処女はイエスとその兄弟姉妹の誕生によって終わりを迎えた。マタイはイエスの弟たちとしてヤコブ、ヨセフ、シモン、ユダの名をあげ、「妹たち」にも言及している。マルコによる福音書3章31～35章でも同様に、イエスが自分の母や兄弟姉妹について語っている。ところが、おそらく2世紀だと思われるが、変化が起きた。正典ではない「イエスの幼時物語 The Gospel of the Infancy of Christ」で、マリアがイエスを産んだ直後からその後の21章にわたって「聖女マリア」や「貴婦人聖女マリア」と呼ばれているのである。その呼び名からはマリアが、女性が聖人として認められるためにもっとも重要な条件を満たしていた、つまり永久に処女だったと信じられていたことがわかる。最終的に正典と認められた4つの福音書と合わせて、正典にならなかった福音書も同じくらい大きな影響力を持っていた。イエスの幼時物語は早くも教会史家エウセビウス（２６５～３４０）や司教で神学者のアタナシウス（２９８～３７３）のころから参照され、キリスト教史を通して知られてきた。4世紀までには、マリアの永久の処女性について多くの教会の聖職者が語るようになっていた。7世紀には、彼女はアイパルテノス、すなわち「永遠の処女」

とみなされるようになった。

　処女降誕の物語の根底には、処女は絶対的な純血だという言外の意味があるが、その一方で通常の妊娠には性交という「不純な」行動が必要だ。この定義はもちろん、それまで純潔だった処女の体内に男性器を挿入するというそもそもの不純の原因を見落としているという点で、あからさまな性差別である。

　先に述べたように、イエスに兄弟姉妹がいるという厄介な問題は依然として残っている。しかしながら、現在の「カトリック教会のカテキズム」では、福音書にあるイエスの兄弟姉妹は「もうひとりのマリア」の子どもだと断固として主張することで、この問題は存在しないものとみなされている。もうひとりのマリアとはおそらくマグダラのマリアのことだろう。永遠の処女性の「物語」を維持するにあたって、福音書が兄弟姉妹について触れている部分は創作なのだから、それとは逆の物語を作って解決すればよいと考えられているように見える。

　処女降誕のメインは受胎告知である。天使ガブリエルが訪れて奇跡を告げるところだ。「おめでとう、恵まれた方、主があなたと共におられる。［中略］あなたは神から恵みをいただいた。あなたは身ごもって男の子を産むが、その子をイエスと名付けなさい。［中略］聖霊があなたに降り、いと高き方の力があなたを包む」（ルカ1章28、35節）。受胎告知とそれに続く降誕は、処女と息子に力を授ける大きな「物語」として、福音書の第1章を構成している。「物語」の筋書きは超自然界と自然界との交錯で、神が天から降りてきて人となるようすが、鳩の姿で降りてくると、詩のように象徴的に描かれている。受胎告知はマリアの生涯のなかでもっとも描かれることの多い「物語」で、早くも4世紀には地下墓所《カタコンベ》のフレスコ画に残されており、中世やルネサンスはもちろん近代でも、シモーネ・マルティーニ、フラ・アンジェリコ、エル・グレコ、オラツィオ・ジェンティレスキ、ダンテ・ゲイブリエル・ロセッティ、ヘンリー・オッサワ・タナー、サルバドール・ダリによって描かれている。神学者のヤロスラフ・ペリカンの推定によれば、受胎告知の絵画と彫刻の数はマリアの生涯を描く芸術作品よりも多い。

先に述べたように、ヨハネによる福音書にはイエスの誕生のストーリーはないとはいえ、ユダヤ人哲学者フィロンの哲学用語を取り入れた、また別の誕生物語が作られている。「初めに言《ことば》があった。言は神と共にあった。言は神であった。［中略］言は肉となって、わたしたちの間に宿られた」（ヨハ1章1、14節）。ヨハネは創世記にある世界の創造を言葉（「光あれ」）によるものと考えたのかもしれないが、ヨハネによるイエスと言葉《ロゴス》の同一視には、その後さらに哲学的な定義が積み重ねられることになった。ヨハネの言葉遣いには、まずイエスが存在し、彼が創造主である神になったという含みがある。つまり事実上イエスを人間から宇宙的キリストへと変化させているのである。ペトロも同じことを語っている。「キリストは、天地創造の前からあらかじめ知られていました」（一ペト1章20節）。こうして、壮大なスケールになったキリスト教義の盤石《ばんじゃく》な基礎が固められた。皇帝コンスタンティヌス1世の改宗（312）によってキリスト教がローマ帝国の公式な宗教になってから数世紀のあいだに、神学の法典化が急速に進められた。325年には皇帝がみずからニカイア公会議を開いた。リチャード・ルーベンスタインはその公会議が「イエスが神になった」瞬間だと的確に表現している。コンスタンティヌスと250人の司教が参加した公会議では、イエスは「世界の始まりより前に生まれた」と説明されただけでなく、きわめて哲学的なギリシア語の「ホモウシオス」、つまり「［神と］同じ存在」と定義づけられ、それまで信じられていたことが公式に認められた。すなわち、イエス・キリストは神なのである。ヨハネによる福音書からニカイア公会議までの発展が一直線だったことは明らかだ。

　イエスを神とする教義上の定義は325年に形になったとはいえ、神学上の正式な立場としては、イエスはつねに神だったがそれが325年間認められていなかっただけだという見解がとられた。認められるまでになぜそれほど時間がかかったのかを説明しなければならないため、啓示という概念が取り込まれた。それは、永遠の真実が明らかにされる瞬間、つまりそれまで認識されていなかったものごとが理解される瞬間である。こうして啓示は、信仰、教義、真実の源になった。けれども、啓示そのものも新たな「物語」、新たな作り話である。すでに存在している作り話が真実であることを「証明」して、もとの作り話を守るストーリーだ。

　哲学的な定義というものは単独で存在することはない。風や雨と同じように、直接の影響範囲を超えて作用するため、別の場所で修正が必要になることもよくある。イエスを神と定義する教義はマリアの再定義をうながし、新たなストーリーが明らかにされた。431年にエフェソスで開かれた第3公会議で、マリアは正式にテオトコス、すなわち「神を産んだ者」、一般には「神の母」と呼ばれるようになった。イエスが世界創造の一環として「生まれた」のだから、神を産んだマリアはまさに超自然な力の結集である。ローマ帝国内で迫害から開放されたばかりの宗教において、それが持つ意味は計り知れないほど大きかった。ギリシアやローマの伝説、あるいはその先駆けとなった地中海沿岸地域のいい伝えのどれひとつとして、この新しいキリスト教の物語が持つ信仰の力には太刀打ちできなかった。

テオトコスと呼ばれるようになったマリアには、ほぼすぐに「天の女王」の尊称が与えられ、王家の権威と権力が上積みされた。天の女王マリアは正式な教義の対象にはならなかったが、最終的には、ローマ教皇ピウス12世の回勅「アド・チェリ・レジナム」（1954）で、マリアの称号はイスラエルの王というイエスの呼称に応じたものと説明されている。伝統的に、ダビデ王朝の王の母は「イスラエルの太后」という特別な地位を与えられていた。この称号からは、王家の衣装をまとい、ティアラや王冠をかぶって、見たところヨーロッパの玉座にすわっているマリアを描く豊かな芸術の伝統が生まれている。論理的には、マリアはこの世を去って天国に昇るまで天の女王にはなれないはずだが、芸術表現ではたいてい時系列に逆らって、王家の装束で幼子イエスを抱いている。シエナ大聖堂の祭壇のパネルにあるドゥッチョの『マエスタ（荘厳の聖母）』や、それとならぶフィレンツェにあるジョットの『荘厳の聖母』（1310）には、たくさんの天使や聖霊に囲まれて後光が差したマリアの姿が描かれている。マサッチオの『聖母子と天使』（1426）や、フラ・アンジェリコの『受胎告知』（1430）では、マリアは豪華な王家の衣装を身につけている。ナザレの村のどこかで起きた聖書の「物語」のできごとを描いているはずのクリヴェッリの『受胎告知』（1486）では、ロマネスク様式のアーチがあるイタリア・ルネサンスの建築様式の立派な宮殿のような場所で、マリアは司教のようなかぶりものを頭にのせ、にしき織の布をかけた姿をしている。エル・グレコの『受胎告知』（1576）では、雲間から光が差す天国のような不思議な空を背景に、スカーフをかぶり、ぜいたくなサテンの服を着たマリアが描かれている。これらはみな、マリアの生涯の別々のできごとを芸術的に合成したもので、時間軸に沿って変化していったできごとがひとつの時点にすべて凝縮されて表現されている。絵画という媒体を通して虚構が紡ぎ出されていたことがそこからわかる。

こうした絵画は、実際に起きたといわれているおおもとのできごとから驚くほど飛躍した、たくさんのマリアの「物語」が組み合わせられたものである。これほどの年代錯誤と不一致があっても、信仰にはほとんど影響がない。なぜなら、ウォーナーが述べているように「カトリックの空想があまりに深く物語に染み込んでいるため、もはやその彩りを洗い流すことができない」からだ。物語というものは、むろん、事実や歴史にとらわれない。そして聖書にもとづく「力の物語」は、それが事実と歴史の両方をしのぐからこそ目的を達成できるのである。

その後、マリアを原罪から解放する教義が作られた。すなわち「無原罪《むげんざい》の御宿《おんやど》り」（無原罪懐胎）である。アダムとエヴァが教えにしたがわなかったために、人類はみな罪と死の遺産を受け継いだという概念は、パウロのローマの使徒への手紙で語られている。したがって、定義上は、マリアも罪を背負って生まれたことになる。けれども、罪のある女性が神を産むことなどどうしてできようか？　その疑問は初期のキリスト教司祭が書いたさまざまな文献で表面化しており、彼らがその矛盾を解決したいと考えていたことは明らかだった。マリアが正式にテオトコスと認められる前にもすでに、アウグスティヌスは聖処女マリアだけは罪を背負っていないと断言していた。どうすればそのようなことが可能なのかという議論は何世紀にもわたって続けられた。あるとき、マリアの母も処女懐胎とみなす案が出されたが、そうするとはるかエヴァにまでさかのぼって、無限ともいえる処女懐胎が繰り返されなければならないために却下された。とはいえ、外典の「マリア誕生福音書」には、マリアの母アンナは子どもができず、主の天使の介入によって身ごもったことから、処女のままであったと記されている。罪は性交による妊娠と結びついているのだから、だれもがそれを経て生まれてくるなかでマリアだけ違うということはありえない。また、罪を免れるということは、イエスが成し遂げた普遍的な救いの対象にもならない。やがて、妥協案として、マリアが例外的に罪を免れるのは無原罪の懐胎があったからだとする教義が出現した。11世紀までには、東方正教会に、数ある聖母子の肖像とあまり変わらない無原罪の神の母《テオトコス・パナクランタ》の聖像《イコン》が現れた。1477年と1483年には、ローマ教皇シクストゥス4世が「永遠の処女である無原罪のマリアの受胎」について言及したが、「無原罪のマリアの受胎」と「無原罪の受胎」はまったく同じものではない。シクストゥスは強制力のある教義を交付するにはいたらなかった。

ヤロスラフ・ペリカンによれば、6世紀後のトリエント公会議（1545〜63）では、「無原罪懐胎は無視できないという見解にいたった」が、それでも強制力のある教義にはならなかった。トリエント公会議はプロテスタントによる宗教改革と、聖母マリア崇拝と呼ばれるものへの広範囲な抗議の影響を受けて開かれたものだった。ローマ・カトリック教会が新たな教義を公表すれば、改革の火に油を注ぎかねない。結果として、無原罪懐胎が教義として正式に認められたのはそれからおよそ300年後だった。1834年、ローマ教皇ピウス9世がマリアは「原罪のいかなる汚れからも守られている」と断言し、カテキズムにそう記された。正式な承認は遅かったかもしれないが、無原罪懐胎の話は何世紀にもわたって、より広範囲なマリア信仰の「力の物語」の一章として生き続けていた。さらに、ディ・コジモやルーベンスが描いた数々の「無原罪の御宿り」の絵、ムリーリョの3枚の絵、そしてイタリアやスペインからブラジルやニカラグアまでのマリアに捧げる教会にある彫像によって、「物語」が強化された。

注意すべき点は、「無原罪の御宿り」の意味が正確に定義されていないことである。その話は、マリアの受胎にはほかの全人類に共通する罪の汚れがないという、特定の筋書きを支えるためだけのものである。その文脈を離れてしまえば、無原罪懐胎の説明は不可能であるため、論理的な、あるいは実世界の言葉で説明しようとする人はだれもいない。マリアが原罪を免れたのと同じような問題が、釈迦を「汚れない」存在とみなす仏教の方広部（または方等部）でも持ち上がっていたことは注目すべきである。パーリ仏典の「論事《カタヴァットゥ》」ではそれを、釈迦は普通に生まれたのではなく、心から生まれた存在だと説明している。その概念は無原罪懐胎と同じくらいあいまいであり、そこからまたさまざまな問題が派生して、実世界ではなく物語の枠組みでしか説明できなくなっている。イエスの誕生にも当てはまる仏教の見解にはもうひとつ、釈迦の伝記『マハーヴァストゥ』で提唱されているような、母親の脇腹から身を裂くことなく生まれたとする説がある。これにあてはめると、マリアの処女性は保たれるが、イエスは心から生まれた存在になってしまう。実際そうした解釈は仮現説《ドケティズム》と呼ばれ、イエスを仮の姿あるいは幻影ととらえているが、そうするとイエスが地上での苦難を免れることになってしまうため、異端として非難されている。このように、マリアの無原罪懐胎とイエスの処女降誕は、道理と現実の基準に適合しない「物語」

のなかでだけ保たれている。

　新約聖書にはマリアの死の話はない。多様な地方の伝説があるにもかかわらず、正式な埋葬場所や墓といわれる場所もない。そのため、使徒言行録にあるイエスの昇天のように、マリアは天に昇ったと信じられるようになった。昇天の解釈は明らかにマリアがテオトコス、神の母、天の女王である結果として論理的に導き出されたものだが、正式な教義になるまでに数百年を要した。そうするあいだにも、ティツィアーノの『聖母被昇天』（1516〜18）やルーベンスの『聖母被昇天』（1626）など、イタリア・ルネサンスの見ごたえのある絵画のいくつかで聖母マリアの被昇天が描かれた。被昇天の正式な教義は1950年にローマ教皇ピウス12世によって発表された。

　教義としての承認が19〜20世紀まで遅れたとはいえ、マリアの「物語」のいくつもの構成要素は、はるか昔から人々のあいだで信じられていた。感動を呼ぶ「物語」というものは、事実や歴史に関係なく広まり、架空の伝記、歴史、遺物を作る。エルサレムのオリーヴ山の麓では、1世紀の墓がマリアの墓として長いあいだ崇められてきた。入れ子になったアーチを持つ石造りの正面から入ると、墓まで47段の階段がある。そこを訪れる多くの人々は墓を本物とみなしていることから、信仰心には証拠よりも「物語」のほうが大きな影響をおよぼしているとわかる。別の伝説では、マリアは最後の日々をエフェソス近郊で過ごしたといわれ、そこでも彼女のものと思われる墓が崇められている。フランスのシャルトル大聖堂には、マリアがイエスを産んだときに着ていたサンクタ・カミシア、つまり「聖なるチュニック」があるといわれているが、入手時の話が明らかな作り話で、古さや起源は特定されていない。マリアと結びついているそうした聖地や遺物はみな、マリアという人物を取り巻く物語ストーリーのコレクションをさらに大きくしている。

マリアの「力の物語」のなかでも突出しているのは、聖母マリアの数多くの「出現」や「不思議」だ。それらは、女王のような高貴なふるまい、王家にふさわしい装い、聖霊のような、あるいは半分神であるかのような容姿、そしてこの世とは異なる世界の住人であるといった、何百年もかけて培われてきたマリアのイメージに合う姿をしている。過去2000年のあいだに報告されたそうした出現は2000件に届かんばかりだが、カトリック教会が正式に認めたものはごくわずかしかない。おそらく、出現の多くは数人、たいていはひとりの人間が目撃しただけで、教皇庁がこれまでに定義している認証の基準に届かないためだろう。聖母マリアが出現したといわれる多くの聖地の崇拝は、教会がしぶしぶ認めている、一般の人々の勝手な信仰である。聖母マリアの出現としてもっともよく知られているのは、フランスのルルドで14歳のベルナデットの前に現れた話で、有名な小説『ベルナデットの歌』でも語られている。ルルドの聖母が現れた1558年は、ちょうどトリエント公会議で「無原罪の御宿り」はやむを得ないと宣言されてから4年後で、聖母マリア自身が「わたしが無原罪の御宿りです」と述べたといわれている。

儀式で祈りが捧げられる対象としては、聖母マリアは多くのカトリック信徒にとってイエスにならぶ存在だ。カトリックのほかの聖人たちをしのぐマリアは、女神にほんの一歩およばないだけである。まさに新たなマリア「物語」が生まれる土壌がそこにある。1915年、ベルギーの枢機卿《すうききょう》メルシエは、共贖者《きょうしょくしゃ》、仲保者《ちゅうほしゃ》、弁護者としての役割を含め、マリアを全人類の精神の母と定義する教義をはっきりと示すよう教皇に嘆願した。数百人がそれを支持し、最近では2010年にも改めて嘆願書が出されている。それは神の母、永遠の処女、無原罪の御宿り、聖母被昇天に続く5つめの教義として歓迎されている。全部合わせれば、世界のいかなる宗教にもない5つの膨大な宗教物語になるだろう。マリアが女神として認定されることはおそらくないだろうが、やがて共贖者と認識されるのかもしれない。すでに数百万の人々がそうみなしているからだ。そのあいだにも、聖母マリアは絶対的な力と存在を示す「物語」のなかに生き続ける。

マリアの物語はみな、だれも答えられないような深淵な問いを投げかける。キリスト教徒の50パーセントはカトリックで、明らかに聖母マリアの「物語」を受け入れており、そうすることに意味を見いだしている。ロザリオの祈りという儀式を通して、彼らは「物語」のなかで暮らしているのだ。『ニューズウィーク』(1997年8月25日)や『ナショナル・ジオグラフィック』(2015年12月)といった雑誌の特別号にあるマリアの記事では、あたかも読者がみな「彼女」の物語の内容を支持しているといわんばかりに、彼女を実在の人物として扱っている。信者の目から見れば、信じないことのほうが不可解だ。キリスト教徒でも、多くのプロテスタント宗派のどれかに属している人々は、聖人の制定や聖母マリア崇拝を信じることはほとんどない。プロテスタントは教義に聖書の裏づけを求める。福音書に記されているイエスの処女の母というマリア以外の姿はみな、正典が作られたあとのカトリックの教義だ。簡単にいえば、プロテスタントは一般に、ローマ・カトリック教会が聖書以外に教義を作れるほど大きな、あるいは聖書にならぶほどの権威を持っているとはみなしていない。プロテスタントだけでなく、ほかの宗教の信者たちにとってもまた、聖母マリアのさまざまな「物語」は微笑ましいストーリー以外の何ものでもない。そして、たくさんの無信仰者、自由な思想家、不可知論者、無神論者、そして数知れない無関心派にとって、マリアの「物語」は自分たちとは関係のないものごとである。マリア信仰は彼らにとってなんの意味も持たない。わたしたちはまだこの違いを理解していない。答えは事実や歴史という客観的な世界ではなく、社会学や心理学といった漠然とした世界のなかにあるように感じられる。

「物語」を通して理解する方法がもっとも期待できるだろう。「物語」は史実でなくてもそうみなされることがあり、信じる人に対して大きな影響力を持つ。そのため、「物語」そのものが信仰の力という救いの力を作り出しているように見える。一方で、「物語」は語るということ以外に意味を持たない宗教的な作り話ととらえることもでき、信じない人はその影響も受けない。どちらの考え方もそれぞれの立場の人にとっては都合がよい。「物語」を表現方法とみなす解釈はその中間で、史実と作り話の隔たりを埋める重要な考え方だ。信じるも信じないも自由である。真実か偽りかは別として、「物語」はそれを信じる人に対して尋常ではない影響力を持つため、一度信じてしまうとなかなか抜け出せない。けれども実際には、「物語」を受け入れる、あるいは拒否することを決定づける方法、試験、絶対的な前提などは何もない。

マリアの「物語」をひとつひとつ探っていくと、神秘的な出現、幻影、雲間につかのま見える姿、声、涙を流す銅像など、それが驚くほど多種多様だとわかる。あまりの多さに教会が調査も承認もできないほどだ。ときにあふれんばかりの清らかさをまといながら、新しい「物語」が次々に誕生している。

数年前、知り合いの10代の少女が、カトリック信者の親友と教会に行ったからと、ていねいに折られた、ひと握りの美しい簡単な折り紙の花をうれしそうに見せてくれたことがある。彼女によれば、折り紙の花はふたりが教会でもらったプレゼントで、前の週にその教会を訪れた聖母マリアの土産ものだという。この話からは、可能と不可能のあいだに、あいまいで微妙な道があるとわかる。「物語」はフィクションと事実のあいだを行き来しながら、それらを分けようとする試みから逃げている。

18 大地の女神トナンツィンとグアダルーペの聖母

伝えられているところによれば、1531年12月、メキシコシティの近くで、アステカ族のインディオ、フアン・ディエゴの前に、現在ではグアダルーペの聖母として知られる聖母マリアが奇跡的に姿を現した。数日のあいだに3度出現したあと、フアン・ディエゴのマント（あるいはチュニック）に聖母の姿が映し出され、その場所に聖母を祀る聖堂が建てられた。この伝説の影響は大きい。その後何百年にもわたって、グアダルーペの聖母は中央アメリカ・カトリック教義の中心となり、彼女が出現した場所は毎年何百万人もが訪れる、世界でもっとも巡礼者が多い場所となった。

グアダルーペの聖母の出現は長い年月のあいだに起きた多数の出現のひとつである。これほどまでに影響が大きくなければ、容易に忘れ去られてしまった可能性もある。カトリック教会の数千の聖人よりも知られているこの聖母は、中南米ではほとんど女神のように崇められている。彼女は、聖母マリアにまつわるカトリックの教義すべてを受け継ぎ、神の母、天の女王、無原罪の御宿り、聖母被昇天を名乗り、イエスとの共贖者にわずかに届かないだけだ。けれども、メキシコのインディオは彼女を人類の母、メキシコの女王、大地の女神トナンツィンの生まれ変わりとして崇拝している。その一方で、聖母の出現から350年以上経った1895年10月12日、グアダルーペの聖母はローマ・カトリック教会より冠を授けられた。ファン・ディエゴの列福は1990年5月9日に認められた。2002年7月31日、メキシコシティにあるグアダルーペのバシリカ聖堂で、ローマ教皇ヨハネ・パウロ2世が列聖の儀式を行い、ファン・ディエゴを聖人と認めた。

メキシコのみならず世界中の信仰を理解するにあたってグアダルーペの聖母が文化的に重要であることは、何年も前に、その「物語《ナラティブ》」の力を見抜いたF・S・C・ノースロップが著書『東洋と西洋の會合　世界平和原理の探究』で説明している。「インディオに向けられたグアダルーペの聖母とその啓示の話は、ある意味、今日のいかなる状況においても見られないほどの影響力で、メキシコ人の心を刺激して献身を引き出し、全面的な反響を呼んだ」。ヤロスラフ・ペリカンはいう。「聖母マリアにまつわる場所に目を向けなければ、欧米の信仰や崇拝の歴史は理解できない」

グアダルーペの聖母のストーリーは、ヨーロッパと新大陸の両方に何層にも重なった背景を持つ。ひとつ目の層は語源と象徴に関係がある。マリアのヘブライ語の名前であるマリアム（あるいはミリアム）はモーセの姉の名だが、語源はラテン語のマリアと同じで、「海」を意味するマーレだ。英語にも「marine（海の）」や「mariner（水夫）」としてそれが残っている。ヘブライ語のマリアムという名はラテン語のスティラ・マリス、「海のしずく」を意味するが、あるときそれがステラ・マリス、「海の星」と転写された。これは誤記というよりは、ラテン語の単語の中央にあるeとiが入り混じって用いられていたことが原因だろう。結果として生まれた「海の星」という聖母マリアの尊称はすぐに広まって、マリアは船乗りにとって、彼らを導く灯り、船の信号、あるいは航海の目安になる星を指すようになった。海の星の聖母にあやかる聖堂や教会は中世後期、特に大航海時代にたくさんあり、危険の多い大海原の航海から守ってくれる「星」を崇拝する船乗りや探検家を引きつけた。

グアダルーペがあまりにもメキシコの文化と強く結びついているために、そのヨーロッパの起源はほとんど忘れ去られている。スペインのエストレマドゥーラ地方にある本来のグアダルーペのバシリカ聖堂は、15世紀に完成した海の星の聖母マリアに捧げる聖堂で、ほかの文化ともさまざまに結びついていた。１４９２年に終わった４００年にわたるスペインのイスラム教支配に関連する興味深い歴史の展開により、グアダルーペの聖堂にまつられているのはアフリカ文化をルーツに持つ「黒い聖母」である。黒い聖母には長く複雑な背景がある。もしかするとその起源は旧約聖書の雅歌にあるのかもしれない。「王様／わたしをお部屋に伴ってください。［中略］わたしは黒いけれども愛らしい。［中略］ソロモンの幕屋のように」（雅1章4〜5節）。この一節が、ヨーロッパ人ではなくアフリカの人種でイスラム教徒の、黒い肌をした聖母《マドンナ》マリアの描写につながった。ペリカンは「黒いデメテル、黒いイシスほか、多神教のさまざまな黒い神々と著しく似ている」と述べている。アラン・ワッツはローマからメソポタミアやインドまでの広い範囲について語っている。「彼女［聖母マリア］がイシス、アシュタルテ、ケレス、アフロディテ、キュベレー、イナンナ、マーヤー／シャクティほか、古代に知られていた偉大なる地母神すべての代わりであることは、むしろ明らかだ」。国土回復運動《レコンキスタ》の時代、イベリア人はイスラム教徒に「ムーア人」という人種差別的な呼称をあてがい、彼らに強い敵意を抱いていたにもかかわらず、スペインの地にあるグアダルーペの黒い聖母は完全に受け入れていた。

　グアダルーペと周辺のエストレマドゥーラ地方は、その地域出身のスペイン人探検家が多いことで有名である。初めてメキシコを横断して太平洋を見たバルボア、アステカ族を征服したコルテス、インカ族を征服したピサロ、のちにアメリカ合衆国の南東部となる場所で伝説の若返りの泉を探したデ・ソト、カリフォルニアの一部を探検したビスカイノらがみなそうだ。彼らに先立って、1493年に新大陸への2度目の航海の前に、クリストファー・コロンブスはスペインのグアダルーペの聖堂を訪れた。続いて彼は、修道士たちとの約束を守って小アンティル諸島にある島をサンタ・マリア・デ・グアダルーペと名づけた。3度目の航海の旗艦もサンタ・マリア号と命名されたが、最初の航海のときの同名の船よりも大きかったために、マリアガランテ（堂々としたマリア）とふさわしいあだながついた。こうした名の知れた人々も無名の多くの船乗りたちもグアダルーペの黒い聖母のことをよく知っていて、そこで探検や征服といった危険な仕事の安全を祈ったと考えられる。海の星の聖母が彼らを導き大西洋を横断させた一方で、そうした探検家やコンキスタドールは聖母を導いて新世界に持ち込んだ。ゆえに、メキシコに聖母が出現してアステカ族のような浅黒い肌をしているといわれたときに、それがスペインのグアダルーペの聖母の出現として報告されたことはしごく当然だった。

メキシコの司祭ルイス・ラソ・デ・ラ・ベガが当初アステカのナワトル語で書いた『偉大なるできごと *Huei tlamahuicoltica*』（1649）によれば、「愛しの聖母マリア、グアダルーペの聖母の奇跡の姿」は1531年12月の土曜日に、メキシコシティに近いテペヤック（別名テペヤカック）の丘で、アステカ族のインディオの前に現れた。カトリックに改宗したばかりだったフアン・ディエゴは、「司祭が教える聖なるものごとを追求しようと」トラテロルコの教会へ行くために丘を横切っていた。まず、「天の歌」のような音楽が聞こえ、それから声が彼を呼んだ。彼が丘の上を目指すと、姿が現れた。「目の前の姿を見て、彼は驚いた。彼女はこの上なく美しく輝き、その衣は太陽のように輝いていた」うえ、そこにいるだけで周囲の丘が明るく照らされていたのである。このようすは、数々の出現にある伝統的な聖母のまばゆいばかりの美しさと一致する。彼女はただちに自分の正体を明かした。「わたしは真の永遠の処女、真の神の聖なる母です」。長く続いてきたテオトコス、すなわち神の母、そして永久の処女性をかなり短くまとめた言葉である。続いて彼女は、人々の役に立ちたいと述べたうえで、その地に彼女のための教会を建ててほしい、メキシコの司教にメッセージを伝えてほしいとフアン・ディエゴに頼んだ。彼はいわれた通りに司教にことの次第を伝えたが、司教は納得せず、フアン・ディエゴを追い返した。丘に戻った彼はひざまずいて、聖母にそのことを伝えた。聖母に話しかけるときに、彼は「天の女王」という称号を使っているが、彼女が正体を明かしたときにはその称号は用いていないのだから妙である。彼女は翌日も司教を訪ねてほしいと頼み、ディエゴはミサのあとで司教に会う。それでも「信じられない」司教は、それが本当に天の女王である証拠が必要だと告げる。3度目の出現は、フアン・ディエゴのおじが病で死にそうだったため、しばらく時間が経ってからだった。おそらく臨終の儀式について話をしようとしたのだろう。彼は司教を探しに行った。フアン・ディエゴが丘を避けて通ろうとすると、聖母がまた現れた。このときは聖母が彼のところまで丘を降りてきた。彼がおじのことを話すと、彼女はおじは死なないと告げ、奇跡を起こした。「大丈夫、もうよくなっているはずです」。証拠を見せろという司教の要求に応えるために、聖母はフアン・ディエゴに丘の頂上でマントいっぱいに春の花を集めてくるよう告げ、そのうえで「司教の目の前でしかマントを開けてはいけません」と指示する。その花はスペイン北部のカスティリャ原産の「カスティリャのバラ」で、「香りがよく、生き生きとしており、その時期の花ではなかった」。これも奇跡である。3度目に司教を訪れたフアン・ディエゴがすべてを語ったところで、次の奇跡が起こる。「彼が花を運んできた白いマントを開くと、カスティリャのバラが床にこぼれ落ち、突如としてそこに、グアダルーペという名の教会、聖なる家にいるのとまったく同じ姿で、高貴な聖母マリア、神の母の汚れない姿が浮かび上がった」

デ・ラ・ベガによれば、フアン・ディエゴのグアダルーペの聖母との出会い、そして花の奇跡による説得は大成功に終わった。翌年(1532)、聖母が現れたといわれる丘の麓に聖堂が建てられ、1622年にはより立派な聖堂になり、1709年にはたいそう立派な建物に改造された。1754年までには、教会、礼拝堂、修道院の複合施設に発展した。そして1904年、それは正式にローマ教皇によってバシリカ聖堂と認められた。基礎に問題があったためにやむなく建て直された現在のバシリカ聖堂は、一度に5万人が入れるほどの巨大な建造物である。

じつは、この話は新大陸におけるカトリック教会の因果関係論だけでは語りきれないほど複雑だ。ファン・ディエゴが聖母マリアに会ったといわれる丘はもともと、蛇女、地母神、大地の女神、太古の女神、すべての神々の母として知られる、アステカの女神シワトアコルに捧げられた神聖な場所だった。テペヤックのその場所にはほかにもアステカの女神たちが出現していた。集合的に、それらの女神は「われらの母」を意味するトナンツィンと呼ばれ、土地からとれる食べもの、特に穀物、ウリ類の野菜、トウモロコシといった食料をもたらす母なる大地という意味合いがあった。ターナーとコルターはトナンツィンを農業、食物、豊穣《ほうじょう》の女神とみなしている。

グアダルーペの聖母の出現より10年前の1521年、コルテスとコンキスタドールたちに侵略されたアステカは、物理的な敗北と文化の冒瀆《ぼうとく》の両方に見舞われた。テペヤックの丘にあったトナンツィンに捧げる場所を含め、アステカの信仰の場の90パーセント以上が破壊され、朽ち果てるままに捨て置かれた。ルイス・ラソ・デ・ラ・ベガの物語からは、アステカの豊穣の女神に捧げられていた場所、スペイン人による文化の破壊、あるいは丘の上にまだ見えていたであろう廃墟が、明らかに除外されている。デ・ラ・ベガが物語を書いた次の世紀までには、それらは忘れるべき歴史だと考えられていたに違いない。

スペインのカトリック信徒がメキシコの信仰の場を破壊した歴史は複雑だが、大きな理由がふたつある。ひとつは、すでに述べたように、何世紀にもわたったイスラム教徒によるイベリア半島支配である。アラゴン王フェルナンド2世とカスティリャ女王イサベル1世がスペインから最後のイスラム教徒を追放した1492年にその支配は終わったが、キリスト教ヨーロッパにおけることの長期のイスラム教徒の存在は、何世代ものイベリア人を憤らせ、異なる宗教を忌み嫌う感情を生み出した。その憎悪が新大陸に持ち込まれ、メキシコ征服でアステカの信仰の象徴を破壊するという冷酷な行動につながったのである。くわえて、当時は先住民の宗教を廃止してカトリックのキリスト教に置き換える取り組みも行われていた。これは後述する「発見の教義」につながるさまざまなローマ教皇の命令によって認可されていた行動だった。ふたつ目の理由は、アステカの信仰に衝撃的なレベルの暴力が含まれていたことである。人間のいけにえはあたりまえで、高度に制度化されたヨーロッパのキリスト教徒の慣例として認めるわけにはいかなかった。それらが組み合わさって、アステカの信仰の場は広く破壊されることになった。アステカ族にとって最後の一撃、また究極の侮辱となったのは、アステカ信仰の聖地だったところに数多くのカトリックの神殿や教会が建てられたことだった。

聖地をすり替えることでもとの宗教を退ける行為は、歴史で幾度となく繰り返されてきた。オリュンピアにあったゼウスの神殿や母なる女神（キュベレー、デメテル、あるいはレア）に捧げられた神殿メトロオンは、ギリシアのキリスト教化のときに取り壊された。コンスタンティノープルにあったすばらしい6世紀の建築、聖なる叡智の教会ハギア・ソフィアは、イスラム教徒がその都市を征服してイスタンブールと名前を変えた１４８３年にモスクに改修された。イスラム教徒によるインド侵攻には、ラーマ王の生誕地といわれているヒンドゥー教徒にとって神聖な場所にモスクを建てるという侮辱的な行為が含まれていた。そうした破壊や置換は心理的にも文化的にも大きな爪痕を残す。トナンツィンに捧げられたアステカの聖堂の破壊はインディオたちから激しい怒りを買ったと考えられる。そのような状況で、インディオたちが征服者のカトリック信仰を取り入れる保証はまずなかったが、実際にはまったく逆の展開になった。デマレストとテイラーは次のようにまとめている。明らかに聖母の出現に反応して、インディオの群衆が司教の公邸に集まり、メキシコ中にうわさが広まって、遠方からも巡礼者が訪れるようになり、カトリックへの改宗者が桁はずれに増え、インディオたちが率先して、アステカやマヤの特色とヨーロッパ建築をしばしば融合させた教会を建てるようになったのである。

そうした主張は証明が難しい。ひとつの因果関係だけが取り上げられており、実際の歴史的状況はそれよりはるかに複雑だったかもしれないからだ。くわえて、コンキスタドールのすぐあとに続いたイエズス会の伝道師たちが作り上げた権力が絡んでいる可能性もある。デマレストとテイラーによれば、植民地の慣行に異議を唱え、インディオたちと結束したという、地に足のついたフランシスコ会士の伝道師トリビオ・デ・ベナベンテがメキシコに在任していた1524〜68年のあいだに、900万人が改宗したと報告されている。今日、カトリック信徒の3分の1はアメリカ大陸に居住している。

カトリックの信仰がメキシコに深く根づいたのは、ミゲル・サンチェス、ルイス・ラソ・デ・ラ・ベガ、そしてルイス・ベセラ・タンコの「物語」の影響を大きく受けていたからかもしれない。彼らの作品が当初、フアン・ディエゴとアステカ族の言葉、ナワトル語で書かれていたためだ。タンコは最後の一文で疑問を投げかけている。「聖母は、グアダルーペの姿で現れた理由については明らかにしていない」。この記述には、聖母は、ヨーロッパ各地の十数の出現と同じように、さまざまな形で現れることができたことがほのめかされている。なぜこの姿で？　著書『グアダルーペの女神 *The Grace of Guadalupe*』で物語ストーリーを再現しているフランシス・パーキンソン・キーズは次のような関係を指摘している。「ナワトル語のコアトルは蛇、トラロクは女神、トラルピアは見守るを意味する。トラという音を抑えて、話すときのように自然に言葉をつなげると、3つの単語はコアタロクピアとなり、スペイン語のグアダルーペにかなり近い音になる」。コアタロクピアはアステカの蛇の女神で、あまたの地母神のひとりだ。カトリックの聖母は足で蛇を踏み潰している姿で描かれることも多く、非常によく似ている。マリナ・ウォーナーがいうように、「イエズス会とフランシスコ会の宣教師たちが語る聖母の無原罪の御宿りのプロパガンダにさらされていたファン・ディエゴが、地元テペヤックで崇拝されていたインディオの蛇の地母神と融合させた」可能性はありそうだ。けれども、最初の話がカトリックの司祭によって書かれたことを考えると、ウォーナーの見解は裏返しかもしれない。カトリックの司祭が先に、アステカのコアタロクピアとスペインのグアダルーペの近似に気づいた可能性もある。それなら、グアダルーペの姿で聖母が現れたのはスペイン人司祭の選択だったことになる。プロパガンダはキーズが示している形より巧妙だったのかもしれない。

　そのバシリカが、今や世界中のカトリックの巡礼者の目的地になっていることを考えると、グアダルーペの聖母のストーリーは、紙に記された「力の物語《ナラティブ・オブ・パワー》」としてはもっとも影響力が大きい部類に入る。しかしながら、たとえ広く信じられ、多大な効果があるのだとしても、そうした「物語」が歴史や客観的事実としては怪しげな土台の上に成り立っていることは、すでに明らかだろう。ファン・ディエゴが架空の人物だというのではない(もっともそのような説はある)。あるいは幻視体験のようなものがまったくなかったというのでもない。イーヴリン・アンダーヒルらが記しているように、並はずれた体験というものは、古くは聖書のパウロのころから歴史を通じて繰り返されている。

改宗という否定できない証拠があっても、出現の話にはみな困難がつきまとう。出現は、アステカ族とスペイン人征服者の双方にとっての「力の物語」としては機能するが、事実や歴史としては無理がある。征服者が聖地を冒瀆したという記録全体から見て、カトリックの聖堂は意図的に宗教を置き換えるためにそこに建てられたのだろう。3人の作家が描く話は、すでに生じていたものごとに対する後づけの正当化だったように思われる。そして実際に起きたできごとを正確に描写、確認、訂正、反論できるアステカ族の証人はいなかった。サンチェス、デ・ラ・ベガ、タンコによって物語が執筆されたころまでには、その「できごと」は前世紀のもので、そのあいだずっとテペヤックの丘にはグアダルーペの聖母に捧げる聖堂が立っており、数千のインディオたちがファン・ディエゴの「マント」といわれる布の絵を見ていた。ロイス・ザモラによれば、「トラクイロ」と呼ばれる中央アメリカの絵描きたちは「神のために描く」画家兼司祭で、聖母の奇跡の絵は「ほぼ間違いなく、トラクイロが描いたもの」だという。けれども100年という長い年月が流れるうちに、実際に奇跡が起きたと述べることに抵抗がなくなり、それが出現の「物語」の「証拠」として扱われるようになった。

「物語」からわかるように、ファン・ディエゴと聖母マリアの出会いには目撃者がいない。そうした状況は教会が正式に認めることを躊躇《ちゅうちょ》している多くの出現の報告にはよくある。驚くまでもないが、何年もあとになってから書かれた話というものは事実関係が正確ではない。3人の作家の物語はいずれも、ファン・ディエゴが訪れたローマからの司教はスマガラだと述べているが、デマレストとタイラーによれば、当時スマガラは司教に選ばれてはいたものの、1年後にスペインに戻るまでは正式な司教として認められていなかった。3つの物語にはみな、数百語からなる聖母マリアとファアン・ディエゴの長い言葉が引用符でくくられて挿入されているが、作家によって大きく異なっており、会話は創作だとしか考えられない。3人目のルイス・ベセラ・タンコにいたっては、テペヤックの丘、聖母の出現、司教の使用人の態度、絵に示されている奇跡が起きた場所、聖母がみずからインディオの求めに応じるところなどの物理的な詳細を正確に、簡潔に表現している。先のふたりの作品より四半世紀あとに執筆したタンコは、ふたつの作品をうまく利用して、重要な詳細を鋭く見抜き、派手な文飾や切り捨てたほうがよい神学的解釈について論理的に理解を深めた。ふたつ目のルイス・ラソ・デ・ラ・ベガの物語にもタンコと同じ大胆さがあるが、会話の描写は詳細な歴史というよりはむしろ芸術表現で、特に強い感動を生む聖母の言葉にそれがよく表れている。最後の段落はファアン・ディエゴのマントに浮かび上がる聖母の奇跡の姿の詳細な描写で、布地、聖母の顔、衣装、色、細かい背景が含まれている。それらはみな、300年経ってもまだバシリカに展示されている絵とまったく同じだ。デ・ラ・ベガの物語は文学としても認められており、『アメリカ文学作品集 *The Heath Anthology of American Literature*』の初版（1989）に掲載されて以来、何度も再版されているため、アメリカ文学の学生でも読むことができる。しかしながら、ミゲル・サンチェスの作品は、明らかに文学作品として書かれたもので、ジョン・リリーの『ユーフュイーズ *Euphues*』（１５７８）を思わせる言葉遣い、大げさな表現、過度の文飾が見られる。散文のパターン化も多い。丘を上るフアン・ディエゴは「美しい音楽、みごとな調和、一糸乱れぬ詠唱、高度な対位旋律、そして拡張高い発音」を耳にする。そして聖母が現れると、その丘の「ごつごつした表面、平らな岩、小石が、サファイア、ルビー、エメラルド、ヒヤシンス石、そしてダイヤモンドに変わった」。フアン・ディエゴがマントの中身を司教に見せると、そこには「美しさで心を奪うバラ、蜜で敬意を払うユリ、血のようなカーネーション、忠実なスミレ、琥珀色のジャスミン、希望のローズマリー、愛のアイリス、そしてとらわれのエニシダ」があった。数ページ先でも出現のようすが描写されているが、今度は感情表現だ。「彼らはみなひざまずき、感嘆で恍惚《こうこつ》とし、恍惚で動けなくなり、動けないまま高揚して、高揚が慈愛となり、慈愛でうっとりして、うっとりしたまま瞑想し、瞑想から愛が生まれて、愛が歓喜になり、そして歓喜のあまり沈黙していた」。事実と意味が美辞麗句に埋もれている。

　このサンチェスのバージョンは、メキシコ・カトリック教会の短い「承認」を得て出版され、「１１６年間待ち望んできた、この著者のすばらしい才能、繊細な思考、豊かな表現、そしてみごとな文体は、聖典と歴代のローマ教皇や教会博士たちの書物にある言葉で美しく彩られており、まさにその歴史にふさわしい」と一種のお墨つきが与えられている。その「彩り」はサンチェスの「力の物語」にあるひとつの特徴で、文学的な言語表現、詩的な象徴、美辞麗句を巧みに操る才能だ。ふたつ目の特徴は神秘に対する神学的な関心である。デマレストとテイラーが述べているように、サンチェスにとっては、「言外に神学的な意味を持ち、聖書に類似していないかぎり、物語の骨格は重要ではなかった」。信心深い人のあいだでは、聖書との類似は一種の聖なるパターンや神の意志の証拠とみなされることが多い。「わたしの心で感じた印象を記しておかなければならない。これほどの奇跡が起き、聖なるマリアが姿を現したという状況には、必ず何らかの預言のオーラがあるはずだ」とサンチェスは記している。これまで見てきたように、預言は、イエスの生涯を綴る福音書の構築がその根底にある。そこでは、旧約聖書を「予型」、新約聖書を「対型」とするパターンにしたがって預言を「証明」するためのできごとが意図的に作られ、それが優先されるために、歴史の要素が覆い隠されてしまっている。当然のことながら、先に述べたように、預言は逆から見れば盗用だ。

イェシュア／イエスと、ヨシュア、モーセ、ソロモンとの予型論的な結びつきについて先に論じたように、予型論の一例である象徴的な名前は解釈の問題を引き起こす。名前だけでなく、生涯も似ているのはたんなる偶然なのか？　それとも、名前をもとに意図的に生涯が作り上げられているのか？　サンチェスは、最初の予型論的類似の例としてこう記している。「彼の名はファン、姓はディエゴである（英語のジョンとジェイムズ、すなわちヨハネとヤコブ）。これらの名前は間違いなく預言である。なぜならいずれもマリアという名の母親から生まれた息子たちの名だからだ」。この種の「物語」の構造は、ファン・ディエゴという人物は実在しなかったのではないか、メキシコのカトリック組織が作った架空の人物なのではないかという疑念を生む。そのような疑念もまた根拠のない一種の作り話だが、ストーリー全体を通して、事実ではないかもしれないと読む側を警戒させる。サンチェスの物語には、司教が席をはずして、ファン・ディエゴがうまく使命を達成できたかどうか悩む場面が3か所ある。サンチェスは神学的な釈義にのめり込み、その都度予型論的な類似で話を強化している。まず、ファン（ヨハネ）が、ヨハネの黙示録21〜22節で「霊に満たされて」高い山に連れていかれるパトモス島のヨハネと結びつけられている。ヨハネはそこで「小羊の妻である花嫁」と、「聖なる都エルサレムが神のもとを離れて、天から下って来る」ところを見せられるが、「わたしは、都の中に神殿を見なかった」とある。神殿のない都はまさに、ファン・ディエゴがマリアに捧げる聖堂を建てるよう司教に嘆願するところと一致する。「霊に満たされて」いるという表現は、ファン・ディエゴの体験が物理的ではなく精神的だったと考える糸口になる。同時に、象徴を巧みに組み合わせて考えれば、聖母マリアは「花嫁と都」だ。「聖母はまさに神の花嫁であることから花嫁、またメキシコの街の象徴なのだから都である」。一方、肌が黒い聖母マリアをメキシコの象徴とすることで、また新たな扉が開かれる。アステカのインディオにとって、聖母の姿は蛇の女神コアタロクピア、メキシコの母トナンツィンが聖なるテペヤックの丘で生まれ変わった姿である。その場所に教会を建ててほしいと願う聖母の言葉には、インディオたちはカトリックという新たな宗教を通して彼らの女神を崇拝し続けてよいという言外の意味があるのだ。

2度目の出現に続いて司教の公邸で待っていたファン・ディエゴは「自分が信じてもらえない」ことに気づいていた。サンチェスはその状況も予型論的な文脈にあてはめている。イエスが蘇ったとき最初にその姿を見たのは、「以前イエスに七つの悪霊を追い出していただいた」（マコ

16章9節）マグダラのマリアだったが、彼女がイエスと一緒にいた人々のところへ行ってイエスが蘇ったことを告げても、だれも信じなかった。その理由は「マグダラのマリアが改宗したばかりだったからだ」とサンチェスは記している。同じく改宗したばかりのフアン・ディエゴが信用されなかったのは、まさにそれが原因だと彼は考えた。聖母マリアが「邪神崇拝から解放された」ばかりの下級な人間の前に現れるなど、どうして司教に信じられようか。フアン・ディエゴが3度目に聖母マリアに会ってから司教の公邸に向かったとき、司教は使用人に彼の尾行を命じたが、「どういうわけか、見失ってしまった」。そのため、彼が聖母に会うところを見た人間はいない。サンチェスはそこに預言を見いだせると説明している。神はモーセを3度シナイ山へ呼び寄せたが、そのときほかの信者はだれも連れてこないよう念を押した。特に3度目、神の幕屋を作る会話のなかで、神は「作り方はモーセ以外の者が知ってはならないと命じた」。これをフアン・ディエゴにあてはめると、聖母マリアが求めた教会は「真の箱舟、すなわちマリア」を祀るものになるとサンチェスはいう。これはフアン・ディエゴにしか明かされない奇跡だ。サンチェスによれば、3度目、フアン・ディエゴが春の花で満たされたマントを手に司教の公邸へと向かうところは「［司教に］太祖モーセの生涯のできごとを思い起こさせたかもしれない」。つまり、これも予型とつながりがあるという。民数記13章で、モーセは約束の地に偵察隊を送る。戻ってきた偵察隊は「そこは乳と蜜の流れる」ところだと報告し、「そこの果物」を証拠として持ってきた。「一房のぶどうの付いた枝」である。サンチェスは解釈を広げて、「約束の地とは聖母マリアを指し、ぶどうの房はその息子であるイエスだ。『こうしたしるし』は『さまようイスラエルの子どもたち』に力を与えるものである」と記している。司教のもとへと運ばれた花は追い立てられたインディオに力を与えるしるしだった。

最後の4つ目の類似を指摘しながら、サンチェスは「物語」を記す自分の役割を低く評価しているが、これはかつてないほど巧みに練り上げられた「力の物語」のひとつだと考えられる。彼は自分の重要性を低くすることで、解釈の信憑性《しんぴょうせい》を高めている。「ときに言葉や理論でつまずくことがあっても、転んでしまわないよう神に祈ろう。わたしにできることは歴史における類似性を追求することだけだ」。列王記上18章と列王記下1章、またダビデとヨナタンの友情を引き合いに出して、彼はふたつの魂の融合についてこう語る。「ふたりのあいだの愛はどのような試練にも耐えた」。聖書の登場人物は予型だ。フアン・ディエゴと司教は対型である。「ドナムス――与える者」であるヨナタンがもとになっているヨハネ、つまりフアンという名がその証拠だとサンチェスはいう。「司教を意味するオビスポという言葉とダビデという名は、いずれも愛しい者を意味するディレクトゥスが起源である」。サンチェスの聖書の釈義同様、そうした語源は初期の教父たちと同等の曲解だ。それらは、論理ではなく、物語のおもな道具である隠喩や象徴を通して理解したときにしか成立しない。しかし、たとえ完全に理解できなくても、神秘的に表現されるだけで目的は達成できる。予型論にあてはめれば書物がオーラをまとうことは間違いない。実際、この力の物語はメキシコでは5つ目の福音書のような役割を果たしている。この話は確かに聖書によく似た形をしている。したがって、事実や歴史に忠実ではない。

1531年12月9〜12日のあいだにテペヤックの丘で実際に起きたできごとは、もし本当に何かがあったのだとしても、わからない。当時の記録は存在せず、あるのは数十年後に書かれた「物語」だけだ。もしすべてが語られているとおりに起きたのであれば、日誌や記事、回想録、ヨーロッパのカトリック教会に宛てたメキシコからの手紙などがあるべきだが、それもない。説明はあっても、目撃者も証拠となる別の資料もない。フアン・ディエゴが見たり聞いたりしたものや、聖母マリアが述べたといわれる長い言葉は、ほかにだれも聞いていない。現在は「エスカラーダ写本」と呼ばれるものが発見されたことで、16世紀まで記録をさかのぼることができるが、その写本の描写にはのちの物語に見られるような華やかさはない。バシリカに保管されているこの写本は、縦横が13・3センチと20センチの1枚の羊皮紙で、1995年に古い書物にはさまれているのが見つかった。そこにはフアン・ディエゴと聖母の姿、そして出現にまつわる短い話が描かれており、年代特定の調査から1548年のものと判明している。この写本が本物だと最終的に判断されれば、1531年に起きたといわれる出現からあまり年月が経たないうちに書かれたことになる。17世紀の3つの物語は当初の話をかなり色づけしており、なかでも、フアン・ディエゴのマントがもたらした奇跡の描写はもっとも印象に残るが、真実としてはもっとも疑わしい。

しかしながら、アステカのインディオと、毎年バシリカ聖堂を訪れる何百万もの人々にとって、メキシコの中核ともいえる聖母出現のストーリーは事実であり、歴史である。信仰や政治の危機にさらされた時代、「物語」は典型的なウィン・ウィンの関係をもたらした。何百万人ものインディオの改宗に成功したことで、カトリック教会はインディオであるフアン・ディエゴに起きた出現の話をキリスト教の勝利とみなし、一方のアステカ人にとっては、彼らの女神／守護者が蘇って打ち負かしたことになる。デ・ラ・ベガの作品では聖母が語る。「あなた方の母であるわたしがここにいて、流浪の民を助けないとでも？　わたしはあなた方の仲間ではありませんか？」聖母マリアの言葉としては驚きだが、フアン・ディエゴのマントに描かれた聖母像は浅黒い肌を持ち、アステカの王女、インディオの女神のような姿をしていた。カトリックの指導者たちが入念に作り上げたこの「物語」が繰り広げられるなかで、その場面はまったく予期せぬこととはいえない混乱をまねくように仕向けられていた。アステカのインディオたちにとっては、奪われた女神トナンツィンが彼女の聖なる丘に蘇ったとしか考えられない。実際、今日においても、メキシコ人は聖母を古代アステカの豊穣の女神とみなし、「われらの母」トナンツィンと呼ぶ。キリスト教ヨーロッパの起源をはるかに超える彼女の称号は、もっとも神聖な聖母マリア、グアダルーペの聖母、メキシコの女王、そしてアメリカ大陸の女帝である。

19 神聖ローマ帝国の創作物語

1世紀後半から2世紀にかけて、福音書をはじめとする新約聖書の文書によって、「義の教師」の新たな生涯が創作された。新約聖書はギリシア語で書かれ、ユダヤの伝統ではないギリシアの古典期の伝統をよりどころにしており、それ以前のユダヤ教の文書とは少しずつ趣を異にしていった。義の教師の影になったヤハウェの存在感は薄まった。古代ユダヤの王朝に由来する政治的、預言的な意味合いが過分に蓄積されていたユダヤ教のメシア思想も同様だった。「メシア」はギリシア語の呼称である「クリストス」（キリスト）に置き換えられた。こうして、暗にユダヤの王朝を表していた言葉が、新たに敬称を意味する言葉に変わった。その一方で、新約聖書の時代より何世紀も前のギリシア神話がローマ人に継承、吸収されたために、ギリシアの古典期に神の子孫とされていた英雄の伝説もローマ世界に持ち込まれた。ギリシアの神々のアポロン、アレス、ヘルメス、ポセイドン、ゼウスからは、合わせて100人以上の半神半人の英雄が生まれている。そのなかにはローマ建国の祖といわれる伝説の人物もいた。たとえば、アエネーアスは女神のアフロディテ（ローマ神話のウェヌス）の息子、ロムルスはアレス（ローマ神話のマルス）の息子である。彼らの子孫といわれた皇帝アウグストゥスの神格化は、続く多くの皇帝とその一族でも繰り返された。

マルコによって義の教師の新たな「物語《ナラティブ》」が創作されると、その人物像に奇跡の出自をくわえる必要が生じたとみえて、数年のうちにそうしたエピソードがマタイとルカの福音書に登場した。処女降誕はギリシア神話でも神々の権威を高める要素となっていたため、珍しくなかった。豊穣にまつわる神や女神が死んで復活する話は、地中海沿岸地域のほぼすべての信仰に存在し、その信奉者のほとんどがローマにいた。冥界への旅は叙事詩の『オデュッセイア』と『アエネーイス』の中心テーマとなっていた。それ以前にも、人間であるローマの英雄が天に昇ったと伝えられていた。トーラー（モーセ五書）を知らないローマ人の読者は預言の実現という福音書の主張を見落としたかもしれない。それでも、当時のQ資料やトマスによる福音書に書かれていた義の教師の言葉が持つ思慮深い知恵には気づいただろう。そのエッセネ派の教えは、少なくとも1世紀、おそらく2世紀にわたってローマや地中海の属領に存在していた哲学思想とよく似ていた。のちの新約聖書の記述からもわかるように、慎重な態度をとっていたのはむしろユダヤ人のほうだった。ローマ人は、神に通じる起源や王家の血統、神聖化された太古の物語を通して古代から続く血筋に権力を付与するという考えに違和感を持たなかったために、イエスの血統にまつわるマタイとルカの説をあっさり受け入れた。始祖は半神半人であってほしいというローマ人の期待に、政治的にも宗教的にも合致していたからだ。ローマ人の支配に対するユダヤ人の反発と、その結果起こった66～70年の戦争の記憶はまだ鮮烈に残っていたとはいえ、パレスティナのユダヤ人グループと対立していた義の教師は、ローマの多くの宗派に受け入れられやすい立場にあった。やがて、福音書自体が、義の教師を十字架につける最終決定をしたのはユダヤ人の支配者ポンテオ・ピラトだったとして、事実上ユダヤ人に責任を転嫁した。

これほど広範な裏づけとなる「物語」群を用意し、その後発展させた信仰はほかになかった。ルカによる福音書の作者は、その後さらに教会史の形を整え、部分的にフィクションをくわえた使徒言行録を書きあげた。そのあいだにも、さらにいくつかの福音書が出現した。ロン・カメロン著『その他の福音書 *The Other Gospels*』（１９８２）には、そうした福音書16編が収録されている。１９４５年にエジプトのナグ・ハマディ付近で発見された文書からは、多くの福音書や書簡、「言行録」と呼ばれる作品の存在が明らかになった。『聖書の失われた書物 *The Lost Books of the Bible*』（１９２６）には、福音書28編とともに、「現存しない聖書外伝の断片」の文献一覧が収録されている。ローマ帝国には、すぐさまそうしたキリスト教の文書があふれかえったが、新約聖書の正典が成立すると、そのほとんどが結局は異端または偽典として弾圧や糾弾を受けることになった。ギリシアの神学者、キュロスのテオドレスによれば、４５０年までに彼の教区では２００種類以上の福音書が知られていたという。ローマには、神話、象徴、超自然信仰をテーマとするこれほど大量の「物語」に対抗できる記録はなく、それはやがて、膨大な数にのぼる古代の諸神はもとより皇帝崇拝にも代わる信仰となっていった。こうして、義の教師の「物語」は２～3世紀にかけて、徐々に地歩を固めていったのである。

決定的な瞬間は4世紀の初めに訪れた。ローマ皇帝コンスタンティヌスの改宗をきっかけに、キリスト教がまずは地中海東部沿岸、のちにヨーロッパを中心に勢いを増したのである。キリスト教はコンスタンティヌスのミラノ勅令（313）で公認されたのに続き、テオドシウスのテサロニカ勅令（380）で国教となった。「われらの寛大で穏健な措置を受ける」すべての国は、古来「父と子と聖霊」として知られる「唯一の神」を信じる宗教を信仰しなければならず、みずから「カトリック・キリスト教徒」を名乗らなければならない。こうして、さまざまな神学的信条で達成されてきたものごとがすべて統合された。さらなる改良があったとしても、その根底にある「物語」が大きく変わることはなくなった。

この政治的な決定が、古くからローマ人に受け入れられていた数多くの多神教とは対照的な一神教を不動のものにした。また、ローマ帝国の大きさそのものがキリスト教帝国を拡張する基盤にもなった。別の見方をすれば、必ずしもよい意味ではないにせよ、権力志向の宗教が誕生したといえる。ヘレン・エラーブの的確な分析によれば、ひとつの信仰の力が「専制政治の種」となり、何世紀もかけて成長して結実したのである。5世紀にローマ帝国が滅亡したことで、この新しい権力集団のための環境が整った。410年に西ゴート族に侵略されたローマは、ロムルス・アウグストゥスという二重の意味で皮肉な名前をもつ皇帝の退位によって、476年についに崩壊した。トマス・ブラウンはそれを「古代地中海世界の黄昏《たそがれ》」と表現している。

もうひとつ幕を閉じたものに、1500年にわたって続いてきた「力の物語《ナラティブ・オブ・パワー》」、すなわち、オリュンポス山の神々やトロイアの王家に起源をもつローマ皇帝の系譜がある。代わってその陰から現れたのが神の国の宗教だった。この宗教は、キリストと呼ばれるようになった義の教師の現実離れした数々の伝記を身にまとい、地中海周辺地域で次々に司教を任命して拡大した。何百という実在、あるいは真偽の疑わしい殉教者がいて、ニッサの聖グレゴリウスによれば、そうしたすべての者が「見えない友人」とみなされたという。また、聖遺物崇拝が盛んになったことで、この新しい宗教は、400年以上におよぶ社会の伝統と、神や来世についての独自の概念とも結びついた。ローマ帝国崩壊の混沌《こんとん》から現れた新たな「物語」は、廃墟のなかで権力の再編成が始まったことを告げていた。この新しい神話が築き上げたものは、軍事征服とは無縁の精神的な「物語」だった。エドワード・ギボンはそれから何百年もあとに、キリスト教は「ローマ帝国の中心で徐々に独立国家を形成し、拡張した」ために、持ちこたえたのだと主張している。やがてそれが実を結び、ローマの「カピトーリ宮殿の廃墟に勝旗となる十字架が立てられた」

4〜5世紀には、権力を正当化する新たな「力の物語」が誕生した。それらは作り話と誤った方向づけの結果として生まれたものだが、この点については慎重になる必要がある。その後数世紀のあいだに出現した多くの文書は、詐欺的な作り話と分類されがちだが、それは現代の法に照らせばの話である。ルネサンス期、また多くの例では近代になっても、事実とフィクションの区別はつきにくく、過去はつねに記憶や想像、創造の産物として物語られていた。くわえて、物語というものは感情や心理的欲求と密接にかかわっているため、つねに事実より優先される。フィクションから事実を見分ける分析的思考が用いられるようになったのは啓蒙運動以降である。そのため、それ以前の習慣に近代的な区別を押しつけるのには問題がある。わたしたちにできるのはせいぜい、歴史的な描写のなかで、事実の正確さではなく物語の「影響」をたどることぐらいなのだ。

最初の作り話は、384年に作成された『リベリウスの目録 *Liberian Catalogue*』だ。これはおもな教皇を一覧にした編纂物で、当時ローマを支配していた皇帝リベリウスからその名がついた。130年以上はそのままでこと足りたようだが、のちに対象を全教皇まで拡大して内容を充実させたリストが作られ、『教皇の書 *Liber Pontificalis*』として知られるようになった。それがやがて神聖ローマ帝国と呼ばれるようになる伝説の帝国の基盤を築くことになる。編者はわからないけれども、その編纂時期は重要である。拡大版の『教皇の書』が作られたのは、ローマの崩壊から半世紀あまり経った530年ごろだった。この書物は、500年におよぶ教会指導者の正確な年表だといわれている。いかにもありそうな話だが、教皇ダマススに宛てた聖書学者のヒエロニムスの怪しげな手紙が発端だったとわかれば、そうは思えなくなる。その手紙でヒエロニムスは「使徒聖ペトロの時代からの〔中略〕歴史を順序よく説明したい」と述べ、ダマススはヒエロニムスへの同様に疑わしい返信で、そうした情報は「すでに教会に〔中略〕十分集まっている」と答えている。6世紀の編者がこの4世紀のふたりのやりとりをどのように入手したのかと疑問に思うだろうが、答えは明らかだ。レイモンド・デイヴィスが述べているように、書物そのものが、実際の編纂より150年前の「366年から384年までローマ司教だったダマススの書だと読者に思い込ませる」ものだったのである。このような年代錯誤が通用したのは、ただでさえ少ない読者が年代というものに慣れておらず、錯誤に気づかなかったからだろう。また、古文書は古いというだけで、真偽はともかく権威あるものとみなされがちだ。ヒエロニムスがエルサレムにいた証拠がないのは別として、デイヴィスの言葉を借りれば、この書簡は「間違いなく偽物」であり、「書簡体の稚拙きわまりない模倣」であることを露呈していて、それだけでも「聖ヒエロニムスとダマススを筆者から除外するのに十分」だ。ちなみにヒエロニムス（347～420）は当時を代表する優れた手紙の書き手で、その文書が大量に残っている。

捏造を暴露するのは年代錯誤だけではない。ダマススからヒエロニムスへの書簡が、ありえない情報で締めくくられている。「5月23日付。9月26日受領。ローマからエルサレムに送付」。実際に記録され、保存され、200年後に使われた日付というより、現代の郵便サービスの配達記録のように見える。だが、これはほんの序の口だ。『教皇の書』に記されている教皇の詳細が、悪意はなさそうでも本物を装ったものばかりなのである。たとえば以下の公式な記録を見てみよう。最初の2世紀のあいだ就任した15代までの教皇に関するもので、「空位」は次の教皇が決まるまでの空白の期間を表している。

教皇名／在任期間／埋葬の日時と場所／空位期間
ペトロ／25年2か月3日／6月29日、ローマのアウレリア街道
リヌス／11年3か月12日／9月23日、ペトロ埋葬地の近く
クレトゥス／12年1か月11日／4月26日、ペトロ埋葬地の近く／20日

クレメンス／9年2か月10日／11月24日、ギリシア／21日
アナクレトゥス（アネクリトゥス）／9年2か月10日／7月13日、ペトロ埋葬地の近く／13日
エヴァリストゥス／9年10か月2日／10月27日、ペトロ埋葬地の近く／19日
アレクサンデル／10年7か月2日／5月3日、ローマ付近のノメンターナ街道／35日
シクストゥス／10年2か月1日／4月3日、ペトロ埋葬地の近く／2か月
テレスフォルス／11年3か月21日／1月2日、ペトロ埋葬地の近く／7日
ヒギヌス／4年3か月4日／1月11日、ペトロ埋葬地の近く／3日
ピウス／19年4か月3日／7月11日、ペトロ埋葬地の近く／14日
アニ（キ）ケトゥス／11年4か月3日／4月20日、カリストゥス／17日
ソテル／9年6か月21日／4月22日、カリストゥス／21日
エレウテルス／15年3か月2日／4月22日、ペトロ埋葬地の近く／15日
ヴィクトル／10年2か月2日／7月28日、ペトロ埋葬地の近く／12日

もしこれが本当に歴代教会指導者の正確な記録で、イエスとペトロのあいだに築かれたといわれる継続的な師弟関係から始まっているのなら、これはまさに聖なる力の系図であり、教皇の「力の物語」は正当だといえるだろう。ローマ・カトリック教会はまさしく、使徒継承（教会の権威が使徒から司教に継承されたという主張）を根拠に、そのつもりで記録を作成し、解釈を維持してきた。また、何百年ものあいだ数えきれない人々がそう信じてきた。

この15代までの教皇の一覧を見れば、それに続く3～5世紀の教皇41人についての情報の質もおのずとわかる。表には各教皇に関する4つの「事実」にくわえて、出生地と父親の名前、さらにはたいてい殉教についての記述もあるが、そこにつけくわえられている逸話は昔の伝説や民間伝承の単なる受け売りだ。

ヒエロニムスとダマススの偽書簡以外にも、詳細な記述に信憑性を疑わせるものがある。何より各項目の数字と日時がそろって正確すぎる。1～2世紀にかけては、信頼できる教会の記録はほとんど残っていない。1世紀と2世紀の司教職が実際にどのような地位だったのかは明らかになっておらず、「教皇」の地位に格上げされている場合はみなでたらめだと考えられる。地中海沿岸のアレクサンドリア、カルタゴ、コンスタンティノープル、ダマスカス、リヨン、セビリアなどの場所には数多くの司教区が存在していた。12～16代までの司教は、それぞれシリア、カンパニア、ギリシア、アフリカ、ローマで生まれている。そのように地理的に離れていると、師弟関係が脈々と続いているという前提自体が危うくなる。ローマに最高君主たる司教職があることは使徒継承を意味するのかもしれないが、それが認識されたのはもっとあとの3世紀に詳細な記録が取られ始めてからである。カトリック教会の教義書であるカテキズムでは、「使徒の教えは［中略］終末まで途切れることなく継承して保たなければならない」と規定されている。ペトロからヴィクトルにいたる2世紀までの教皇15人は、「途切れることなく継承」した例として示されているが、この基準には遠くおよばず、過去の歴史の創作、つまり作られた伝統だ。

ほかの事例では、あからさまに創作が行われている。最古の教皇リストは、175～190

年のあいだに司教のイレナイオスが作成したもので、ペトロからエレウテルスまでの14人が掲載されているが、名前だけで司教としての在任期間は示されていない。そうなると、その後の『リベリウスの目録』に記された司教の在任期間に疑問が生じる。イレナイオスの時代から200年も経っているのに、どうしてこのように正確な数字が出てくるのだろう？ それ以外にも、新たな事実が判明している。『リベリウスの目録』では、教皇が（おそらく本当に）空位だった時期は2度しかない。シクストゥスが没した258年からの11か月と、マルケルスが没した304年からの7年以上である。それ以外の空位期は記録にないにもかかわらず、のちの時代の『教皇の書』の編者はわざわざ項目を設けて、この2例を除くすべての在任期間のあいだに架空としか考えられない空位期をちりばめた。たとえば現在に近い1500～2000年と比べると、かくも古い時代に500年以上にわたって、リストの編纂に必要な正確な記録が残っていたとは考えられない。共通紀元から数百年の実際の記録では、教皇の死亡または埋葬日の記録は3世紀以降は残っているがそれより前はない。編者が適当に作った日付が、その後何百年も教皇一覧に転記されているのである。

デイヴィスはさらにこう述べている。「残念なことだが、編纂された時代にはコンスタンティヌスより前のローマ・カトリック教会史がほとんど知られていなかったため、編者は『リベリウスの目録』の内容を適切な形で補うことができなかったのだろう」。いったん「信頼に足る歴史が伝説にのみこまれ」れば、「中世の文献には、ほとんど信頼できる史実はない」。『教皇の書』は敬虔な作り話と考えるのが妥当であり、新しい情報が明るみに出るにつれてそう認識されるようになった。67年ごろに死去したペトロは福音書4編を承認したといわれていたが、今では、それらの福音書はみな70年以降に書かれたことがわかっている。また、目録の一覧には古い伝説も含まれている。たとえば、エウセビウスが教皇だった308年5月3日には、コンスタンティヌスの母ヘレナによって「主イエス・キリストの十字架が発見された」とある。これはアメリカ大統領の母親の、たとえばバーバラ・ブッシュがメイフラワー号のマストを発見するのと同じくらいありえない話だ。ちなみに、十字架が発見されたのはこれが2度目だった。クリストファー・ブッシュ・コールマンが述べているように、1度目は1世紀に、ローマ皇帝クラウディウス1世の妻プロトニチェによって発見されている。ただし、のちの伝説で行方がわからなくなったことにして、ヘレナによる再発見が可能になるように、物語間で辻褄が合わせられている。

『教皇の書』には、事実誤認を示す記述がある。教皇ウルバヌス（在位222～30）を皇帝ディオクレティアヌス（在位284～305）と同時代の人物とする年代の誤りがあるのだ。古い記録では、最初の3世紀の教皇30人のうち7人が殉教者になっているが、この5世紀の編纂では、最初の2世紀の教皇15人のうち12人が「殉教の栄光を受けた」として、伝説の歴史に悲劇の英雄らしい行為を追加している。最近になってローマでペトロの墓といわれるものの周辺を発掘したところ、ほかにも創作があるとわかった。教皇たちは「ヴァチカンの丘にある聖ペトロの遺体の近くに埋葬された」と繰り返し主張されてきた。最初の2世紀の教皇14人のうち10人についてそう記載されているが、考古学の発掘調査では証明されなかったのである。これは宗教の名を借りた作り話で、461年のレオ1世から一覧の最後にある530年のフェリクス4世までの5～6

世紀の教皇の埋葬場所に、それ以前の歴史が重ねられている。目的は、ヴァチカンの丘をキリスト教史の中心的な聖地に格上げすることだった。

５３０年におよぶこの系譜は、細かい内容のほぼすべてが偽りだった。ローマ・カトリック教会は、1～2世紀の教皇の没年月日や埋葬場所、たびたび言及されている伝説が疑わしいことを、20世紀になってようやく認めた。デイヴィスはこう述べている。「それらは１９６９年になってやっとローマ暦から削除された。編者の創意工夫がそれほどまで長く持ちこたえたのだ」。とはいえ、歴代の教皇は長いあいだ、この偽りの「物語」の恩恵を受けてきた。ペトロを経てイエスから神聖さを受け継いでいるということが、議論の余地のない権威をもたらしたからだ。教皇位が断絶することなく引き継がれていること自体が、18世紀にわたって続く神聖な教皇による支配の物語だった。教皇位の継承が事実でなく作り話であっても、この話は広く行き渡った。歴代のイギリスの君主のような王朝の系譜では、血のつながりによって王位が継承されていく。使徒継承でつながる神聖な系譜では、各教皇は前教皇の弟子であり、霊的な「息子」である。何世紀もの伝統によって受け継がれてきたこの「物語」は、今日の教皇継承の根底をなしており、新教皇は必ず前教皇のもとで使徒のように仕えた枢機卿のなかから選ばれる。こうした慎重な継承の儀式は長いあいだうまく機能してきたが、共通紀元以降の数百年のあいだもそうだったという証拠は、今日まで見つかっていない。

『教皇の書』は、ローマ皇帝に代わる教皇の君主制という、神聖な支配のための建国の書だった。没落したローマの都に代わって、新たに一種の都のようなものが築かれたのである。パトモスのヨハネが、ヨハネの黙示録に示した「新しいエルサレム」がそのひな形だった。410年の西ゴート族によるローマ劫略《ごうりゃく》から2年後には、神学者のアウグスティヌスが、そうして築かれた都を「神の国」と呼び、そこは「永遠の至福」の場所で、「この国の創造者」が「約束」したとおり「すべての市民が不死」であると述べている（『神の国』服部栄次郎訳）。それは確かに新しい君主制であり、新しい国だったが、黙示録の「新しいエルサレム」と同じく、歴史ではなく想像上の空間を占めている。

神の国というお膳立てが整ったところで、次に出現したのは新しい帝国、すなわち神聖ローマ帝国だった。『教皇の書』の巧妙な作り話は、新たな権力の「物語」となってローマ崩壊後に生じた空白を埋めた。だが、それでさえ、ローマ教皇の権威をヨーロッパ全土に拡大し、思いのままの支配を許した『コンスタンティヌスの寄進状 *Donatio Constantini*』に示される、巧妙な帝国の「物語」の前では色あせて見える。これを書いた人物は、どこの国でもたいていの人間は歴史的記録と作り話の区別がつかないことを巧みに利用したといえよう。歴史学者のエリック・シャリーンは、『コンスタンティヌスの寄進状』を「中世初期を代表する有名な偽造」と呼んでいる。それどころか、歴史を見渡してもこれほど大胆かつ大規模な偽造はないのかもしれない。偽りの法的根拠を得たおかげで、教皇は何世紀にもわたってヨーロッパ全域で絶対的な権力をふるうことになった。完全な偽作であったにもかかわらず、寄進状はカトリックの歴史で重要な位置を占めている。影響力と権威があまりに強大だったために、今日でもなお教会史の中核をなす文書だ。ヘンリー・ベッテンソンは『キリスト教文書資料集』にこの寄進状を収録しながらも、「偽物であることが立証された」（聖書図書刊行会編集部訳）ものと注釈をつけている。

『コンスタンティヌスの寄進状』は、約３０００語におよぶ教会ラテン語で入念に作り込まれた文書として、正確な日付はわからないが８世紀後半に出現した。これまでに書き手は特定されていないが、おそらく教皇庁関係者だろう。中世のオリヴァー・ノース（イラン・コントラ事件を実行したアメリカ国家安全保障会議の軍政部次長）の類いが、シャルルマーニュ（カール大帝）のカロリング朝がヨーロッパで空前の勢力を誇っていた時代に、教会のために教皇権を強化しようとして作成したものと思われる。当時の世俗権力に対してローマ教皇の優位を主張することが目的だったのだろう。完成した文書は、コンスタンティヌスの署名捺印があるように見え、宛先となった教皇シルヴェステル１世（在位３１４〜35）の時代に書かれたと称されていた。コンスタンティヌスは３２０年に宮殿をコンスタンティノープルに移しているため、この文書が書かれた時期を３２０年から３３６年のあいだだと思わせようとしたのだろう。だが実際には、この偽書が作られたのはその４００年後の７５０年ごろだった。

『寄進状』は中世の証書の形式にしたがい、「父と子と聖霊のみ名において」という祈りの言葉、皇帝名、シルヴェステルの公式な「呼称」、あいさつ、前置きの信仰告白、コンスタンティヌスのハンセン病がシルヴェステルによる洗礼で治癒したという、相手におもねるような言葉、そして寄進の内容の説明が続き、最後に皇帝であることを示す署名がある。ハンセン病が洗礼で治ったという話は、『シルヴェステルの生涯 *Vita Sylvestri*』に出てくる真偽の疑わしいさまざまな伝説とともに何百年も前から流布していたために、警告にはならなかった。コンスタンティヌスのハンセン病罹患を伝える記録が存在しないということだけでは、400年前の奇跡的な治癒の話を否定するには不十分だったのだ。

『寄進状』の核心は、コンスタンティヌス帝から教皇シルヴェステルへの権威と権力の贈与である。この力は、「聖なる秘跡である洗礼と身体の健康」の見返りに、救世主イエス・キリストと聖使徒を介して、神からもたらされると考えられていた。コンスタンティヌスの偽の言葉では、こう述べられている。

聖使徒にしてわが主なる、もっとも祝福されたペテロとパウロに、また彼らをとおして、わが父、最高の教皇、ローマ市の普遍的教皇である祝福されたシルヴェステル、およびその後を継いで世の終わりまで、祝福されたペテロの座につくべき代々の教皇たちに、われわれは、全世界のすべての宮殿にまさったラテラノ宮殿を、この寄贈によって譲渡するものである。またさらに加えて、われわれの頭にいただく王冠［中略］を譲り、われわれの帝国の高位に由来するあらゆる利益、われわれの力の栄光を持つべきことを布告する（聖書図書刊行会編集部訳）。

宮殿と王冠を象徴に承認された、このシルヴェステル「およびその後を継ぐ［中略］代々の教皇たち」への権威と権力の漠然とした贈与については、その内容がさらにひとつひとつ具体的に述べられている。

こうした教皇の権力を象徴するさまざまなものだけではない。贈与の内容には「われわれの宮殿、ならびに、ローマ市、イタリヤ、および四方のすべての郡、〔中略〕管区を譲るものである」(聖書図書刊行会編集部訳)とある。

8世紀の教皇庁の官僚が『コンスタンティヌスの寄進状』を偽書と認識していたかどうかはわからない。また今後も結論は出ないだろう。それでも『寄進状』は教会の伝統の主流となって、8世紀から、贋作《がんさく》としてついに威信を失う15世紀まで、教皇権の「物語」が実在しているかのように見せかけていた。そのあいだ、ローマ皇帝コンスタンティヌスがイタリア全土とヨーロッパ西部をローマ教皇「およびその後を継ぐ〔中略〕代々の教皇たち」に贈ったとするこの「物語」は、ほかのすべての地上の王の権力に対しても、教皇権が優位であると世に知らしめることになった。

『コンスタンティヌスの寄進状』は、歴史上匹敵するものがないほどみごとで強力な偽作だ。コールマンが例証しているように、それから数世紀のあいだに9人の教皇が『寄進状』の権威について公に言及している。取るに足りない異論も少しは唱えられていたが、15世紀までは、大多数の著述家、法律家、歴史家、神学者がその権威を認めていた。中世の傑出したキリスト教詩人であるダンテは、キリスト教に改宗したコンスタンティヌスをたたえながらも、『寄進状』によって、神聖な教会が世俗的なものに巻き込まれてしまったと思ったようだ。『帝政論』や『神曲』の「地獄篇」からわかるように、ダンテは『寄進状』の史実性をまったく疑っていなかった。それでも、コンスタンティヌスを地獄の底から3分の1のところにある「マルボルジェ（悪の嚢《ふくろ》）」に追いやるという彼なりの罰し方をしている。

教皇史家のH・バーン＝マードックがまとめているように、「『コンスタンティヌスの寄進状』は、教皇支配を賛美する思想に由緒正しいお墨つきを与えた」。実際の世界では、『寄進状』は神聖ローマ帝国――現代のドイツ、オーストリア、スイス、ベルギー、オランダ、チェコスロバキアからなる中央ヨーロッパに、フランスの大部分とポーランドの一部、そしてイタリアの大部分をくわえた広大な地域――のための、宗教と俗世界の両方にまたがる「力の物語」だった。始まりは、800年のキリスト生誕祭に合わせて行われたシャルルマーニュの戴冠式だった。正式に効力を失ったのは、およそ1000年後の1806年にローマ・カトリック教会が『コンスタンティヌスの寄進状』を偽書と認めたときで、人文主義者のロレンツォ・ヴァッラが捏造を暴いてから400年後である。ところが、この書状で示されている領土の統一もまた絵空事だった。6～8世紀のヨーロッパ史を振り返ると、これらの地域は統一されたためしがないことがわかる。ローマ帝国の公用語だったラテン語は、まさしく教皇権が集中する地域内で、フランス語、イタリア語、ポルトガル語、ルーマニア語、スペイン語に分化し始めた。ダンとミッチェルが指摘しているように、ローマ自体の人口も1世紀には100万人近かったものが、7世紀には5万人にまで減少し、北欧はゲルマン民族の200ほどの小王国に分裂していた。キリスト教は、おもに800年までに築かれた大聖堂の町や数百の修道院をまとめるくらいの力はあったがそれだけで、ヨーロッパは小公国や郡、封建王国の寄せ集めのままだった。これではせいぜい伝説の帝国にしかならない。神聖ローマ帝国は神聖でもローマでも帝国でもなかった、というエドワード・ギボンの言葉も同じことを示唆している。今思えば、ヨーロッパが政治的にばらばらだったことが『寄進状』捏造の動機となった可能性が高く、700年間も疑問を持たれなかった理由でもあったのだ。

教皇が事実無根の『コンスタンティヌスの寄進状』をヨーロッパ帝国の法として引き合いに出すことは可能だったが、そもそもこの偽の帝国には法的基盤がなかった。世事に関する教会の権限は過去何百年もの教皇の勅令をもとに厳密に決定されるべきもので、そこには法的権限の歴史と参考にされるべき前例があるはずだ。ところが、そのような勅令が記録されている例が、ほんのひと握りしかなかったのである。もっとも、ほかの場所には規範となるものがあった。東ローマ帝国では6世紀に、ユスティニアヌス帝と女傑皇妃のテオドラが、数百年にわたる判例と先例をもとにローマ法の見直しと成文化を指示していた。その結果作られた『ローマ法大全 *Corpus Juris Civilis*』は政治的求心力の源として、数百年ものあいだ東ローマ帝国を支え続けた。西ヨーロッパにはまさしくこれが欠けていた。ユスティニアヌスの法典に似たものを探すと、9世紀にイシドルス・メルカトルを名乗る聖職者が、現在は『偽イシドルス教令集』と呼ばれる100種類以上の文書を偽造している。これらは、クレメンス1世（在位92〜99）からメルキアデス（在位311〜14）までの教皇の教令として示されているが、その前置きとなる書簡から、できの悪い故意の偽作であることが露見している。書簡ではカルタゴの神学者アウレリウスが、教皇ダマスス（在位366〜84）に歴代の教皇による教令を提供してほしいと要望している。これは『教皇の書』の冒頭にあるヒエロニムスからダマススへの偽の書簡のあからさまな模倣である。真実なら、やりとりの記録がイシドルスの時代まで500年以上も残っていたことになる。『コンスタンティヌスの寄進状』の作者に対しては称賛に値する創造性を認めざるをえないが、『教令集』の創作者は下手くそな素人だった。

『偽イシドルス教令集』に収録されている60の教令のうち、58が偽作である。また、シルヴェステル（在位314～35）からグレゴリウス2世（在位715～31）に宛てたとされる30通ほどの書簡は、両者の年代の隔たりがありえないほど大きいため、どうすれば本物として押し通せるのか想像もつかない。それらはすべて、先に書かれた『コンスタンティヌスの寄進状』と同じように、本物の文書のあいだに注意深く差し込まれていた。偽イシドルスの偽教令集のねらいは、教皇の法的権限の強化にくわえて、世事や教会財産の不可侵、司教の俗人からの告訴の免除といった地方の司教の権限を増すことだった。この教令集やそれ以前の偽作が長く用いられたのは、年代と歴史の感覚が切り離されていたためである。学者がこうした捏造をうその歴史として認識するためには、ピーター・デンリーのいう「過去に対する新しい視点［中略］つまり年代のズレを意識する感覚」を発達させる必要があった。

『偽イシドルス教令集』で体系的に示された内容のほとんどは、9世紀の教会統治ではすでに受け入れられていた。そのため、同時代の聖職者が作成していることに勘づいていた官僚も、その捏造書にはほとんど懸念を表明しなかった。この文書の価値は、偽物であることを知らない人々に対して、古代の権威をもとに教皇権、司教の免責、教会の優位性を示すところにあった。偽イシドルスは、それらの起源が数百年前に発行されたとされる勅令にあるように見せかけて、何章にもなる複雑なストーリーのなかで法的権限を強化した。こうして架空の教令集は、『教皇の書』の使徒継承と『コンスタンティヌスの寄進状』で認められた領土権に続いて、何百年も前に作られたと偽られた法的基盤をもとに、伝説の帝国の創設に貢献した。そしていつものように、「物語」が史実に勝った。「物語」の成功は虚構と現実の混同がなければ成しえない。そうしてフィクションのなかに現実が創造される。異端者に対する司教異端審問（1184〜1230）やその後13世紀に始まった教皇異端審問など、エラーブがいうところの「キリスト教史の暗黒面」の大半を占めていたのも、このようにして生まれた現実だった。

王朝が統治するのは通常、似たような文化を共有するかぎられた人々だ。これに対して帝国は、複数の民族、言語、宗教の伝統を持つ人々が住む広大な領土を継ぎ合わせたものである。帝国の組織は文化の画一化を好み、権力の行使、異教に対する処罰、投獄、そして場合によっては処刑を通してそれを強要する。ローマ帝国の支配下にあった初めの数百年のあいだ、キリスト教徒はまさしくこのような仕打ちに耐えていた。ところがふたつ目の千年紀に入るころには、今度は権威者となったキリスト教の支配者が、ヨーロッパ全域でこの種の強制力を振るうようになった。被害者が加害者になったのだ。その原理を定めた公会議は、ニカイア（325）、コンスタンティノープル（381）、エフェソス（431）、カルケドン（451）、コンスタンティノープル（553、681）、ニカイア（787）、コンスタンティノープル（879）のほか14回におよび、権威者は数百年のあいだに次々に変わった。そこから生まれた重要な「物語」には次のようなものがある。父と子と聖霊の三位一体説（聖書の言及箇所は異なるにもかかわらず）、イエスは完全に神であり完全に人であること、マリアはテオトコス（神の母）であること。また聖像崇拝も公認され、それを土台にヨーロッパ中の聖堂で、聖人のみならず聖遺物が続々とため込まれるという全体構造ができあがった。こうした公会議では許容される信仰が厳密に定義されたため、一致しない見解は一律に異端とみなされた。明確な原理で武装した教会は、ヨーロッパ社会において、許容される教義から逸脱していると考えられる集団に判決を下す手段を手に入れたのである。

伝説の帝国の「物語」が、現実の支配者や統治者に権力と権威をもたらす。初期の例にはシュメール、エジプト、イスラエル、ギリシアがあるが、記録が乏しいか失われているために、物語の歴史的影響を立証することはできない。しかしながら、中世の記録からは、ローマ・カトリック教会で捏造された権力と権威がどのような影響をおよぼしたかを見ることができる。教会が不変の原理と不変の真理を唱える一方で、世俗社会は変化を好んだ。アラビア語で残されていた古代ギリシア語の文献がラテン語に翻訳され、教育は修道院の外に拡大し、叙事文学や宮廷ロマンスが世俗的な視野を広げ、ゴシック様式の建築が伝統的なロマネスク様式の大聖堂に挑み、スコラ哲学者が一般的な信仰の教義に疑問を持ち始め、宗教劇が大聖堂から町の広場へと飛び出した。これらの変化は、ほぼ例外なく教会権力への脅威とみなされた。強力な変化の最たるものは、ローマ・カトリック教会の枠を越えた宗教運動と、聖書を各国語に翻訳してほしいという要望である。結果として、教会内で権威主義的な反動が起こり、そのもっとも明白かつ極端な例が、異端審問や迫害、拷問、処刑だった。

　既存の記録からは、どれほどの人が異端のそしりを受けて教会当局の犠牲になったのかは知りえない。それを命じた教皇が支配していたのは、偽書にもとづく虚構の神聖ローマ帝国だった。しかしながら、残虐行為の証拠となるさまざまな異端審問の取り組みについては、ヘンリー・チャールズ・リーからフアン・マルコス・ベハラノ・ギタレスにいたる歴史家が十分に検証している。そこに示されている「物語」の力は、きわめて強力だ。教皇は自軍をもたない帝国を支配していたが、その蓄積された「力の物語」のおかげで、世俗権力を動かして軍事力を引き出すことができた。13世紀には教皇インノケンティウス3世が、南フランスでアルビジョア十字軍として知られる20年間の軍事作戦（１２０９〜29）を開始したが、実行したのはフランスの君主だった。目的はカタリ派の撲滅にあった。このキリスト教分派が、ローマ・カトリック教会が異端視するマニ教を思わせる二元論神学を展開していたためである。１２０９年、ベジエにあったカタリ派の拠点で、１万５０００〜2万人の全住民がみな殺しにされた。同年、カルカソンヌの全市民が町から追放された。裸にされて、と、この十字軍の活動を記録していたシトー派の修道士、ヴォー・ド・セルネのピーターが『アルビ派の歴史 *Historia Albigensis*』（１２１８頃）に記している。翌年、ミネルヴでは改宗を拒んだカタリ派の信徒１４０人が火刑に処された。それ以外にも数多くの包囲攻撃が、略奪と死の結末をもたらした。トゥールーズ周辺でも農地やぶどう畑の破壊、家畜の虐殺が行われた。

　こうして1千年紀に捏造された「力の物語」は、2千年紀に入ってもなお神聖ローマ帝国を支えていた。そこにあったのは、教会の権威を拡大し、ヒエラルキーの頂点に立つ教皇の至上権を行使でき、世俗の執行者が受け入れられるような教義を維持できる領土だった。異なる信仰や生活様式は許されない。アルビジョア十字軍が口火を切った異端審問は18世紀まで続いた。教皇グレゴリウス9世（在位1227〜41）は異端根絶の指針を定めて異端者の取り調べをドミニコ会に委ねたが、有罪者の実際の起訴、処罰、処刑は世俗の権力者に任せられていた。1252年、教皇インノケンティウス4世は大勅書『異端の根絶について *Ad extirpanda*』を発し、自白を引き出す際にどのような拷問が適切かを規定した。もっとも、そのような自白が苦しまぎれのうそで、本書でいうところの強迫による作り話であることに、教皇は気づいていなかったようである。もしかすると、関心がなかったのかもしれない。

異端審問、拷問、処刑は、教皇権行使のひな型となった。歴代教皇はヨーロッパにおける唯一の巨大勢力であり続けようと、1000年におよんで蓄積され、大半が捏造である「物語」を盾に、世俗権力の適用条件を画策して公認した。1484年にはドミニコ会の審問官、ハインリヒ・クラマーがヤコブ・シュプレンガーとともに、魔術の使用が疑われる者に異端審問を行う権限を認めるよう教皇に求め、教皇の大勅書『最高の熱意をもって *Summis desiderantes affectibus*』の発布をもって容認された。教皇インノケンティウス8世が発した大勅書は、教皇権の行使を正当化するものだった。

最近、次のようなことがしばしば余の耳に入ってくる。深い苦悩をもたらさずにはすまされないことだが、［中略］ドイツの［中略］いたるところで、男女を問わず多くの人々が、みずからの霊の救済を忘れ、カトリック信仰から逸脱し、女夢魔・男夢魔に身をまかせてしまった。それらの人々は呪術やまじない、祓い、その他迷信的な恥ずべき行為や魔術を乱用して、人間や動物のこども、大地の収穫、ぶどうや果樹の実りを弱らせ、枯らし、絶やしてしまう。成人男女も、大小の家畜、その他あらゆる種類の動物、ぶどう園、果樹園、牧場、放牧地、小麦畑、穀物、野菜も例外はない。魔女たちは［中略］男性が子種を与え、女性が身籠ること、夫が妻を知ることも、妻が夫に夫婦としての行為を行なうことを妨げる（『魔女狩り』池上俊一監訳）。

これはまさしく教皇の手による想像力に富んだ作り話だ。死産、不作、家畜の死、夫婦の不妊問題などについての誇張された報告にもとづいて、危険な力を持ち教会の権威に逆らう悪魔の手先だと考えられていたスケープゴートに、都合よく責任を負わせている。そして教皇は、ここで権威の行使者の名前を挙げ、これまで見てきたように、何百年もの物語の捏造のうえに築かれた教皇の権威に言及して、教令を発布した。

そこで［中略］当異端審問官が審問の任務を達成することが合法であり、彼らが上記の違反・犯罪の容疑者を矯正し、投獄し、処罰するのを認めねばならないことを、ここに定める。（池上俊一監訳）

1486年、クラマーとシュプレンガーは275ページにおよぶ『魔女への鉄槌 *Malleus Maleficarum*』を書き上げた。魔女伝説と司法手続きをまとめたこの本では、魔女は悪魔と契約した者と定義され、魔女がどのように仲間を引き入れ呪文を唱えるか、といった説明や、魔女の起訴、尋問、確認、告発、拷問などの手引きが記されている。翌年、『魔女への鉄槌』はケルン名誉大学神学部によって正式に承認された。インノケンティウス4世、クラマー、シュプレンガー、あるいはケルン大学神学部が、自分たちが創作し、承認した内容をきちんと認識していたかどうかは永遠にわからないかもしれない。いずれにしても、魔術やその実践、あるいは危険性にまつわる伝承は、精巧に練り上げられ、カトリック教会の官僚によって正当なものと認められた「物語」にすぎない。それが事実と誤認され、何らかの罪を犯して責めを負うべき人々、教会とその古めかしい法的手続きに反対する人々に押しつけられたのである。

当時の保守的な神学者の多くは『魔女への鉄槌』に当惑し、賛同を控えたが、それでも同書の影響力が弱まることはなかった。禁制書が密売品としてもてはやされた後世のように、『鉄槌』はその後数百年のあいだに有名になった。ほぼ同時期の1485年に開発された印刷機もこの作品の普及に拍車をかけ、30年間に20版を重ねた結果、魔女の告発、起訴、処刑が急増した。中世の学者は、ヨーロッパ全土で4～5万人が魔術を使ったと疑われて命を落としたと推定している。それは、教会が直接下した命令だった。

しかしながら、魔術を理由にした処罰や処刑は、ローマ・カトリック教会で教皇権が行使された例の一部でしかない。13世紀半ばに始まった異端審問は、異端とされる思想に民族的偏見を絡ませながら16〜17世紀まで続いていた。スペインのユダヤ人はカトリックへの改宗を強要されたが、ひそかにユダヤ教に回帰していると疑われることが多く、よく異端審問の対象になった。14世紀後半には、セビリア、コルドバ、バルセロナ、バレンシアで数百人のユダヤ人が処刑されている。改宗せずにポルトガルに逃れた人々は、ポルトガル王室が命じた16世紀の異端審問に引き出された。異端審問の犠牲になった数千人はとうに忘れ去られてしまったが、数人の著名な学者についてはよく知られている。見識のある学者が異端告発の対象にされたのは、いずれも、教皇の権威や教会ヒエラルキーの有効性、三位一体の教義、聖母マリアの称賛、聖人信仰などの物語を受け入れなかった場合だった。また、教会にとって容認できない見解や運動、理論も異端審問につながった。異端として火あぶりにされた著名人には、マルティン・ルターより丸1世紀前に教会改革を唱えたヤン・フス（1415没）、さまざまな予言の説教をしたサヴォナローラ（1498没）、聖書を英語に翻訳したウィリアム・ティンダル（1536没）などがいる。

ヘンリー8世がイングランドで宗教改革を起こしたあと、ローマ・カトリック教会には思いがけない助っ人が現れた。ヘンリーはスペインのカトリック信徒の王妃、キャサリン・オブ・アラゴンを妻の座から追放したが、キャサリンは王族の住居に隔離されているあいだ、娘のメアリーをカトリック信徒として育てていたのである。やがてイングランドの王位を手中にしたメアリーは、同国をローマ・カトリック教会に復帰させようとした。また1556年には、自分は教皇の代理人として行動できるとして、イングランドの宗教改革を積極的に推進したカンタベリー大主教のトマス・クランマーを処刑した。フォックスの『殉教者列伝 *Book of Martyrs*』（1563）には、メアリーの治世（1553〜58）で100人以上のプロテスタントが処刑されたとの記録がある。

異端審問では、科学の研究は危険な職業とみなされた。著書『天球の回転について *De revolutionibus orbium colestium*』で、太陽系の中心を太陽とする地動説を説いたポーランドのコペルニクスは、自分の作品が持つ危険性を認識し、1543年に死亡する直前まで原稿を公開しなかった。それより大胆なガリレオは、同じ理論を劇形式で論じた長編戯曲『天文対談 *Dialogue Concerning the Two Chief World Systems*』（1632）を書き上げ、教会の役人に喚問された。かろうじて迫害を免れたガリレオは、自説の撤回を記録に残すことを条件に、終身の軟禁という寛大な処分を受け、死ぬまでの8年間を自宅で過ごした。疑惑を持たれた多くの人が恐喝の犠牲になったことは間違いない。ヘンリー・チャールズ・リーによれば、富裕層は賄賂と毎年の罰金を払うことで告発を免れ、地方審問官の懐を潤した。

「力の物語」は、共通紀元以降、1000年がかりで蓄積されていた。それを打ち砕くことは、ほぼ不可能だった。『コンスタンティヌスの寄進状』が偽書であるというロレンツォ・ヴァッラが突きつけた決定的な証拠でさえ、世俗の領域での教皇権という大きな「物語」に異議を唱えるうえではほとんど無力だった。事実よりも「物語」が優先されるという原理が働いたために、長年正当だと考えられてきた信念は、捏造であることが判明してからも300年のあいだ揺らぐことはなかった。1522年にラファエロの工房で描かれた『コンスタンティヌスの寄進状』は、このフィクションを生き生きとした絵にしている。わずか5年前に、『寄進状』が捏造だったことが決定的に暴かれたにしては、なにごともなかったかのような描き方だ。結果として、すでに信用を失った神話や伝説が、視覚的な描写によって生き続けることになった。ルーベンスによるコンスタンティヌスの生涯を綴った6枚のタペストリーには、『コンスタンティヌスの改宗 *Conversion of Constantine*』もある。この図柄は、現在では表現豊かな作り話とみなされているエウセビウスの記述にもとづいて、キリスト教史の「物語」の正当性を美しい描写で視覚的に証明している。中世・ルネサンス期のキリスト教美術を見慣れていると、そのほとんどが敬虔な物語や神話、伝説、真偽の疑わしい話をもとに作り出された帝国のイメージであることを見逃しがちだ。多くは、何百年も前に、教会内部の無名や匿名の語り手によって考え出されたものだった。聖書の登場人物の無数の肖像画が、殉教者と聖人の像とともに、ローマのパンテオンにある神々の像にとって取って代わった。中世の大聖堂のステンドグラスに描かれた芸術的な図柄は、創作された殉教者の歴史や魔法、奇跡、神秘の「物語」がさも本当にあったように感じさせる。

中世美術のキリストは、宇宙の秩序原理である「ロゴス」（意図、手本、言葉）であり、「天地創造の時から、屠《ほふ》られた子羊」だが、天上では皇帝として戴冠している。その母親は、「無原罪の御宿り」で子を産んだ「天の女王」として描かれている。アンドレア・ディ・ボナイウートの『聖トマス・アクィナスの凱旋 *Triumph of St. Thomas Aquinas*』（1265）では、神学者が崇められて王衣をまとい、玉座にすわっている。両脇には旧約聖書の人物が控え、その上を天使が舞っている。この絵が作りだした帝国の賢者の「物語」は、昔の預言者や天の聖霊への敬慕を引き出す力を持っていた。ペルジーノの筆による『聖ペテロへの天国の鍵の授与』(1482)は、イエスが死んだとされる日から半世紀以上経ってから、イエスが口にしたという虚構の「物語」を後世に伝えるために描かれたものだ。そこには台頭しつつあった教会の権威を裏づけるねらいがあった。こうした作品全体が、教会組織にまつわる叙事詩に数々の章をつけくわえ、古代帝国の偉大な文学叙事詩に匹敵する力を発揮した。

ひとたび罪と救済の核となる「物語」が形成され、教義宣言に要約され、カテキズムで成文化され、さらに皇帝の権力、教皇の権威、教会の至上性といったイメージで補強されると、絡み合った作り話と中世の捏造は、物語を構築する過程にあった歴史的事実を覆い隠してしまった。そして今なお、みごとなまでに、怪しげな根拠はほとんど忘れられたまま、作り話の上に築かれたストーリーが信仰として存続している。

20 王たちの叙事詩、アレクサンドロス大王、マラッカ・スルタン朝

637年、アラブによるペルシア帝国襲撃によって、イラク、イラン、アフガニスタンの大部分、パキスタンの一部、中央アジアの北部地域を支配していたササン朝の500年におよぶ支配に終止符が打たれた。642年、アラブのカリフがイラン西部にあったササン朝の領土の大半と財宝を奪った。その後の10年間で、残存していた抵抗勢力は鎮圧され、かろうじて残っていたササン朝文化も東の国境に追いやられた。それ以降、かつてゾロアスター教を支配宗教としてペルシアが治めていた広大な領土は、代々のイスラム王朝の支配下に入った。こうしてペルシア帝国のわずかな残りも消滅した。

その350年後、ペルシアの詩人アブール＝カースィム・フェルドウスィー（935～1025）が、イスラム以前のペルシアをたたえる詩を作り始めた。完成には35年の歳月を要し

た。イランの人々にとって、この作品はかけがえのないものだ。この国のトゥースにある彼の墓の上に、壮麗な霊廟《れいびょう》がしつらえられてあることからもそれがよくわかる。フェルドウスィーの目的は、ありし日のペルシア帝国、その文化、人々、そして何より歴代の王を歴史にとどめることにあった。その成果であるペルシアの王書『シャー・ナーメ』は壮大な叙事詩である。古今の歴史を見渡しても、それにならぶものはインドの『マハーバーラタ』くらいしかないだろう。フェルドウスィーは、それ以前の未完のペルシア王通史『フワダーイ・ナーマグ』から1000節ほどを引用しているが、完成した叙事詩の二行連句はおよそ6万句にのぼり、ヨーロッパ人がよく知るホメロス、ウェルギリウス、アリオスト、カモンイスによる叙事詩と比べると、倍以上の長さになる。フェルドウスィーの詩では、ペルシア王の歴史は大昔から始まり、初期の王たちは黎明期《れいめいき》の中国の皇帝や日本の天皇と同じく、まさしく文明の礎となるものを築いたとされる。その点から見れば、『シャー・ナーメ』は、偉大なペルシア帝国が1300年以上前に決定的な最後を迎えたにもかかわらず、イランとイラン人を世界文明の中心に据えて彼らに力をもたらす「物語《ナラティブ》」だと考えられる。ペルシア帝国の栄光の時代は、アーザル・ナフィーシー・スィーがいうように「想像の王国のなかで」存在し続けており、フィルーザー・アブドラエワが主張するように「ペルシア語の文語や一般的な文学作品の形成におけるフェルドウスィーの役割は、英語圏におけるシェイクスピアや、ロシア人にとってのプーシキンに近い」といえる。ギリシア人にとってのホメロスやイタリア人にとってのダンテをつけくわえてもよいかもしれない。

『シャー・ナーメ』には何百もの章があり、50人以上の王の物語が克明に描かれている。なかには長々と語られ、治世が尋常でないほど長い例もある。物語に出てくる最初のふたりの王の在位は40年と30年だったが、4代目のジャムシードは短くても500年、少し後のザッハーク王は1000年におよんで統治している。こうした初期の物語は『シャー・ナーメ』の神話の部分であり、ヘブライ人の太祖や『ラーマーヤナ』に出てくるコーサラ国の王の物語と同じく、時間が引き延ばされている。また『シャー・ナーメ』では、粘土板に刻まれたシュメール王名表と同じように、たくさんの王によって王位が長く継承されており、歴史にはない架空の王朝が続いていることを示すために、支配王朝の交代がなかったことにされている。多くのペルシア王朝は前王朝から受け継いだ政治権力を行使したと考えられるが、王たちはそれよりはるかに重要なものを持っていた。それは、神や英雄、預言者と関連する神聖なカリスマ（ファル）である。「ファル」の概念の起源は、ゾロアスター教の開祖、ザラスシュトラの昔までさかのぼる。中心となる聖典は『アヴェスター』と呼ばれ、そのなかの「ザミヤド・ヤシュト」という巻では、力や幸運、栄光に似た意味を持つフヴァレナーが延々と100連にわたってたたえられている。人間は生まれながらにファルやフヴァレナーがあるわけではないが、だれもがそれを欲しがる。ザラスシュトラ自身はフヴァレナーがあったために、悪の力を支配して打ち負かすことができた。だが、この力と栄光は永遠には持っていられない。失うこともある。『シャー・ナーメ』のドラマティックな面白さの大半は、ファルやフヴァレナーを失くしたあと、王に降りかかったり王がみずから招いたりする悲劇にある。王は、この神から付与されたカリスマがあるかぎり、権力を保持することができる。つまり、歴代の王の物語は、ペルシア帝国の栄光を支える、捏造された

「力の物語《ナラティブ・オブ・パワー》」なのである。

聖なるカリスマという宗教的な概念は、紀元前1000年ごろにゾロアスター教の『アヴェスター』で定義、称賛されているが、それより前、つまりイラン以前のバビロニア王朝でも王権の理想の根底にあったようだ。また、さらに時代をさかのぼって、シュメール人やアッカド人の思想にもあったと考えられる。ナラム＝シンや伝説のギルガメシュの時代には早くも王権が宗教と密接に結びついており、王は神々に承認されるか、地上の神の代理人としての役目を果たしていた。フェルドウスィーが詩のなかで描いているように、ペルシアの王朝にはメソポタミアや東アジアの王権神授説との連続性が見られ、それをたどると、人類の文明の中心となるその制度の黎明期にまで行き着く。きわめて深いレベルでは、アニミズム的な霊魂の神秘の世界に起源を見いだせるかもしれない。

フェルドウスィーは明らかに、王朝を人類最古の制度とみなしていた。大まかにいって、『シャー・ナーメ』の歴代王朝の存続期間を合計すると4000年くらいになる。グイダ・ジャクソンの計算では、この叙事詩は、神話のなかの初代の王が統治した紀元前3223年からペルシア帝国が滅亡した後651年までの期間におよんでいる。だが、ここに始まりと終わりの捏造を示す不合理が存在する。歴史上のペルシア帝国の始まりはもっと遅く、紀元前550年にキュロス大王がメデス人を征服して開いたアケメネス朝からだ。これはフェルドウスィーの神話の王たちより2700年もあとである。歴史に記録されているペルシア以前のシュメール、アッカド、アッシリア、バビロニアの帝国には、フェルドウスィーは触れていない。アケメネス朝の英雄として知られるキュロス大王、ダリウス、クセルクセスも然りだ。歴史の上では、キュロスは紀元前536年にバビロニアを征服して、イスラエル人を解放したと記憶されている。ダリウスは紀元前490年のマラトンの会戦でギリシア軍に敗れたこと、クセルクセスはギリシアを併合しようとしたが紀元前478年に断念を余儀なくされたことで知られている。けれども『シャー・ナーメ』に出てくるのはダリウスだけである。ダリウスはペルシアの指導者ダラブとして登場し、フィルクィス（フェルドウスィーはマケドニアのフィリッポス王をそう呼んだ）の娘と引き換えにギリシアとの戦争から手を引いている。つまりこれは史実に根拠がない空想小説的な創作である。

フィリッポス王とアレクサンドロス大王にまつわる伝説や作り話の整理は一筋縄ではいかない。フェルドウスィーにはそうしたものごとの知識はあったが、アレクサンドロスの偉業に時代的に近い古代ギリシアのアリアヌス、ディオドロス、プルタルコスなどの記述に出てくる歴史上のアレクサンドロスについては、ほとんど知らなかったらしい。しかも、ペルシア語でアレクサンドロス大王（紀元前356〜23）を意味する「セカンデル（イスカンダル）」以前の東アジア史についての理解は皆無に等しかった。

古代イランのパルティア王朝時代には記録を残す習慣がなかったために、アレクサンドロスの偉業は「ペルシア人の記憶から失われた」とチャールズ・メルヴィルは指摘している。けれども、フェルドウスィーにとっては、それはほとんど問題ではなかった。伝説のアレクサンドロスを知っていたからだ。3世紀にはすでに、それ以前の古典期の資料から知られる人物とはかけ離れた姿を描く、アレクサンドロスのさまざまな伝説をまとめた物語集が作られていた。実際のアレクサンドロスが生きていた紀元前4世紀から700年経ったころに生まれたその物語集が『アレクサンドロス物語 *Historia Alexandri Magni*』である。ただし、長い時間を経ていたために、アレクサンドロスは歴史上の人物ではなく物語の主人公になってしまった。現在「アレクサンドロス・ロマンス *The Alexander Romance*」と呼ばれるその物語集は、その後の4〜16世紀のあいだに、アラビア語、アルメニア語、中世ギリシア語、コプト語、ヘブライ語、ペルシア語、シリア語に翻訳された。歴史学者のリチャード・ストーンマンが指摘しているように、そのなかのペルシア語版がおそらくフェルドウスィーの目に触れて、叙情的な表現の源となったのだろう。

歴史が断絶しているところは「アレクサンドロス・ロマンス」の伝説が引き受け、それでも埋めきらないところは想像力が引き継ぐ。その結果、フェルドウスィーが築き上げた「物語」は、単に事実を伝えるだけの歴史を凌駕《りょうが》する力を持つことになった。ここで留意しなければならないのは、「シャー・ナーメ」という言葉が「王書」を意味することである。したがって、この作品は「多種多様な王と英雄」の物語集として楽しく読めるものであっても、『千夜一夜物語』のように適当に物語を寄せ集めたものではない。この詩の構成はむしろ、ディック・デイヴィスが指摘しているように「王名表」に近い。捏造されたシュメールの王名表や日本の『古事記』と同じように、国の背景となる歴史が誇張されている。

アレクサンドロス大王の描き方を見ると、フェルドウスィーが歴史をでっちあげられるほどの創造力あふれる物語の語り手《ストーリーテラー》であることがわかる。とはいえ、結果として、さまざまな年代の食い違いや不合理が生じている。歴史の上では、アレクサンドロスは紀元前356年7月20日ごろに、マケドニアの首都ペラで生まれている。父親はフィリッポス王、母はその4番目の妻となったギリシアの王女、オリュンピアスだった。フィリッポスの父方の祖父が診療を受けていた宮廷医が、たまたまギリシアの有名な哲学者アリストテレスの父親だったという家族の縁で、フィリッポスはアリストテレスを13歳のアレクサンドロスの家庭教師につけた。成人したアレクサンドロスは歴史的に名を知られる征服者となり、旧ペルシア帝国全土を含むアジアの広大な地域にまでギリシア帝国を拡張した。少年時代の彼は、アリストテレスからホメロスの偉大な叙事詩について学び、深く感銘を受けたという。おそらくそれが、のちに東方へ向かってトロイアの地を訪れる動機となったのだろう。若き王子はアリストテレスの指導を通して博物学、とりわけ動物学と植物学に興味を持ったようだ。アレクサンドロスはアジアからその家庭教師に珍しい標本を送ったといわれている。このようなアレクサンドロスの生涯の基本的な事実は、さまざまな偉業の場面に居合わせた公式の歴史家、カリステネスが証言したものだといわれているが、カリステネスはアレクサンドロスの死より5年早い紀元前328年に死去している。

アレクサンドロスがその短い生涯でおよぼした影響は計り知れない。彼は古代の中近東に大きな足跡を残し、彼が広めたギリシア語は、その後数百年にわたって地域全体の共通語《リンガ・フランカ》になった。ところが、フェルドウスィーの手にかかると、物語は驚くべき展開を見せる。アレクサンドロスには半分ペルシア人の血が入っているというのだ。そういえば、フィルクィス（フィリッポス王）は、平和と引き換えに娘のナハドをダラブ（ダリウス）に渡していたではないか。古典期の歴史から、実際のフィリッポスにはテッサロニケという娘がいたことがわかっているが、フェルドウスィーがいうところの娘のナハドは、それ以前の伝説から受け継いだ架空の人物である。

さて、ペルシアに話を戻すと、ダラブとナハドの結婚は長続きしなかった。ダラブはナハドの息を嗅いだとたんに不快になり、「王はもはや王妃に少しも愛を感じなくなった。王の花嫁に対する気持ちは冷えていき、彼女をフィルクィスのもとに送り返した」。ところがナハドは懐妊しており、まもなくセカンデル（アレクサンドロス）を産んだ。この筋書きに照らすと、アレクサンドロスはフィルクィス王の孫になる。ギリシアの王女に対するユーモラスな酷評と親子関係にくわえたひねりによって、アレクサンドロスはペルシアの征服者ではなくペルシア土の息子となり、ペルシアの王位継承権を得た。ところがその数ページ先では、ダラブの死を告げる手紙が「世界征服者にして逆らう者の滅亡者、フィルクィスの息子のセカンデル大王から、ペルシアの全地方に」送られたとある。この手紙は、ダラブ亡きあと、アレクサンドロスこそが正当な王位継承権者であることを宣言しているのだが、ここでわたしたちはフェルドウスィーが目をつぶっている食い違いがあることに気づかざるをえない。当初はアレクサンドロスをフィルクィスの娘の子としておきながら、フェルドウスィーは別のくだりでアレクサンドロスをフィルクィスの息子に仕立て上げ、その後「フィルクィスの息子」と呼んで、その親子関係を正式なものとみなしているのである。これほどこの語り部の独創性を物語るものはない。アレクサンドロスがフィリッポスの息子であることは歴史に忠実だが、そのうえでペルシアの血を引いてペルシア王の家系に入れば、フェルドウスィーにとっては好都合だ。こうして再構築された歴史では、ギリシアによるペルシア征服までもが、実際には他国に支配されたペルシア帝国がなおも存続しているというフェルドウスィーのもっとも重要な構想のために利用されている。

フェルドウスィーが作った架空の過去では、アリストテレスはアレクサンドロスの家庭教師ではなく、フィリッポスの死後アレクサンドロスがギリシアの王位に就こうとしたときに、助言者となって現れる。「ギリシアにアレスタリスという有名な男がおり、国中どこに行っても人々を喜ばせていた。賢く、聡明で、機知に富んだ人物だった」。アリストテレスはアレクサンドロスに助言を与える。「今は閣下に幸運が微笑んでいますが、閣下でさえ名声を失うことはあります。王座は閣下のような王を何人も迎えてきましたし、同じ王を永遠に止めようとはしません［中略］わたしたちは塵から作られて生まれ、塵に戻るしかないのです」。この言葉はアリストテレスらしくないように聞こえる。哲学者の王を理想とするプラトンの『国家』の哲学の教えというよりはむしろ、フェルドウスィーと同時代の論理的、実利主義的な考え方に近いように思われる。たとえば医者で哲学者のアヴィケンナ（980〜1037）や、その後継者で天文学者の詩人、オマル・ハイヤーム（1048〜1131）らがそうだった。ハイヤームの運命論は、イギリスの詩人フィッツジェラルドが『ルバイヤート』を翻訳して以来、世に知られている。

フェルドウスィーは、叙事詩の50章近くをアレクサンドロス大王に割いており、その大部分が純粋なフィクションである。明らかに想像した内容であることを示す手がかりは、8通以上の引用符つきの手紙だ。なかには、1300年後にアレクサンドロスが書いたとされるものもある。

歴史上のアレクサンドロスは西アジア横断の旅をしている。フェルドウスィーにとってこの遠征は、世界観を壮大な規模に拡大する基盤となった。もっとも、遠方の国々に対する浅薄な固定観念も露呈している。アレクサンドロスが「ブラフマンの国」インドに近づくと、「この場所では裸の行者の集団が、風や雪にさらされながらそこここにまばらに暮らしているだけで、見るべきものは何もないでしょう。ここに長くとどまるなら、草の種を食べて生きなければなりません」といわれる。アフリカの部族の総称である「ハスバシュ族の地」アビシニアでは、何千人という戦士と対峙《たいじ》する。その戦士は「カラスの羽のように黒い肌で、灯火のように目をギラギラさせ、［中略］槍の代わりに骨を投げつけてくる」。歴史のどの時代でも人種や文化の違いは、よそ者を卑下するための材料になった。

　史実ではアレクサンドロスは実行していない40日間のアジア横断の旅の末に、セカンデルは中国の皇帝を手紙で脅している。「東から西まで余の命令を無視する者はいない［中略］この手紙を読んだら、中国特産の［中略］貢ぎものを献上せよ。余に害されることを望まぬのなら、貴公の国の金細工、馬、剣、印環、衣装、布、象牙の玉座、極上の錦、首飾り、王冠などを捧げるのだ」。ギルガメシュもユーフラテス川の水運を利用した貢《みつ》ぎものを要求したといわれている。そのリストが、皮肉をこめて描かれていたことを彷彿させる。中国の皇帝はセカンデルをもてなすと、過去の勝利への慢心を手厳しく非難したあとに、要求をはるかに上まわる土産ものを持たせた。「ラクダ１０００頭に積んだ金銀の品々、さらにラクダ１０００頭分の中国産の錦と絹、樟脳《しょうのう》、麝《じゃ》香《こう》、香水、竜涎香《りゅうぜんこう》（マッコウクジラから取る香料）」に、何千枚という動物の毛皮、絨毯《じゅうたん》、水晶の杯、数十組の金銀の鞍、その他中国の珍品もつけたのだ。ここで示されている中国王朝のイメージは、アレクサンドロスの時代の中国というより、1000年以上あとのフェルドウスィーの時代の固定観念に近い。いずれにせよ、ヨーロッパ人がまだ一度も足を踏み入れたことのない中国の描写である。こうした時代錯誤は『シャー・ナーメ』の随所で繰り返されており、エピソード全体がアレクサンドロスの権威と傑物ぶりを強調している。彼の大胆な要求も、彼が受け取ったそれ以上に大胆な戦利品も、そのための道具立てだ。フェルドウスィーは、キリスト教の誕生から400年以上も前の時代設定であるにもかかわらず、アレクサンドロスをキリスト教徒にしている。しかしながら、フェルドウスィーがきわめつきの無茶な創作をしているのは、「セカンデルがメッカに向けて出発し［中略］アブラハムが苦労して建てた家へ」巡礼に行く箇所だ。イスラム教のクルアーンには、旧約聖書のアブラハムとその息子イシュマエルが、イスラム教の信仰と巡礼の神聖な中心地となる聖なるカアバ殿を建てたという伝説があり、このくだりはそれを意味している。この伝説は、イスラムの「物語」において太祖の起源を裏づける話であるにもかかわらず、アブラハムの時代（紀元前18世紀）にも、1400年後のアレクサンドロスの時代（紀元前4世紀）にも、カアバが実在したという証拠は見つかっていない。それどころか、歴史作家のトム・ホランドが指摘しているように、イスラム教の出現以前にメッカがあったことすら、いまだに証明できていない。つまり、アブラハムとイシュマエルに関する伝説はアブラハムの時代から2400年後（クルアーンが書かれた時代）に生まれたものと考えられる。それは、現代人とアレクサンドロスとを隔てる時間に等しい長さだ。

フェルドウスィーはアレクサンドロスをペルシアの正統な王として描き直すことで、ペルシアがギリシアに征服されたという事実を覆い隠した。そのため、実際のアレクサンドロスが征服地をほぼ完璧にギリシア化していたにもかかわらず、この叙事詩ではペルシア帝国は存続しているという、うその歴史を主張できた。パルティア人（古代ペルシア語ではアシュカニアン人）の台頭と、彼らの帝国へのペルシアの併合も同様に無視されている。みな、数千年にわたって続く栄光のペルシア帝国という、フェルドウスィーの夢想を強化するためだった。パルティア人のルーツであるパルニ氏族は、イラン北東部とトルキスタンの国境地帯の遊牧民で、紀元前3世紀に勃興して帝国を築き上げると、イラン全土、イラク東部、アルメニア（トルコ）東部、はるか東のパキスタンまでを傘下に収めた。この帝国は約500年間（紀元前247〜後224）存続していた。そのあいだ、表面的にはアレクサンドロスの征服に端を発するギリシアの影響を受けたが、根底にあるペルシア文化は守られていた。前述のように、パルティア人がみずから残した記録はほとんどなく、どの記録もギリシアかローマのものである。フェルドウスィーがパルティア人を軽く扱っているのはそのせいもあるだろう。なにしろパルティア人の全時代に関する彼の記述は1ページに満たない。「セカンデル［アレクサンドロス］が去ったあとは、［中略］象牙の玉座にすわる者はなく、勇猛で気性が激しく頑固な氏族であるアラシュ［パルティアの初期の王］の子孫を称する族長が、世界のあちこちに散らばる」時代になったと、フェルドウスィーは述べている。彼は、ゴーダルズ、ビージャン、ネルシー、アルダヴァンといった武将の名をあげているが、執筆当時にはただ人々の記憶に残っていただけの名だったようである。翻訳者のディック・デイヴィスは、ササン朝時代の修正主義について単刀直入に述べている。「アシュカニアン人［パルティア人」についての残念で気のなさそうな説明は、明らかに、ササン朝がきわめて巧妙に歴史的記録から彼らを抹消してしまったことに起因している」

パルティア人の次の時代、すなわちササン朝による400年の支配は、フェルドウスィーが利用できる情報の密度が濃くなったためか、300ページ以上を割いて語られている。ただし、密度が濃いのは王の実際の即位順だけで、内容が史実である証拠はほとんどない。歴史的に実在が証明されている少なくとも10人の王の治世は、150章以上で扱われている。ササン朝の王のアルデシール、ホルミズド、ホスローの活躍は、たとえそれよりはるかに前のアケメネス朝こそがペルシア帝国の真の重心であったとしても、イランの過去を探求また賛美する「物語」の豊富な材料になった。ササン朝を興したアルデシール（在位224～41）は賢明な改革者として描かれ、数々の改革がかなりの文字数を使って説明されている。もちろん、それに先立って、改革者の人間味を伝えて情に訴えるストーリーもきちんと用意されている。アルデシールの毒殺計画が持ち上がったとき、そのお粗末な陰謀に巻き込まれてかかわった王妃の処刑が決定した。だが、王の宰相が身重の王妃をかくまい、7年間隠し通した末に、ほかに子がなかった王に、じつは7歳になる男子のお世継ぎがいます、と打ち明けた。物語ではその少年が「立派な若き王子で、ファル（カリスマ性）と人格の高潔さに恵まれていた」ことが明かされている。王家の血筋は続き、王妃も宰相も赦《ゆる》された。宰相の忠誠心は、みずからを去勢することで証明された。彼は王妃を救うにあたって、誠実さと忠誠心を示すために、睾丸《こうがん》に注意深く日付を記して保存していたのである。そうした逸話でもなければ平々凡々とした王（おそらくは史実）も、これで劇的な彩りを帯びることになった（おそらくはフィクション）。11世紀に保存されていたといわれる睾丸のゆくえにはフェルドウスィーは触れていない。

このように『シャー・ナーメ』のこの部分には、悲劇的で信じがたい話が歴史上の王と結びつけられているという特徴がある。歴代の王の年代的な枠組みは歴史として正しいように見え、おそらくこの詩の読者もそう解釈しただろう。しかしながらこの物語の目的は、歴史的事実であるかのように錯覚させながら、ほとんどがフィクションである膨大なストーリーに1本の筋を通すことだった。フェルドウスィーも、そしてほとんどが失われてしまった彼の史料も、歴史的な根拠を与えてはいない。いやむしろ『シャー・ナーメ』は、古代の「歴史」がおもに文学的なフィクションであることを、何より強く示しているのかもしれない。過去の記録が存在していなかった時代には、わたしたちが理解するような歴史は想像すらできなかった。つまり、過去は完全に、想像による創作だったのである。

バフラーム1世（在位273〜76）もしくはバフラーム2世（在位276〜93）にまつわるさまざまな逸話は、王がワインと美しい女性に目がないことについてばかりである。たとえばある話では、自慢屋の村長が家に帰る前にワイン5杯を飲み干し、酔いつぶれてカラスに両目をつつかれて失った。このことにショックを受けたバフラームは、「この世の何人たりともワインを飲んではならない」というお触れを出す。するとその直後に、靴屋の息子のクスリと笑える話が展開される。この息子は初夜で夫婦の契りに失敗した。「靴屋のせがれの錐は、硬さが足りなくて役に立たなかった」。息子の職業が、この比喩をはさむために選ばれたのは明らかだ。すると、頼りになる母親が隠し持っていたワインを出して、息子に少し飲みなさいと渡した。おかげで「せがれのなかでにわかに情欲が燃え上がり［中略］家に帰ると、頑強に拒んでいた扉をこじ開けることができた」。バフラーム王はその話を聞くと、ワイン飲酒禁止令を撤回した。イスラム教に飲酒を控える傾向があることを考えると、フェルドウスィーの読者は、全面禁止と全面許可の両極端に振れているところが、なんともおもしろいと思ったに違いない。その続きの話では、王が4人の美しい姉妹を妻にする算段をしたために、宦官《かんがん》のあいだで議論が始まる。どうやら王のハレムにはすでに900人の女性がいたようだ。宦官長が発言する。「全部の女と寝たら、王は身を滅ぼすことになる。［中略］目は黒くなり、頬は黄色くなって体は弱り、唇は青く、髪は白くなり［中略］背も曲がってしまう。［中略］女と交わるとこれだけ悪いことが起こるのだ！」ここでは、ハレムの規模だけでなく、宦官によって語られる過度の放縦の結果がユーモラスに誇張されている。この話に歴史的な根拠はなさそうだ。あっても希薄だろう。複数の妻をもつイスラム教徒の読者にとっては、バフラームの好色さは理解の範囲内だ。その一方で、女と寝すぎるという話は読む人を性的にくすぐり、想像力をかきたてる。

ササン朝の歴代の王の物語を読み進めていくと、フェルドウスィーが歴史より物語に魅了されていたことがよくわかる。ペルシア帝国の最後の数百年は、愛と不義、背信、復讐、闘争に満ちているからこそ栄光に包まれている。フェルドウスィーが道徳にかなう歴史や帝国の理想を提示しているようには見えない。彼の考え方が、孔子のそれと好対照をなしていることに気づく人もいるかもしれない。ペルシアの栄光は代々続いた王の力によるものだった。その力が人を夢中にさせる「物語」を通じて伝えられ、「物語」自体が力強い帝国を作り上げているのである。ペルシア末期の王（ホルムズ、ホスロー、パルヴィーズ、ヤズデギルド）の治世の物語では闘争、逃亡、殺人、騒乱が起こり、最後のさまざまなエピソードに物悲しさと喪失感が広がっているが、それですらたいして問題ではない。叙事詩全体が、フェルドウスィーの時代にはすでに遠い記憶の彼方に消えていた帝国の栄光と衰退、すばらしさを語るものだからだ。歴史のキャンバスに何も描かれていない部分があったからこそ、彼はイランの人々が称賛せずにはいられない大国の過去を作り出すことができたのである。

『シャー・ナーメ』のほとんどが、創造力豊かな物語であることは間違いないが、ササン朝の末期に向かうにつれて、できごとに史実が盛り込まれて正史に近づいていることは知っておくべきだろう。フェルドウスィーは、ササン朝終焉の物語のなかで、人のよいヤズデギルド3世の身に起きた悲劇を伝えている。この王はホラーサンまでアラブの侵略軍から逃れてきて、メルヴの粉ひき場に隠れていた。ところが、マフイに直接指示を受けた粉屋によって、不条理にも無惨に暗殺され、死にぎわに「余に与えたこの邪悪な命令のために、この男の魂と肉体が苦しめばよい！」と呪う。歴史上では、ヤズデギルドはササン朝最後の王として知られている。34歳だったヤズデギルドの早すぎる死から、イランではイスラム教徒の支配が始まった。アメリカの作家ワシントン・アーヴィングが、『マホメットとその後継者たち *Mahomet and His Successors*』（１８４９）でそれについて語っている。入手できるなかでいちばん正確な史料でも、ヤズデギルドはメルヴの粉屋の手にかかって死んだとあり、フェルドウスィーの「物語」とぴたりと一致している。

『シャー・ナーメ』の最後の数百年が歴史上の王にまつわる話を集めて構成されているのに対して、初期の神話や英雄伝の部分は純粋な文学的創作物である。キュロスやアレクサンドロス大王、クセルクセスより前の３０００年間は、王の実在が確かめられていない。太古のシュメール、アッカド、アッシリア、バビロニアの王たちがペルシア人として語られていると論じることに意味はない。そうした王たちも文学的な創造物であり、想像上の文明の始まりまで時代をさかのぼっているからだ。

文明の夜明けについてほとんど、あるいはまったく知らないフェルドウスィーはもちろん創作する。ペルシアの初代の王カユーマルスは、「まず山に居をさだめた。その王座と権勢は山からそびえ、王も民も豹の皮を身にまとった」（『王書』岡田恵美子訳、以下同）という。この話は、農業革命以前のいかにも遊牧民らしい暮らしぶりと、そうした遊牧民の世界に王と王座を設定するという時代錯誤的な組み合わせだ。「衣食の方式が改まったのだから、彼によって文化がもたらされたのである」。これは人類学的に不合理だが、初期の人々が王朝に抱いていた深い畏敬の念を表している。王への賛美は、「家畜も野獣も世のいたるところから集まりきたり、王座のまえに跪《ひざまず》く」という言葉にも見ることができる。このように人間と動物の世界が調和するさまは、２代目の王であるスィヤーマクが「妖精を集め、また猛獣としては虎・獅子・狼・豹をあつめる。それは野獣・家畜・鳥」からなる軍団だった、というくだりでも描かれている。ここでいくらか聖書の影響があると考える向きもあるが、『ラーマーヤナ』でも猿の王が猿軍団を率いていることから、大きく異なる文化で、動物との協力関係が独自に発展したと考えてよいだろう。

スィヤーマクはふたつの石をぶつけることで火を発明したと書かれているが、これは火打ち石を叩いて火起こしの火花を生じさせたことを詩的に表現したものだ。火が発明されたおかげで、「［ある鉱石］から鉄を分離」する術、そしてそれによって「斧、鋸、鍬をつくる」「鍛冶の術」といった新しい技術が生まれた。その後、スィヤーマクは王の「ファル」（カリスマ）を発揮することにより、「灌漑の技術にむかう。（掘割や運河をつくり、）川から水をひいて荒地を沃野《よくや》にする」。だが、この王がその生涯の最後に「あの世にもち去ったものは、人びとより敬された名だけである。［中略］王は生前におおくの事をなしとげたが、偉大な王座を空にして、より良きところ、あの世へと立去った。運命は彼にわずかな生をあたえただけで、思慮と尊厳の王」は死んだ。「（読者よ、）この世は愛の絆によって君と結ばれてはいない。そのうえ君がこの世の顔を拝むのは、ただの一回（死の時）だけなのだ」。これまで見てきたように、『シャー・ナーメ』は最後まで、こうした物悲しい宿命論的な哲学に貫かれている。この作品に、そこはかとなく物思いに沈む雰囲気が漂っているのは、おそらく帝国滅亡に対するフェルドウスィーの深い絶望の表れなのだろう。もっとも、架空の世界で消滅した帝国は、ほとんど彼が作り上げたものではある。

王はこのように文明の創造者として重視されており、その傾向は畜産を始めたタフムーラスの時代から、武具を完成させたジャムシードの時代まで続いている。ジャムシードは「糸の紡ぎ方、横糸に縦糸をからめる織り方をおしえる。布が織れると、それを洗い、縫う方法がおしえられた」とも書かれている。彼はまた司祭などの宗教的指導者、軍人、農民、手仕事をする職人などの集団の組織化にも取り組んでいる。この４階層に分かれた社会構造は、ヒンドゥー教の『リグ・ヴェーダ』に出てくるカースト制度によく似ている。北方から移動してきたインド＝ヨーロッパ語族が、インダス川流域、そしてのちにインド北部地域に到達する前にイランを通過したため、その影響がおそらくイランからインドの方向におよんだのだろうということには留意しておきたい。

こうした神話上の王と、それに続く、英雄にふさわしい数々の王たちの偉業が叙事詩の枠組みとなって、ペルシアの物語は人類の物語になった。これは、中国と日本の帝に、農業革命や都市生活、社会組織、文明そのものの創始といった幅広い功績が認められているのと同じだ。このような王朝や文明と、帝国との関連づけは、初期の叙事詩文学ではごくありふれたテーマである。そうした叙事詩の影響力は強調してもしすぎることはない。叙事詩は強大な力をもつ「物語」であり、その影響力は何百年も衰えなかった。それは人が、想像の産物である過去を本物の過去と区別せずに受け入れるからにほかならない。歴代の王の偉大さと崇高さに満ちた過去は、後継のすべての王に受け継がれ、後世に残り、彼らが支配した帝国の消滅をも超越する「力の物語」となるのである。

歴史がないところに歴史を創作するのは古代叙事詩の一般的な特徴だが、明らかに史実と矛盾する物語は一種の捏造で、露骨であることはめったにない。『シャー・ナーメ』で、アレクサンドロス（セカンデル）をフィリッポス王の子から、フィリッポスの娘とペルシア人のダラブ（ダリウス）の子として描き直している点は、歴史上類のない大胆なすげ替えといってよい。歴史に名をとどろかせた偉大な征服者の功績が、ペルシアの神話史に首尾よく取り込まれている。また、これを始点に幅広い影響力を持つ伝承が発展してもいる。『シャー・ナーメ』のなかでも飛び抜けてすぐれた英雄といえばイスカンダル（アレクサンドロスのペルシア語の呼称）だ。彼はギリシア人で、叙事詩の舞台はペルシアだが、詩が作られたのはペルシア帝国（あるいはフェルドウスィー版の帝国）が滅んでから300年以上経ったイスラム文化圏だった。その結果、『シャー・ナーメ』の「物語」はさらなる進化を遂げた。多くの版にくわえられた挿絵に、それが顕著に表れている。メルヴィルが指摘するように、「『シャー・ナーメ』の登場人物は、挿絵を描いた画家の時代の服装や流行、物語よりあとの時代の武器や甲冑《かっちゅう》、室内装飾品や調理器具とともに、時代錯誤的に描かれている」。そのため、ケンブリッジのフィッツウィリアム美術館にある細密画では、アラビアの聖所カアバを訪れたイスカンダルが、イスラム教徒の礼拝服を身にまとった姿で描かれている。

この絵を含めたほとんどの細密画は、平面に立体感を出す作画技法が生まれる前に描かれたものだ。そのため、前景と背景が似たような色で表現されて、距離感が伝わりにくい。それがよくわかるのが、平行になっている神殿や東屋《あずまや》の屋根や床の線だ。立体感を出すのであれば、消失点に向かう斜めの線になっていなければならない。

『シャー・ナーメ』には、アレクサンドロスがインドのカイド王のもとに2か月間滞在したという作り話がある。アレクサンドロスはその後アラビア、エジプトへと何百キロも西進してから、また「ブラフマンの国」インドに引き返している。イスラム色が濃かった『シャー・ナーメ』は、イスラム教がインドに広がりつつあった時期に、理想的な文学作品として脚光を浴びるようになった。ヨーロッパへの過激な侵略とは対照的に、イスラムの南アジアへの進出はおもに暴力をともなわない改宗を通じて行われていた。そのため『シャー・ナーメ』のイスカンダル神話は、当然のごとくこの地域に広がった。現存する多くの『シャー・ナーメ』写本の挿絵では、その物語がインドでも受け入れられたのに合わせて、衣服、装飾、建築にこの亜大陸の影響が見られる。『シャー・ナーメ』全体がインドの東にまで伝わったかどうかはわからないが、アレクサンドロスの物語がインド商人とともに、プトレマイオスがいうところの「ガンジス川より向こう側のインド」まで伝わったことは確かである。1600年ごろ、マレー半島に『スジャラ・ムラユ *Sejarah Malayu*』（マレー年代記）が出回るようになった。おそらくマレーシアの中西部の、名の知れたマラッカ港近辺で書かれたのだろう。その港はマラッカ海峡に臨み、香辛料貿易の西への主要ルート上にあった。

『スジャラ・ムラユ』は、マラッカ王国の物語もしくは記録《スジャラ》という意味で、のちのマレーシア文化の土台になった。その目的をC・H・ウェイクは次のように説明している。「1511年の王国滅亡によって終焉を迎え、すでに遠い過去の異質な存在になっていたマラッカ王国の黄金時代の姿を示すためである」。東洋学者のリチャード・ウィンステッドによれば、この作品はマレー古典文学の最高傑作であり、すでに失われてしまった古い史料と数多くの物語を、支配者の長い系譜に織り込んで複雑な歴史を綴るものである。ポルトガル人は武力でマラッカを包囲、征服したが、カトリックの布教所が設立されても、キリスト教への改宗はきわめてわずかだった。マラッカではポルトガル語を話す人々のカトリック共同体が現在も活動しているが、イスラム教が支配宗教として残り、今も変わらずマレーシアの国教である。つまり『スジャラ・ムラユ』は、イスラム教の統治者、彼らが築いたスルタンの権力、そして何世紀にもわたる存続についてのストーリーだ。東南アジア全域へのイスラム教の拡大から見て、この物語は、15世紀までにはバリ島を除くマレー諸島全域で、1000年以上の歴史があるヒンドゥー教と仏教の文化を覆い隠すように完全に定着していたと考えられる。

驚いたことに、『スジャラ・ムラユ』に出てくる系図は、マラッカのスルタンからアレクサンドロス大王、果ては古代ギリシア人へとさかのぼっている。

マラッカは風下から風上にいたるまで、世にも偉大な都市として知れわたり、その王《ラージャ》はスルタン・イスカンダル・ズルカルナイン［2本の角のアレクサンドロス、つまりアレクサンドロス大王］の血を受け継いでいた。

多くの建国者の例にもれず、この系図も歴史的記録から大きくはずれている。歴史では、アレクサンドロスの征服はインド北西部の国境までで、それ以東へは進んでいない。これまで見てきたように、ペルシア語版の『シャー・ナーメ』にあるインドへの2度の架空の訪問が、この話の信憑性を高めている。『スジャラ・ムラユ』には、インドの半分を支配していたキダ・ヒンディ王（この年代記以外では実在が証明されていない）の物語がつけくわえられている。この王は「美しくてりりしい」愛娘を、イスカンダルに嫁がせるよう計らったのだという。この作られた歴史のために、アレクサンドロスは一度も訪れたことのない地域にいたことになった。キダ・ヒンディ王はイスラム教徒の支配者だが、イスラム教の誕生は6世紀で、紀元前4世紀のアレクサンドロスの時代から1000年もあとだ。イスカンダルとインドの王女との婚姻を、アッラーの預言者はこう宣言して祝福した。「キダ・ヒンディ王に知らせよう。全能の神「アッラー」が、東から西、北から南にいたるこの地上の王国を、われらのこの王「イスカンダル・ズルカルナイン」に与え給うたことを」。ダトゥク・ザイナル・アビディンが説明しているように、この結婚宣言によって、「スルタンの権威に宗教的要素が注入された」。デーヴァ・ラージャ（神の王）の地位には届かないまでも、マレーのスルタンたちは以後、アッラーの影（地上の支配者）とみなされるようになった。マレー語の「ダウラッ」は王権を表す概念であり、中国の「天命」によく似ている。

『スジャラ・ムラユ』の2～11章で長々と語られる歴史のなかでは、奇跡や超常現象が起こる。ただしそれらを裏づける史料は存在しない。イスカンダルとインドの王女との結婚の日付は記されていないが、その後の長い系図は数百年にわたっている。ふたりからはアリストン・シャーという息子が生まれ、インドの次の王となった。イスカンダルは45年間インドにとどまったあと、マケドニアに帰国したと伝えられている。皮肉なことに、アレクサンドロス大王がインドにいた期間は、彼の33年の生涯より長い。しかも実際にはアジアで不慮の死を遂げてマケドニアに戻ることはなかった。とはいえ、王朝の起源にまつわる物語では、時間の水増しはよくあることで、アリストン・シャー王などは350年もインドを統治したことになっている。『スジャラ・ムラユ』のその後の数章は、イスカンダルの子孫の物語に終始している。密通、冒険、中国との紛争、最終的なスマトラのパレンバン（前の時代のシュリーヴィジャヤ王国の中心地と考えられる）への権力の移譲、ジャワのマジャパイトの王との交流、シンガプーラ（シンガポール）への移住など、悪漢小説風の引き込まれる話が盛りだくさんだ。11章では、マラヤの西海岸にたどり着いたひとりの王がそこにとどまり、その地をマラッカと呼んで、半島マレーシアにおける最初のスルタン国を興している。

アレクサンドロス大王が西アジアを横断し、輝かしい戦歴をあげてから2000年近く経って、その影響力の大きさと届いた範囲は最大限に達した。「アレクサンドロス・ロマンス」とそのさまざまな物語、そして『シャー・ナーメ』によって、伝説が次々とつけくわえられるにつれて、大王の名前を想起させることが支配の手段となった。作り話が増えつづけ、イスラム教がインド以東に徐々に浸透すると、アレクサンドロス大王の威光は、ホメロスの『イリアス』を読んだプラトン哲学者の王から、探索した領土から何千キロも離れたイスラム王国の創始者のものへと変化した。彼を建国の祖として尊敬するマレーシアのスルタン国は、現在も国家として存続している。『スジャラ・ムラユ』は創作された歴史の「物語」でありながら、マレーシアの建国叙事詩としての役割を果たしている。

21 フランク人、シャルルマーニュ、武勲詩

ローマ帝国の力が衰えていった5世紀の前半、ゲルマン人諸部族が西ヨーロッパの広い範囲に移り住んだ。移民としては遅いほうだった彼らは東から、一部はインド＝ヨーロッパ語族の中核地域ともいうべき黒海北西部からやってきた。その前に1000年にわたって西ヨーロッパを占拠していたケルト語を話す人々は徐々に追いやられて、居住地がおおむねブリテン諸島に限定された。ゲルマン民族の東ゴート族は476年のローマ略奪の後、イタリアの大部分で支配権を獲得した。北ヨーロッパは支配権力の空白地帯となり、語族や民族単位の小王国がいくつも発生しては領地争いを繰り返した。フランス地域ではブルグント族がリヨンとジュネーヴより南東の地域を支配する一方、西ゴート族が南部のトゥールーズに王国を建てた。フランス中西部のトゥールはフランク族の勢力の中心地となったが、これら数多くの部族がローマ帝国時代の名残である

キリスト教文化を共有していたことは、トゥール司教グレゴリウス（在位573〜94）の著書から明らかである。

594年にグレゴリウスが編纂を終えた『フランク史』は、欠くことのできない貴重な資料である。当初は10巻あったために『10巻の歴史 *Decem Libri Historiarum*』と呼ばれていたこの歴史書を書くにあたって、グレゴリウスは有利な立場にあった。トゥールから西へ伸びてブルターニュにいたる8つの司教区を管轄していたからである。歴史学者たちの判定によれば、彼が生きた時代、6世紀について語る第5〜10巻までは信頼に足るという。「グレゴリウスがもっともよく知っていたことがらについては、歴史学者が探しても事実に反する誤りがほとんど見つからない」との評もある。第2〜4巻は397〜575年のできごとが記されており、グレゴリウスは自分よりも前の時代のエウセビウス、ヒエロニムス、オロシウスといったさまざまな書き手が残した資料に依存しているが、昔の人には珍しく、そうした資料を用いるにあたって情報源を慎重に扱っていた。それにもかかわらず、グレゴリウスは聖書にもとづく大きな枠組みのなかにすべてを投げ込んでしまった。そのようなわけで、『フランク史』はローマ帝国が衰退したあと、600年にわたって発展し続けることになる伝説の帝国について語る最初の作品である。

グレゴリウスの『フランク史』第1巻には、聖書から引き抜いた章節を分かりやすく書き直した部分と、ローマ帝国のキリスト教徒迫害史、そして397年に死去したトゥールの第3代司教でヨーロッパ初の聖人となった聖マルティヌスまでの司教区の話が含まれている。聖書を扱っている部分は現代の印刷にして20ページ足らずではあるが、彼はとりわけ聖書に書かれた系図に注目し、自分の時代のできごとの正当性を証明する「物語《ナラティブ》」をそこに見いだしていたことがわかる。含まれているのは、ノアの大洪水以前の太祖たち、洪水後のノアからアブラハムまで、ダビデにいたるアブラハムの子孫たち、ダビデからゼルバベルまでの王たち、そしてゼルバベルからイエス・キリストにいたる系図で、最後の部分はルカではなくマタイが記したものである。グレゴリウスはこの切れ目のない系図を盲目的に受け入れている。もとになった聖書の系図と同じく、これらがアダムからダビデの家、そしてイエスへとつながる神聖な王の血筋を証明するものだからだ。数字に意味があると考えた彼は、細かい部分に目を配り、それらを比べて類似性を分析してもいる。彼によれば、5つの系図の世代数はそれぞれ10、10、14、14、14だ。自信を持って各系図の年数を記しているだけではない。第1巻の終わりには「聖マルティヌスの死は世界の始まりから5595年目のことであった」と根拠もなしに断言している。その後1000年にわたって200人以上の神学者たちが、世界創造がいつだったかを聖書の系図から計算して割り出そうとしたが、グレゴリウスはまさにその最初のひとりだった。

ここまでは何ひとつフランク族に関係のない話に見え、グレゴリウス自身もフランク人ではない。彼がフランク族の歴史に言及しているのはごく短いひと言だけである。「一般にいわれているところでは、フランク族はパンノニアからきたという」。パンノニア地方は現在のオーストリア、ハンガリー西部、旧ユーゴスラヴィア北部を含む地域だった。グレゴリウスの興味はキリスト教化する以前のフランク族の歴史や代々の司教継承よりも、自分が管轄する司教区の歴史にあったようだ。彼は『リベリウスの目録』(354)も『教皇の書』(530)も知らなかった。彼が言及している教皇は、トゥールの初代司教ガティアヌスを任命したシクストゥス（『教皇の書』ではSixtusでなくXystusと表記されている）のみである。その一方でグレゴリウスは、聖書に記されている系図は自分の目的にとって必要不可欠だと考えていた。グレゴリウスの『フランク史』は、聖書の「物語」をローマ陥落から数世紀先へ、ローマ教皇の勢力圏を越えて西ヨーロッパへと拡大したキリスト教会史であり、歴代の教皇を軽くあしらいながらトゥール司教区を強化する、権力と伝統にまつわる巧妙な「物語」を構成している。

伝説のフランク帝国の発展を決定づけた一歩は、半世紀後に登場した『フレデガリウス年代記 *Chronicle of Fredegar*』（７００頃）である。フレデガリウスとは何者か、この著作物の執筆者はひとりか複数かという問題は19世紀以降ずっと論議されているが、内容の細部から見て書かれた場所がブルゴーニュであることは確からしい。フレデガリウスが叙述する歴史のなかの系図は、グレゴリウスのそれとは明らかに違うものである。最初の６冊には、グレゴリウスの『フランク史』も含め、すでにあったいくつかの歴史書にもとづく逸話が多く、６世紀末以前については独自の加筆はほとんどない。フレデガリウスの独自性はリウィウスの『ローマ建国史』やウェルギリウスの『アエネーイス』から得たローマ帝国の伝説の知識で、これがフランク人の王たちが活躍する16世紀ヨーロッパの背景となった。『フレデガリウス年代記』は「フランク族の最初の王はプリアモスであった」として、トロイアの王家とフランク族を結びつけている。結び目となるのはプリアモスの息子のひとりでアエネーアスの兄弟であるフリガスだが、そのような人物はリウィウスの作品にもウェルギリウスの作品にも登場しない。驚くべきでっちあげである。フレデガリウスの「物語」では、フリガスに率いられてトロイアから脱出した避難民の子孫がフランク人であるとされている。つまりフランク人にもトロイア人の祖先を与えることで、ローマ人にならぶ地位であることを証明しようとしたのだ。この作り話は、ローマ人に劣らない存在として、フランク人に地位と力を与える「物語」となった。その後、トロイアからの難民は西へと旅をする途中で、フランキオという新しい指導者を選んだ。この人物がフランク人の名の由来となり、王たちの祖先となったという。やがて難民はヨーロッパに到達し「ライン川とドナウ川と海とに囲まれた土地」に定住した。フランク人の祖先がトロイアの民であるという話はその後さらに強化されて、自分たちのなかから王を選出するくだりでは「長髪の王〔中略〕名はティウディミール」で、「プリアモスからフリガスを経てフランキオへと続く家系の出なり」と書かれている。

　こうした話はすべて伝説にすぎないが、フレデガリウスがトロイア陥落の年を最初のオリンピックが開催された年から４０６年前とほぼ正確に書いていることは注目に値する。オリンピックの開始は古典期から知られているように紀元前７７６年で、トロイア陥落は紀元前１１８３年ごろであることから、この数字は現在の認識と変わらない。しかしアエネーアスとフリガスがそろってトロイアを脱出したのが紀元前12世紀だとすると、フレデガリウスの執筆時より１９００年も前の話になり、その時間的距離はキリスト誕生から今日までの長さに匹敵する。年代がこれほど古くては実証可能な歴史とはいえないが、想像できないほどの古さこそが権威を作る。結果として、リウィウスが語るローマ人の祖先と同じく、非常に大きな「力の物語《ナラティブ・オブ・パワー》」ができあがった。トロイアの王家を起源とすれば、紀元前１０００年ごろに興ったヘブライ人の王家よりも古いことになる。

フランク人の起源にまつわる3つめの書物は、作者の名がない『フランク史書 *Liber Historiae Francorum*』で、727年に世に出たものだ。この書もやはりフランク人の祖先をトロイア人に置いているが、フレデガリウスの『年代記』とは細部の相違点が非常に多く、同書の存在を知らずに書かれたと思われる。ギャバディングが指摘しているように、トロイア人を祖先とする話はフレデガリウスのアイデアではなく、すでにフランク人のあいだに広まっていたに違いない。しかしながら、『フランク史書』はそこに聖書とのつながりをくわえて、フレデガリウスの年代記にも出てくるノアの孫ケティンなる人物をトロイア人の祖先とみなしている。ケティンは架空の人物で聖書には出てこないため、その名を発見した学者たちのあいだでも論議の対象にはならない。むしろそれより目立つ特徴は、ローマ人がトロイアの子孫であるとする伝説の存在をまったく無視していることである。むろん、フランク人の独自性と、ローマ人よりすぐれた民族であるという自己賛美のためにはそのほうが都合がよい。これが時代の変化が生んだ結果であることは疑いようもない。ローマ帝国の滅亡からすでに250年以上が経過して、メロヴィング朝が権力を握り、ヨーロッパには新たな文化が生まれつつあった。フランク人がローマ人より優位であることは間違いない。証明などいらなかった。

『フランク史書』は口承と伝聞に頼った当て推量だらけの「物語」であり、ヨーロッパの地理をほとんど知らずに書かれている。フーレックルとガーバーディングは同書の作者について「年代情報については腹立たしいほど不正確」だと述べている。紀元前12世紀のトロイア脱出と避難民の移住が、ローマ皇帝ウァレンティニアヌス1世（在位364〜75）の治世に起きたことになっていて、1500年ほども時代が違う。プリアモスがトロイアの王だったという話はホメロスもリウィウスもウェルギリウスも書いているが、『フランク史書』はアエネーアスをトロイアの統治者とし、プリアモスとアンテノールを「指導者たち」としている。つまり、明らかに、この作者は口頭伝承やストーリーの不完全な記憶に頼っていて、ギリシアの古典にはほとんど接していなかった。作り話は増殖する。トロイアがギリシア人に敗北したあと、数多くのトロイア人が黒海を渡って逃れ、北東からアゾフ海に注ぐドン川の河口に到達した。この脱出経路は妥当だが、避難民に1万2000人の兵士をともなっていたというのは明らかな数字の誇張である。皇帝ウァレンティニアヌスに命じられた「ローマの大軍に襲撃され」ても屈しなかったという、それに続く部分も自分本位の創作だ。フランク人から税金を取り立てるために皇帝からローマ元老院のプリマリウスが遣わされてきたというのもやはり架空の話であり、それで戦いになってプリアモスが戦死する話も同様である。そしてフランク人たちは「シカンブリアの地を離れた」とあるが、その地域はライン川上流と考えられ、黒海から移動したとはとても思えない。ライン渓谷はアゾフ海の西から何百マイルも離れているのである。

『フランク史書』は次に、フランク人たちが「ゲルマンの砦《とりで》」に到着し、そこに落ち着いて「プリアモスの息子であるマルコミルと、アンテノールの息子スンノを指導者とした」と述べているが、このふたりもまた架空の人物である。マルコミルの息子のファラモンド（ファラムンドゥス）は、のちに伝説上のフランク王国を築いたことになっている。年代錯誤はそこから4世紀後のできごとにも見られる。時のフランク人支配者、ダゴベルト王は36年間（603〜39）国を治めてこの世を去り、「殉教者聖ディオニジオのバシリカ聖堂に埋葬された」。ダゴベルト王の遺骨がパリのバシリカ聖堂に安置されているのは歴史的事実だが、『フランク史書』が書かれるよりわずか100年ほど前のできごとだったにもかかわらず、作者は王の在位年数を「44年間」と誤記している。

『フレデガリウス年代記』と『フランク史書』のあいだにある矛盾や後者の年代誤認は学者の日から見れば明らかだが、読み書きのできない人が大多数だった当時のフランク人は、伝説や民話のさまざまな話を耳で聞いて無批判に受け入れ、自分たちが古い時代から続く血筋であることに畏敬の念を抱いたことだろう。ここまでに挙げた3つの書物のなかでは最後の『フランク史書』がもっとも人気が高く、写本も数多く作られた。50部という現存写本数は、グレゴリウスやフレデガリウスを含めた中世初期のフランク史に関する著作のなかでは群を抜いている。またこの作品は1ページ以下の短い物語で構成されていて、ほかの書よりも入手が容易であり、翻訳されてもわかるほどの律動的な音の流れがある。「フランクの王たちの物語を聞け、その始まりの源を、その民のきたるところを、またその行いの数々を」。ガーバーディングの要約によれば、100年以上前、オスカー・ディッペは同書にある叙事詩ならではの簡潔さに注目し、原文ラテン語の散文がドイツ語（あるいは英語）で詩文に書き直せると述べて、音節の長短によるラテン語の韻律ではなくても、アクセントにもとづくリズムを用いれば詩として成り立つことを実際に翻訳して証明している。ディッペはそうした言語上の芸術的特質に気づいていながら、同書が口承の物語、詩、あるいは歌として意図的に作られた可能性には少しも言及していない。しかし、その特質については再考されるべきだろう。文字になる前の古い形が韻文だった可能性は高い。朗唱されていたリズムのある詩がラテン語で書かれて散文になったか、あるいはもとの韻文テキストが初期の写本で散文化されて原形がわからなくなった可能性もある。しかし、短い物語という形式は口頭での朗唱に適している。ミルマン・パリーとアルバート・ロードの研究に見られるように、文字以前の時代に人々が口伝えで物語を伝承していたことを考慮すると、『フランク史書』がもともと語り聞かせるためのものであったという可能性は十分ありそうに思われる。そうだとすれば、ホメロスの『オデュッセイア』やバールミーキの『ラーマーヤナ』と同じように、幅広い聴衆に影響をおよぼしていたと考えてよいだろう。

こうしたいかにも本物らしい「物語」には、もちろんまったくの神話的要素がある。ここまでに紹介した書き手のなかでもっともローマの歴史に詳しかったフレデガリウスは、ローマの名のもとになった英雄ロムルスの父が戦神マルスで、代々のローマ皇帝を神の末裔《まつえい》とする伝説を知っていた。フレデガリウスの「物語」では、フランク人の祖先はファラモンドからその子クロディオへそしてメロヴィング朝の名のもとになったメロヴィスへと続いているが、メロヴィスはクロディオの子ではなく妻である王妃が海の獣に襲われて産んだということになっている。彼は「クイノタウロスのようなネプトゥヌスの獣」で、フランク族の神話でもここにしか登場しない。クイノタウロスは「5本の角を持つ雄牛」を意味し、ギリシア文化で豊穣のシンボルとされる雄牛の2本の角と海神ネプトゥヌスの三叉槍《トライデント》を合わせたものと考えられるが、この物語では海神ネプトゥヌスが姿を変えて現れたこと以外に象徴的な意味はなさそうだ。ともあれこれで、アエネーアスやロムルスが神の子であったのと同じようにメロヴィスもまた超自然な起源を持つことになった。

これらを合わせると、トゥールのグレゴリウス、フレデガリウス、そして無名ながらかなりの文学通だった『フランク史書』の作者の3人が、ひとつの伝説的なフランク帝国の物語を作ったことになる。ローマ帝国同様トロイアの王家までさかのぼり、一種独特な神の起源と聖書の系図が組み込まれた血統を持ち、フランス各地でたくさんのキリスト教区を支配していたフランク人は、ヨーロッパ史の年代記において比類なき伝説の過去を継承することになった。この物語は勃興しつつあったメロヴィング朝と、その王朝を引き継いだカール大帝ことシャルルマーニュにまさにふさわしいものだった。

歴史的に見れば、メロヴィング朝はローマ帝国の滅亡によって恩恵を受けた。それまでローマ領だった地域に大きく勢力を伸ばすことができたからである。やがて王朝はドイツの大部分とローマ時代のガリア地方を支配するようになった。複数の王に分割支配されていたメロヴィング朝は一致団結していたわけではなく、しばしば領土をめぐって争っていたが、メロヴィスを（実在であれ伝説であれ）共通の祖先と仰ぐ王たちは必要があれば共同戦線を張り、結果として、団結力は弱いながらもおよそ300年にわたって（457〜752）支配を続けた。754年、教皇ステファヌス2世によって王と認められた小ピピンがカロリング朝を築き、メロヴィング朝は終わりを迎えた。

小ピピンの子シャルルマーニュは中世ヨーロッパでもっとも偉大な皇帝と位置づけられている。彼に匹敵するのは、現代の法律体系の基礎となる法典を整備した6世紀の皇帝ユスティニアヌスくらいだろう。ヨハネス・フリードがまとめた長い伝記が示すとおり、シャルルマーニュに関する記録は膨大である。なかでも特に価値があるのは『シャルルマーニュの生涯 *Vita Karoli*』で、同時代の著者アインハルトは、シャルルマーニュとその宮廷を20年以上にわたって観察する機会に恵まれていた。同書は、文化に対する強い関心を含め、大帝の実生活をまじめに記録したものである。大帝の家庭生活および社交生活についてはジョセフ・ダーマスがこう書いている。おそらくアブラハムを指す「旧約聖書の太祖と同じように、カール大帝には複数の妻がおり、息子や娘、孫まで、みながともに暮らす大家族を統率していた。さらにフランク族の慣習として側室が許されたため、大勢の貴族の女性たちもいた」。アインハルトは大帝の妻、息子、娘、そして側室の名前を詳細に列挙している。みな教養が高く、男子は戦いを、女子は機織りや家事を学んでいた。大帝の娘については「みなたいへん魅力的な女性だったが、彼は娘を愛するあまり、どの娘も嫁がせず［中略］全員を家にとどめて［中略］彼女たちについて不名誉な噂が流れていても、知らないふりをしていた」と記している。

シャルルマーニュの治世はヨーロッパ史の転換点となった。ヨーロッパ文化の開花にカロリング朝が重要な役割を果たしたことは別にして、大帝の時代に誕生した新たな神話、伝説、物語によって、カロリング朝の影響はさらに何百年も先まで続くことになった。マシュー・ガブリエレとジェイン・スタッキーはこの作られた歴史を多方面から調べ、数多くの古フランス語文学作品に影響を与えたと述べている。

アインハルトによれば、大帝は768年に父から王国の半分を相続し、残る半分も771年に死去した弟カールマンから受け継いだ。続いて彼は、人格と意志の強さ、そして教養を武器に、ヨーロッパに気高い王朝を築き上げた。シャルルマーニュは、キリストを強大な力を持つ王、キリスト教の教義を帝国の力とみなす見解を取り入れていたようである。教皇の莫大な富と、『教皇の書』にある途切れることのない使徒継承という作り話とが彼にそう思わせた。そこへフランク人は尊敬すべき起源を持つという「物語」が上乗せされた。シャルルマーニュはまさにふさわしい時代に、ふさわしい信念を携えて登場したのである。イタリア地域は751年以降、聖地ラヴェンナを含めてランゴバルド人の支配下にあったが、シャルルマーニュにとって、イタリアはローマ教皇領であって、ほかのだれのものでもなかった。そこで彼は北イタリアに進軍して、774年にランゴバルド王国を打ち倒し、その土地を教会領に戻した。その後も戦いは続き、特に南フランスではスペインから侵入しようとしていたイスラム勢力を阻止することに成功した。シャルルマーニュのキリスト教に対する不動の忠誠はローマ教皇の目に留まった。800年、彼はローマに呼び出されてクリスマスの日に予期せぬ戴冠式が行われ、旧約聖書の王たちそのままに教皇レオ3世から聖なる塗油の儀式を受けて、神聖ローマ帝国初代皇帝となった。トマス・ブラウンが強調しているように、これは、ローマ教皇がビザンティン帝国（東ローマ帝国）に背を向けたも同然の行為だった。キリスト教世界の西半分に新たな政治権力が作られ、ヨーロッパ帝国が誕生したことを意味するのだから、もちろん東側は激怒した。

すでに見てきたとおり「中世初期の旧ローマ帝国西部では、『社会』とはすなわち王国、あるいは王国連合体だった」ことから「王を聖別するということは社会のアイデンティティを決めることと同義だった」。王たちのなかでもシャルルマーニュほどこれが当てはまる人物はほかにない。同時に、自分も聖別されたいと王たちに思わせることは、教皇にとって優先すべきことがらだった。『コンスタンティヌスの寄進状』（750頃）に対する近年の偽造の「発覚」を踏まえれば、シャルルマーニュの戴冠と塗油の儀式は、『寄進状』によって授与された教皇の力の最初の試金石として意図的に演出された、派手で説得力のある虚構のように感じられる。シャルルマーニュの戴冠は、イタリアにおける教皇権とヨーロッパ北部の世俗王権とをつなぐ枢軸を作り上げた。

キリスト教徒の皇帝というシャルルマーニュの役割は、北ヨーロッパ全域におけるキリスト教化の推進と深く結びついていた。彼は帝国全土に修道院制度を広め、配下のキリスト教会行政官たちの道徳水準を引き上げた。それに劣らず重要なのは、宮殿のあるアーヘンをフランク王国全体の文化の中心地として、洗練された宮廷を築き上げたことである。実際、宗教文化の中心地アーヘンは彼の死後も長く残り、ドイツ皇帝の戴冠式はその後800年にわたってシャルルマーニュのパラティン礼拝堂（現在はアーヘン大聖堂に合併されている）で行われた。この壮大な八角形の礼拝堂はロマネスク建築の記念碑的建造物で、パラティンという名はローマ帝国皇帝の宮殿があったパラティーノの丘に由来している。その建築様式は、402年から西ローマ帝国が滅亡した476年まで首都が置かれていたラヴェンナの王宮に負うところが大きい。こうした象徴は、先のメロヴィング朝から受け継ぎ、教皇による塗油の儀式で聖書的な意味合いを帯びた、フランク王国の使命という「物語」を強化する役割を果たした。アインハルトによれば「大帝は聖アウグスティヌスの書、とくに『神の国』と題された書物を好んだ」という。これについてダーマスは以下のように述べている。「シャルルマーニュが聖アウグスティヌスの著作を読んで、みずからを単なる地上の王以上の高尚な役割を担う者とみなすようになったとしても、なんら不思議ではない。神から直接指名された行為者として、教皇を含めたあらゆるキリスト教徒の上に立つ権威を与えられた自分は、その権威を神の目的にかなうように行使しなければならないと考えていたのかもしれない」

シャルルマーニュはアーヘンに宮廷学校を開き、イングランドの高名な学者アルクィン・オブ・ヨークを招いて教育を任せた。アルクィンはシャルルマーニュの知的な話し相手をつとめ、教義について議論したことを指導のための対話に生かしたこともあったという。アルクィンが残した功績といえば、高等教育の7つの教養学科を初級三科（文法学・修辞学・弁証法または論理学）と上級四科（算術・幾何・天文学・音楽）に分ける履修課程で、これは中世からルネサンスを通してヨーロッパ教育界の柱となった。アルクィンの影響を受けて学問が盛んになったアーヘンの宮廷では、現代の活字体のもとになったカロリング小文字体で新たに文書の写本が作られて保管されたほか、豪華な彩飾写本も数多く作成された。聖職者と宮廷人の識字率は上がり、手書きの写本と聖遺物はイタリアから北へ広がった。今もフランスの大聖堂にキリスト教遺物が多く残っているのはそのせいである。シャルルマーニュが丹念に築き上げた宮廷は、道徳を重んじ、高い教育水準を維持して、特権階級の生活様式としてその後何百年も続く宮廷文化の伝統の礎となった。当然のことながら、宮廷の権威と力の「物語」は大量に作られてヨーロッパ各地に広まり、そこから中世のすばらしい文学作品の多くが生まれた。王が神そのものだった古代の神聖な王の物語は最後のローマ皇帝とともに消えていったが、君主の神聖視はその先何百年も続くことになる。

ヨーロッパ帝国の統一、ドラマティックな戴冠式、イスラム勢力の侵入を幾度も防いだ功績、キリスト教の擁護で知られるシャルルマーニュは、創作された「力の物語」の中心人物になった。シャルルマーニュを神話の域に送り込んだ最初の作品は、大帝の没後80年目にノトケルスが書いた『カルロス大帝伝』（カルロスはシャルルマーニュのラテン語名）である。ノトケルス（８４０〜９１２）は修道院で一生を送りながら多くの歴史書を著した人物で、いくつかの詩が高い評価を受けている。期待にたがわず、同書はシャルルマーニュを最高のキリスト教徒の皇帝として描くものであり、「アインハルトが書いた英雄とは違って、ノトケルスのシャルルマーニュは宮殿のバルコニーから神そのもののごとく下界を見おろし、彼の帝国を脅かすものを見抜く人物である」

ノトケルスの『カルロス大帝伝』はアインハルトが著した伝記から借用した部分が多いが、独自に大帝の周辺から集めた口伝えの逸話が数多く追加されている。大帝の死から80年経っていたにもかかわらず、大帝をはじめとする人々の言葉の引用が多くあることから、虚構のシャルルマーニュ像がすでに大きくなっていたことが察せられる。それらはやがて、大帝を褒めたたえる新しい形の文学、「武勲詩」（英雄賛歌）として、しばしば叙事詩の長さに匹敵する装飾の多い詩文としてまとめられた。大帝の死後３００年経った１１５０〜１２５０年ごろ、シャルルマーニュの王朝をモデルにたくさんの「物語」が出現して、興味深い内容が書き足された。そこでは、8世紀の宮廷にいたはずの人物が12〜13世紀の中世の騎士の役割を担っているうえ、史実にあるシャルルマーニュの遠征や征服だけでなく架空の冒険で大帝につきしたがって、ヨーロッパ西部から遠く離れた場所まで彼の名声をとどろかせている。

武勲詩に登場するシャルルマーニュの勇ましい騎士たちは「12人の聖騎士《パラディン》」として知られている。大帝が生きているあいだはなかった言葉だが、その土台になったと思われる逸話がノトケルスの書にある。

人間に能《あた》う以上の努力をしてもなお、わが宮廷の学問は父祖の時代におよばずと大帝は嘆き、「ヒエロニムスや聖アウグスティヌスのような学識ある聖職者が12人いてくれたなら」といわれた。それに対して賢人アルクィンはこう答えた。「天にまします創造主ですらも、そのような人間をこの地上にごく少数しかお与えにならなかったのです。それを陛下は12人も欲しいとおっしゃるのですか?」

シャルルマーニュの望みは後世の武勲詩によってかなえられ、12人の忠誠なるパラディンが大帝を囲んで仕えることになった。もっとも、全員が学識豊かとまではいかなかったようである。その面々はイングランドのアストルフォ、魔法使いのマラジジ、オーランドの友人フロリマール、のちに裏切ることになるガヌロン、バイエルン公ナーモ、デンマーク人のオジエ、シャルルマーニュのお気に入りの甥オーランド（ローラン）、モンタルバンのリナルド、ブルターニュ王サロモン、大司教チュルパンなどである。シャルルマーニュの支配下にあったフランク王国からきた者もあれば、イングランドやデンマークなど他国から馳《は》せ参じた者もいた。これはシャルルマーニュの宮廷の多様性を反映しているのだろう。そうしたカロリング朝の物語群に「魔法使い」まで含まれているところが、いかにも伝説らしい。話の内容を見ると平等主義が強調されていて、パラディンの活躍はしばしば主《あるじ》をしのぎ、仲間と呼ばれることもある。パラディンという称号のもとになった言葉はパリティヌスというラテン語で、パラティーノの丘の上にあったローマ皇帝の宮殿に仕える高官だった。9世紀にはシャルルマーニュの宮廷官吏だったパリティヌスが聖騎士にまで格上げされたのは、聖書に記されているイエスの弟子の影響だろう。とりわけ、イエスの12使徒と同じ12人という数字とその象徴を再現するにあたって、ユダに該当するひとりの裏切り者が含まれているためだ。シャルルマーニュが生前、そうしたパラディンの弟子に囲まれていたと解釈できるような同時代の記録は何もない。これらは後世に創作された話であり、クリスマスの日の戴冠までさかのぼるシャルルマーニュとキリスト教との深い関係を示すために補われたのだろう。

シャルルマーニュの戴冠以前から、聖遺物は崇敬や崇拝の対象として重要視されるようになっていた。パトリック・ギアリの著書にあるように、ローマから北ヨーロッパへと多くの聖遺物が流れた原因は「聖なる窃盗《フルタ・サクラ》」で、その入手経路はわからないことが多かった。出所がわからなくなって「特定の環境から切り離されてしまうと、遺物にはまったく意味がない」。遺物に意味を与える物語をともなっていないからである。遺物と聖人との特別な結びつきは必須で、それを証明する権威ある文書、またはすでによく知られた歴史的経緯などがなくてはならない。この空白を埋めるものが由来書で、特定の聖遺物の起源と、別の場所への移動を説明する文書様式だった。12世紀になってシャルルマーニュを聖人の列にくわえることが検討された際に、「列聖資格を説明する書状」が提出された。その省略なしのタイトルは「シャルルマーニュはいかにして十字架の聖釘と主の冠をコンスタンティノープルからアーヘンにもたらしたか、そしてシャルル2世（禿頭王）はいかにしてそれら聖遺物をサン＝ドニへと運んだか」である。現在サン＝ドニ大聖堂がある土地はもともと古代ローマのキリスト教徒専用墓地だった。まず大修道院が建てられてから、4世紀の聖人ドニ（聖ディオニュシウス）の遺物が収められたという。6世紀からはフランスの王たちがこのバシリカ聖堂に埋葬されるようになって、王族の納骨所としてオーラを放つようになった。そこに、シャルルマーニュが持ち帰ったトランク1個分の（当時でいえば牛革袋いっぱいの）宝物が追加されることになった。先の「説明書状」にある聖遺物の目録によれば、それらはキリストの茨《いばら》の冠、聖釘《せいてい》、「真の十字架」の木片、聖母マリアの衣服の一部、幼子イエスをくるんでいた布、それに聖シメオンの両腕の袖などである。こうした品々がどういう経緯でコンスタンティノープルにあったのかはわからないが、例外は「真の十字架」で、皇帝コンスタンティヌスの母（聖ヘレナ）によってそれより400年以上前にエルサレムで発見されたという話が知られている。「説明書状」には、サン＝ドニに保管されている聖遺物の移動に権威ある「物語」を作って与えたという点で文化的な価値がある。アン・ラトウスキが述べているように、「遺物そのものだけでなく、遺物にまつわる話にも新たな連想」をもたらすためだ。

実際のシャルルマーニュはコンスタンティノープルを訪れたことがないため、「説明書状」は創作された歴史であり、サン＝ドニ大聖堂にある聖遺物の価値を高め、それより重要な、シャルルマーニュを聖人の列にくわえるという目的のためにでっちあげられた文書である。ただし、列聖はすぐには成功しなかった。フランスで大帝列聖の動きが起こったのは対立教皇の時代だったため、いったん無効にされたのである。だが、現実的でつまらない歴史がドラマティックな「物語」に勝てるわけがない。シャルルマーニュは「説明書状」にあるような聖地巡礼の旅はしなかったけれども、物語は居場所を見つけた。フランスのシャルトル大聖堂にある高さが9メートル以上のステンドグラスの窓のうち、下半分の6枚がシャルルマーニュの物語である。エリザベス・パスタンがそのステンドグラスの窓を図面化しているが、およそ4分の1が実際にはなかったエルサレムへの巡礼の旅を絵にしたものだ。1枚はシャルルマーニュがエルサレムを再征服するところをコンスタンティヌスが夢で見ているもので、何重にも時代を間違えている。別の1枚では皇帝が聖遺物をシャルルマーニュに与えようとしており、さらに別の1枚はそれら聖遺物をシャルルマーニュがサン＝ドニに持ち帰った場面である。「説明書状」に書き連ねてある種々の聖遺物のうちもっとも印象的なものといえば茨の冠だ。よって、シャルルマーニュが冠を受け取るところが描かれている作品ははまた別の場所へと移動した。アーヘンにある聖遺物箱のバスレリーフにシャルルマーニュがひざまずいて聖なる冠を受け取っている図がある。かくして、中世のステンドグラスの窓は、作られた歴史を芸術作品として視覚的に表現したものとして、シュメールの石柱や古代ローマの彫刻やインドのレリーフの仲間入りを果たした。

ラトウスキは「説明書状」を「心の底から信じて」書かれたものと表現する一方で、架空の物語である武勲詩『シャルルマーニュの聖地巡礼 *Pelerinage de Charlemagne*』は「辛辣なユーモアがある」と評している。「説明書状」についてのコメントでやんわり皮肉られているように、870行からなるこの武勲詩はおおむね忘れられてしまった。これは王が1000人の騎士をしたがえて聖地に赴くという完全な作り話で『エルサレムとコンスタンティノープルにいたるシャルルマーニュの旅』ともいわれている。このでたらめな話では、十字軍を舞台にシャルルマーニュに巡礼を行わせているが、実際の十字軍はシャルルマーニュの時代よりずっとあとの1095年に教皇ウルバヌス2世の呼びかけで始まったものだ。時代を取り違えているこのストーリーは、キリスト教のプロパガンダとして1140年ごろに書かれたもので、特にイスラム教徒のユーゴ皇帝をキリスト教に改宗させるというくだりに政治的な宣伝が顕著に表れている。ヨーロッパは当時、イベリア半島に居座るイスラム勢力がさらに北上するのではないかとの不安と懸念に脅かされていた。そこでキリスト教を賛美し、イスラム教よりもすぐれていることを示す「物語」が考え出されたのである。この武勲詩はまた「説明書状」と同じくパリの殉教者サン＝ドニ大聖堂の聖遺物にも言及しており、フランスに戻ったシャルルマーニュが真っ先にサン＝ドニへ行って「聖釘と茨の冠を聖壇に載せ、それ以外の聖遺物を彼の治める王国に広く分け与えた」と述べている。

もうひとつ完全な作り話である武勲詩に『フィエラブラ *Fierbras*』がある。主人公の名でもあるタイトルは「雄々しき腕」を意味するフランス語のフィエ・ア・ブラに由来する。6200行もあるこの叙事詩の中心人物は、身の丈が4・5メートルもあるサラセン人の巨人で、父であるスペイン王バランとともにローマのサン・ピエトロ大聖堂を略奪し、キリストの受難に関連する聖遺物を宝物庫から奪ってスペインへと持ち去る。この時代はヨーロッパ人が古代の遺物に夢中になっていた時期で、やがてヨーロッパは世界一の聖遺物収蔵庫と化すことになるのだが、そうした時代性に合わせて聖遺物に焦点が当てられたのだろう。この架空のローマの聖遺物略奪事件には、征服以外の力を誇示することで、憎むべきサラセン人よりもキリスト教徒のほうが優位だと示す意味があった。フィエラブラを打ち倒すのはシャルルマーニュに仕えるパラディンの勇士オリヴィエ・ド・ヴィエンヌである。コンスタンティノープルのユーゴ皇帝と同じく、フィエラブラもまたキリスト教に改宗し、シャルルマーニュの軍にくわわる。そして父王の死後には信頼できるスペイン王となり、騎士たちのひとりがフィエラブラの妹フロリパと恋に落ちて結婚するなど、婚姻外交によっていっそう絆を深めていく。盗まれた聖遺物はその後ローマに返還される。

12世紀の武勲詩『アスプルモン』ではふたりのパラディン、ナモとジラール・ド・フレートゥが活躍する。この詩は現存するなかでもっとも長い叙事詩で1万1328行ある。アフリカからきたサラセン人の王が南イタリアのアスプルモンで倒される話だが、シャルルマーニュがその地を訪れたことはない。

武勲詩のうちもっとも有名なのが『ローランの歌』で、長短さまざまな291篇の詩で構成されており、すべて合わせると4001行にもなる叙事詩である。ジェシー・クロスランドによれば、文字を知らない人向けに寓話を通じて意味を伝えた中世文学の多くに類似しており「ステンドグラスの窓や教会のフレスコ画と同じく、心をときめかす物語を使って聴衆に（必ず朗唱されるため）わかりやすく教訓を伝えるものである」。クロスランドはたとえ話について興味深い比較をしている。

『ローランの歌』は中世の『天路歴程』と呼んでもいい。善と悪、正しいことと間違っていること、真実と虚偽の永遠の対立を表現するだけでなく、人生という涙の谷（苦難の道）を旅するキリスト教徒の象徴にもなっている。作者が選んだ表現方法にしたがって、叙事詩のように壮大な英雄の精神のなかにそれが描き出されているのだ。

シャルルマーニュは12人の弟子に囲まれたキリストのような人物として登場する。けれども、やがてシャルルマーニュのパラディンのひとりであるガヌロンの陰謀が明らかになる。作品の前半ではガヌロンが裏切り者であることはわからない、これはイエスが死ぬ間際になってようやくユダの裏切りが明らかになるのとよく似ている。

『ローランの歌』は実際のできごとを脚色して作られている。勇ましい英雄の描写を用いて、キリスト教を実践するシャルルマーニュの宮廷や帝国の力を大きく見せているこの叙事詩はまた、古フランス語の最古の文学作品でもある。歴史上のシャルルマーニュは778年にスペインでサラセン軍と戦ったあと、その帰路にスペインとフランスの国境にそびえるピレネー山脈のロンスボー峠でバスク人の襲撃を受けた。当時に近い記録は9世紀のアインハルトによるシャルルマーニュの伝記にある。ピレネー山脈の峠で襲われたのは後衛部隊で、当時の記録を信じるならば、痛手を被ったものの全軍壊滅にはいたらなかった。『ローランの歌』では裏切り者のガヌロンが敵のイスラム勢にシャルルマーニュ軍の山越えルートを教えたために、40万（明らかに誇張した数字）のサラセン兵が兵力2万のフランク軍後衛に襲いかかる。ほぼ全員が討ち死にし、友軍を呼ぶ角笛を吹くのが遅すぎたローランがその責めを負わされる。大敗北を喫しながらも、ローランは超人的な戦いぶりを見せ、遅すぎたとはいえ救援を求めて角笛を吹く。何百マイルも離れていたにもかかわらずシャルルマーニュにはその音が届くが、力いっぱい角笛を吹いたためにローランの両方のこめかみの血管が切れてしまう。それでもなお戦い続けたローランは、フランクの援軍が到着したところで息絶える。角笛を吹くローランの姿は、おそらく武勲詩すべてのなかで最高の名場面だろう。何世紀も経ってから、詩人エドウィン・アーリントン・ロビンソンがその皮肉を「フラッド氏のパーティ Mr. Flood's Party」（1920）で描写している。

信じがたいほどの負け戦と味方の戦死にも打ちのめされることなく、シャルルマーニュは攻勢に出る。彼が率いて戻った主軍は敵を追い散らして報復を果たす。神に祝福されたキリスト教徒の戦士たる彼の力は歴然としていた。「神は奇跡を起こし、太陽が動きを止めた」。これは旧約聖書においてヨシュアが征服戦を完結させるため太陽に止まれと命じて奇跡が起きたというエピソードの対型である。戦いの最後はシャルルマーニュとバリガンの一騎打ちとなり、シャルルマーニュが勝利する。ガヌロンが有罪か無罪かを決める決闘裁判ではピナベルとチエリーが戦い、チエリーが勝利してガヌロンは八つ裂きの刑に処せられる。こうしたできごとが伝えているのは異教の王に対する皇帝シャルルマーニュの勝利であり、大幅な数の不利を覆すキリスト教軍の力であり、そしてガヌロンの裏切りを裁くフランク王国の裁判制度の道徳的な正当性である。

『ローランの歌』はフランス文学に確固たる地位を得た英雄礼賛の叙事詩だが、歴史的事実をぼかすものである。土台となった史実であるシャルルマーニュの屈辱的な敗北は『フランク王国年代記』には記されていない。英雄「物語」は作り話が事実に勝利した証であり、時間の経過によって事実がおぼろになったあとに残るのは偉大なる虚構のほうだ。

「力の物語」としての『ローランの歌』はいくつもの見方ができる。フランスにとってはローマ帝国滅亡以来もっとも偉大な皇帝を抱く伝説の帝国を作った。物語の独創性は、シャルルマーニュがアーヘンに築いた宮廷のすばらしさに見て取れる。栄誉は12人のパラディンに分け与えられた。そのなかにはシャルルマーニュと同時代に生きた歴史上の人物もいれば架空の人物もいるが、みな勇ましい騎士へと姿を変えた。舞台が9世紀であっても、この歌には12世紀の英雄崇拝が投影されており、力を持つ者のイメージが皇帝から王宮の英雄たちへと移ったことがわかる。十字軍の騎士たちの英雄としての地位が、この文学的変容の中心であることは疑いようもない。

それに劣らず重要なのが、一向に弱まる気配のないキリスト教の偏重である。キリスト教はシャルルマーニュという人物とアーヘンの宮廷に不可欠な要素だった。大帝に仕える騎士には教皇にならぶほどの宗教的な力があり、彼らの人格と行動が道徳的な威光を放って、敵は異教を捨ててキリスト教に改宗する。『シャルルマーニュの聖地巡礼』や『フィエラブラ』にあるようなイスラム教徒の王が改宗する話は、12世紀後期のジャン・ボデルによる『サクソン人の歌 *Chanson de*

Saisnes』でも繰り返されている。それは、捕虜となっても信仰心を捨てずに祈り続け、誘惑に対して抵抗を貫くキリスト教徒の姿に感動して、イスラム教徒の指揮官がその一軍ともども改宗する物語だ。実際の改宗は聖ニコラウスの力によるものだったが、この時期までに百人単位に増えていた聖人のスピリチュアルな力が強まっていたことがそこからわかる。

22 アーサー王の伝説の王国

歴史を書くときは、ことの起こりから始めれば、中途から始まる話《イン・メディアス・レス》にはならないはずだが、過去を回顧する構成は文学、とりわけ叙事詩で一般的である。英語で歴史を記そうとした最古の『アングロ・サクソン年代記』には、イングランド史の夜明けが描かれている。最古の原本は現存しておらず、あちこちの修道院に配布された写本は残っているが、その後200年のあいだに、ばらばらに改訂された。現存する最古の写本、『ウィンチェスター年代記 *Winchester Chronicle*』が最初に書かれたのは、筆跡の変化から892年以前だったと考えられる。そのいちばん古い年代の項目には、聖書の時代についての記述がある。「キリスト生誕の60年前に、ローマ皇帝ユリウス・カエサルがブリテンに上陸した」(ちなみに実際のカエサルは皇帝ではなく共和政ローマの執政官だ)。年代記は戦いについての短い記述に続いて、マタイによる福音書にある「占星術の学者」の訪問と、幼子キリストのエジプトからの帰還に話を移すが、西暦6年を世界が始まってから5200年目としている。したがって、『アングロ・サクソン年代記』は、毎年更新される「年代記」ではない。編纂された時代の900年前もから始まっている記述が、作られた歴史であることを示している。記録、あるいは記録とまかり通るものなら何でも使って、作者の時代のプロローグを作り上げているのだ。

『アングロ・サクソン年代記』の加筆は、12世紀半ばまでさまざまな修道院で続けられたが、実際に称賛を集めたのは、そのどれにも登場しない伝説のアーサー王だった。『年代記』などの初期のイングランドの記録には、アーサー王に関する記述がないため、9世紀に最初の伝説ができた時点では、この王は無名だったようだ。ところが現在ではこれほど名の知れた王はなく、イングランド史の黎明期に君臨したとされる、ほぼ唯一の王となっている。アーサーは神々しい雰囲気のある英雄だ。それでも次第に自分に仕える「円卓の騎士」の活躍によって、影が薄くなっていく。アーサーと騎士たちは数百年にわたって遠い過去の架空の帝国の中心となり、フランク人やローマ人に匹敵する力をブリトン人に与えていた。

イングランド人の『年代記』は起伏のない内容だったため、1136年ごろにジェフリー・オブ・モンマスがまとめた『ブリタニア列王史』が登場すると、当然のごとく歴史書としては二次になった。『列王史』には、耳新しく人々が称賛せずにはいられないような過去が描かれている。この本のタイトルは歴史書であることをほのめかしているが、そうした印象は読めばすぐに失せる。伝説にしか見えないイングランド史と、何よりジェフリーが採り入れた巨大な系図の枠組みは、これがイスラエルのユダヤ人書記官が作った架空の「物語《ナラティブ》」や、ウェルギリウスが書いた同じく架空のトロイアの王家に連なるカエサルからアウグストゥスまでの祖先の話とならぶものであることを告げている。ジェフリーはウェルギリウスを手本とすることで、自分がイングランドの人々のための叙事詩を書いているとも思っていたのかもしれない。ウェルギリウスは『アエネーイス』で、トロイアの王子アエネーアスを追ってイタリアに舞台を移したあと、ユリウス・カエサル、皇帝アウグストゥス、そしてそれに続くローマの全皇帝に直結する系譜が、この人物から始まったと述べている。歴史家のリウィウスは、そのあいだに生じた空白を1000年にわたって途切れのない系図で埋めている。ひとたびこのような避難民の「物語」とローマ帝国の叙事詩的な誕生が創作されると、どうしても模倣は避けられない。それは、その後のヨーロッパの文学と歴史を通して繰り返し登場するモチーフとなった。

ジェフリーによると、トロイアの王子アエネーアスの血筋は、トロイア生まれのアスカニオス、その息子のシルウィウス、そして孫のブルートゥスにつながっている。ただしブルートゥスはホメロスの『イリアス』と『オデュッセイア』のどこにも出てこない。ブルートゥスは父親を誤って殺してしまったために追放の身となり、行き着いたギリシアでそこに大勢のトロイア人が逃れてきているのを知った、とジェフリーは述べている。『イリアス』や『アエネーイス』と突き合わせると、年代が混乱していることがわかる。ストーリーが展開するのはトロイアの敗北後だが、ブルートゥスがいつだれによって追放されたかはわからない。ところがブルートゥスがギリシアに到着すると、そこから古典文学にも、史実にも先例がない長大な想像上の物語が始まる。冒険に次ぐ冒険の日々を結婚で締めくくり、ブルートゥスは324隻の船でギリシアをあとにする。船の数はこうした神話によくあるように水増しされている。その後まもなく上陸した島では、女神のディアーナが崇められていた。そこからは、神話がつねに自民族中心主義であることがよくわかる。ギリシアの神々が、ギリシア人の知りもしない場所で崇拝されているのだ。ブルートゥスはディアーナから、自分の運命は「ガリアの領土を越え」て航海し、ある島で「第二のトロイア」を建設することだと告げられる。この筋書きは、『アエネーイス』でアエネーアスがユッピテルから新しいトロイアを築くよう指示されたことを彷彿させる。ただしブルートゥスは、地中海というなじみのある世界から外へと導かれている。

アキテーヌでしばらく戦って兵士６００人を倒したあと、ブルートゥスはアルビオンと呼ばれていた島に渡って、そこをブリテンと改称したので、それがブリトン人の名前の由来になった。テムズ川のほとりに築かれた新トロイアは、のちにロンドンになった。この物語の年代に照らすと、ブルートゥスがブリテン島にやってきたのはローマ人のほぼ１０００年前だ。それどころか、ブリテンの建国がローマ建国の４００年前になる。

ジェフリーは物語で、紀元前１千年紀の約50代におよぶブリテン王の系図を示している。そのほとんどはイングランドの民間伝承からさえ消えてしまったが、レイアとその３人娘、ゴルノリラ、レガウ、コルデイラは例外で、数百年後にシェイクスピアの『リア王』（１６０６）で復活している。ジェフリーは物語のなかで、この伝説の王たちのリストを聖書のできごとと関連づけてもいる。たとえばエブラウクスは、ユダヤのダビデの時代にブリテンを支配しているので、紀元前10世紀の人物ということになる。また、ロンドンの名祖となったルッドは、ユリアス・カエサルが紀元前55年にブリテンに上陸したときの王だった。

古代の「物語」に文学賞があるとしたら、ジェフリー・オブ・モンマスはまさに受賞に値する。ひとりの作家の作品とはとうてい思えないほど、次から次へと多くの話が展開されているからだ。それでもそのどれひとつとして史実とは認められない。むしろ、膨大な数の民間伝承や伝説を集めて、ていねいに壮大なスケールの魅惑的な「物語」に仕立て上げたものに近い。ジェフリーが『列王史』を書いた理由のひとつは、ブリトン人にも同じような架空の系譜を作って、自分たちをローマ人やフランク人の地位まで引き上げることだった。数の誇張は随所にあり、その最たるものが、ブリトン人兵の妻にするために1万1000人の貴族の娘と6万人の「平民出の娘」を集めたという話である。この計画は喜劇になるかと思いきや、にわかに悲劇に転じて、女性を乗せた船が難破し、助かった女性もピクト人やフン族に殺害されてしまう。聖書には、モーセがイスラエル軍のために3万2000人の処女を生かしておいたという記述がある。ジェフリーはそれをもとに、捕虜の処女をブリトン兵にあてがっても道徳的に問題ないと考えたのではないかと思われる。

ジェフリーの真の関心が何であるかは、マーリンとアーサー王、そしてふたりの奇跡の出自の物語に表れている。マーリンの場合は、父親となる正体不明の男が、あるときは「とても美しい青年の姿」で、あるときは「姿を見せずに」母親のもとを訪れていた。マーリンは、やがて魔力をもつ予言者になる。アーサー王にまつわるマーリンの予言は、動物寓話のような比喩で表現され、たとえばアーサー王は、イングランドでは侵略者に、ヨーロッパ大陸ではノルマン人、ゲルマン人、ローマ人に大勝利を収めるといったことが告げられる。さらにマーリンは、自然ではありえない出生にもかかわる。たとえば、ウーテル王は人妻インゲルナを手に入れたくてしかたがなかった。マーリンが魔法で王を彼女の夫の姿に変えたところ、インゲルナはアーサーを身ごもった。アーサーの勝利と征服を描くさまざまな話以降も、ジェフリーの系図の「物語」はさらに数百年続き、サクソン人がブリテンを制圧するところで終わっている。それでも、ジェフリーの最大の関心事と最高傑作がアーサー王であることは変わりない。なぜならアーサーは、トロイアの王家の末裔であるだけでなく、マルス神の子ロムルスや母親が神による懐妊を主張したアウグストゥスのような、自然を超越した初代の王だからである。

マイケル・カーリーが指摘しているように、ジェフリーは2000年におよぶブリテン王の系譜で、歴代の王をギリシアやローマ、キリスト教ヨーロッパの文明と融合させている。つまりこの系譜には、それ以前のヨーロッパ文化より幅広い歴史的背景がある。とはいえ、ジェフリーが『ブリタニア列王史』を創作した直接の動機はおそらく、その少し前の1066年にイングランドがウィリアム征服王率いるノルマン人に征服されたことにあるのだろう。ジェフリーはウィリアムには触れていない。これは自国民が外国人の支配下に置かれていることに対する個人的な反感の表れだろう。そうした感情はおそらく世に広まっていたに違いない。ジェフリーの「物語」作成の戦略は、征服される前のブリテン王を賛美するとともに、君主の優位性と帝国のルーツにまつわる「物語」を作って、フランク人が『フレデガリウス年代記 *Chronicle of Fredegar*』や『カロルス大帝伝』(『シャルルマーニュの生涯』)に描いているものを凌駕することだった。ブルートゥスのアキテーヌ征服(仮に史実とすれば紀元前11世紀のできごと)は、実際にはのちにノルマン人の領土となったアキテーヌにおける代々のブリテン軍の優位性を強調するために、意図的にでっちあげられたふしがある。ブルートゥスが軍事的勝利をあげたのはフランスのメロヴィング朝やカロリング朝の時代よりずっと前で、ノルマン人の征服より１６００年以上も前のことである。ジェフリーが描く古代ブリテンは強大だが架空の帝国だ。

ジェフリーの最大の功績は、アーサー王にくわえて、シャルルマーニュやノルマン人がイングランドにもたらしたいかなるものより華麗で偉大な宮廷を創り出したことにある。ヴェネラビリス・ベーダが７３１年に著した『イギリス教会史』や『アングロ・サクソン年代記』の数百年にわたる記述には、ノルマン人に征服される前にも、洗練された宮廷文化が生まれつつあったことを示す証拠がわずかに見られる。けれども、実際にイングランドに大陸からの影響がもたらされたのはそれよりあとの初期の宮廷文化のころで、ノルマン人がカロリング朝時代の遺産の一部としてイングランドに持ち込んだものが、ケルト神話に由来するアーサーという英雄のさまざまなウェールズの伝説に移されて同化したものである。

ジェフリーの「物語」では、美化された12世紀のイングランドの宮廷が、少なくとも６００年前にあたる5～6世紀のローマ崩壊の時代に投影されている。まさに時代的にちぐはぐな「物語」が史実を押しのけた典型例だ。ジェフリーはこの架空の話のなかで、「アルトゥールス［アーサー］は遠くの国々から実に高名な人びとを招いて、彼の側近たちを増やし始めた」と書き、のちの円卓の騎士の物語と違和感なくつないでいる。「こうして、アルトゥールスは彼の宮廷に於いてまことに高雅な振る舞いを滋養していったので、遥か遠くの人びとの間にさえも競争心を煽るほどであった」。アーサーの真価は何といっても、宮廷における振る舞いについて他に類を見ない規範を作ったところにある。「それゆえに、」とジェフリーは続ける。

一旦刺激されるとどんな高貴な人でさえも、アルトゥールス王の騎士たちと同じような衣裳をまとい、武器を携えなければ自分は取るに足らない人物だと思うのであった。［中略］たしかに、ブリタニアはそのころ［5〜6世紀］までにはきわめて高度に洗練された国状に戻っていたので、その豊富な生活の糧、贅沢な装飾品、住民たちの優雅さは他のいかなる国々をも遥かに凌駕していた。

中世研究家のJ・S・タトロックが指摘しているように、12世紀のノルマン支配下のイングランドは、ジェフリーが理想化した600年前の宮廷の描写からはほど遠く、ノルマン人によるイングランド征服も、数百年前のアーサー王の伝説的な戦いに匹敵するものではなかった。

ジェフリーの『ブリタニア列王史』は、ヨーロッパの教養人の言語、ラテン語で書かれていたためヨーロッパ大陸の読者にも理解できた。19年後には、ノルマン人の詩人ロベール・ウァースがそれをフランス語の韻文に書き換えて『ブリュ物語 *Roman de Brut*』（1155）を発表しており、物語というものには明らかに、それが誕生した文化の外にまで影響をおよぼす力があることがそこからわかる。ひょっとすると、文学に通じたノルマン人たちは、支配下にあったブリトン人の宮廷の力をわがものにしたいと思ったのかもしれない。ウァースの詩はその後、新イングランド女王、アキテーヌ女公エレアノールに仰々しく披露されている。ウァースはジェフリーの物語をほぼ踏襲したうえで、さらにアーサーに円卓作りを命じさせて、伝説の中心ともいうべき象徴を作った。円卓への言及は、アーサー王物語群全体のなかでこれが初めてである。それ以降アーサー王のすべての騎士が「平等に円卓を囲み、平等に給仕を受け」るようになった。シャルルマーニュと12人の聖騎士のときと同じように、そこでは力が王から宮廷に移っており、焦点の変化が見て取れる。宮廷に重きを置くこうした傾向は、その後何百年ものあいだ後続のアーサー王物語の重要な要素となった。やがて王宮を舞台にした物語文化が栄えると、宮廷生活を「物語」の形で表現するだけでなく、宮廷そのものを理想化する文学が生みだされた。

このような関心の変化はアムール・クルトゥワ、つまり宮廷ロマンスの誕生と連動している。中世では実際によくあることだった宮廷ロマンスからはたくさんの文学作品が創作され、それらは一般にひとつの文学ジャンルとみなされている。ノルマン人の征服以降、ヨーロッパ大陸とイギリスの両方の宮廷に新たな社交ルールが生まれると、宮廷人の恋愛に対する旺盛な好奇心にねらいを定めた新しい「物語」が発展した。その結果、女性を主人公とする、はるかに穏やかで魅力的な「物語」に目が向けられるようになった。ウォーレン・ホリスターはこう述べている。「13世紀のロマンスの感性は武勲詩の粗野な力強さとは正反対で、中世ヨーロッパが洗練されつつあったことを裏づけている」。登場した作品は二種類に分類されるが、互いに密接に関連していた。ひとつは同じ時代、同じ世界の話である。特権階級や貴族などのエリートの娯楽として、ヨーロッパの宮廷内で語られていたロマンティックな「物語」がこの部類に入る。こうした文学や音楽の気晴らしは、比較的贅沢な暮らしと領土の安定によってもたらされたもので、たいていは、極端に美化された架空のロマンスに焦点が当てられていた。ふたつ目は古代の伝説的な宮廷、特にアーサー王の宮廷を舞台にしたものである。そこでは、宮廷の行動規範が何百年も前の過去に投影されていた。

この新しい形の娯楽は、11～12世紀のあいだに生まれた。十字軍の時代には、馬に乗った何百もの騎士がフランスやイングランド、スペインから聖地に攻め入り、征服と宮廷騎士道崇拝を作り上げていたが、その一方で南仏プロヴァンスの騎士詩人は、宮廷でまったく異なる行動をとり始めていた。人前で行うかなり官能的な愛の告白である。これらの対照的な行動は、好戦的な宗教の野心的な帝国主義とはまったく異なる、世俗的な文化の前兆だった。それまで見られなかったこの娯楽を始めたのは、アキテーヌ公でポワトゥー伯でもあるギヨーム9世（１０７１～１１２７）である。彼は、みずから創作した官能的な詩を伴奏に合わせて歌いながら、愛や肉体的快楽、魅力的な女性を理想の姿で描いた。想像や夢、希望、思い出を綴ったそうした物語詩のうち11篇が現存している。

ギヨームの孫娘のエレアノール（１１２２生）は、フランスとイングランドの王妃となった。彼女は、フランスのポワティエで愛の競技会を開いたことでよく知られている。競技会では詩人や騎士、哲学者、吟遊詩人が、遊戯や音楽の演奏、詩の競作、騎士の馬上試合などの文化を守っていた。エレアノールは他に類のない愛の法廷を実施したことでも記憶されている。この疑似法廷では、騎士と貴婦人が、60人もの貴婦人からなる審判団の前に恋愛のもめごとを持ち込み、宮廷の恋愛作法に沿っているかどうかについて、理にかなった判断を仰ぐことができた。この文化の斬新な試みには特筆すべきことがある。ありもしないロマンスを、あたかも本当のできごとのように裁き、その詩的な表現力と説得力を称賛に値するレベルにまで高めたことだ。ポワティエに住んでいたアンドレアス・カペラルヌスは、『宮廷風恋愛の技術』の名で親しまれている名著『恋愛について *De Amore*』（1185頃）のなかで、21件もの裁判を取り上げている。裁定を下したのはエレアノール王妃、女伯マリア、フランドル女伯イザベル、ナルボンヌ女伯エルマンガルド、フランス王妃アデルの面々だった。こうした女性の権力が誕生した時期は、女流作家の時代と重なってもいた。代表的な女流作家には、『十二の恋の物語』を著したフランス生まれのマリー・ド・フランスがいる。もうひとり、のちのクリスティーヌ・ド・ピザン（1364頃〜1430）は、『婦人の都 *The Book of the City of Ladies*』（1405）で、女性の力が勝利した世界について書き上げた。

マリー・ド・フランスはポワティエでエレアノールに仕えていた。エレアノールの宮廷恋愛には、ひとりの恋人が愛する人をたたえるというパターンがあったが、マリーは「物語」の舞台をうまくヨーロッパの全宮廷に広げて、全知の語り手に恋愛の顛末《てんまつ》を説明させている。マリーは、118行の短い『すいかずら *Chevrefoil*』から1184行の『エリデュック *Eliduc*』まで、多彩な物語を書いている。彼女の「物語」の画期的なところは、12〜13世紀の宮廷ロマンスを、6世紀のアーサー王の想像世界のなかで再現したことだ。魔法と奇跡のテーマを織りまぜた恋愛物語『ランヴァル *Lanval*』（ラウンファル）は、アーサー王の脇役的な円卓の騎士を主人公にしている。ランヴァルはアーサー王の寵愛を失い、田舎に引きこもって惨めな貧しい生活を強いられていた。そこで彼は妖精《フェイ》の乙女と出会う。妖精はランヴァルに愛と莫大な富を与えるが、ふたりの仲を口外しないことを条件につけた。その後、アーサーの王妃から言い寄られた（中世のモチーフをアーサー王の時代に使うという驚くべき展開）ランヴァルは、拒絶してとがめられ、秘密の約束を破ってしまう。ランヴァルが自分の若い恋人のほうが王妃よりはるかに美しいと主張すると、王妃は仕返しに自分が口説かれたと訴え、アーサー王の宮廷で審問が行われることになった。これは、アキテーヌ女公エレアノールの愛の疑似法廷を6世紀のフィクションに移し替えたものだ。ランヴァルが有罪（とおそらく処刑）を宣告されそうになったそのとき、美女が馬で乗り込んできて自分が妖精の乙女であることを明かす。彼女はランヴァルが王妃にそのようなことをするはずがない、と恋人の名誉を保証する――まさに、女性の権力の向上が象徴されている。物語は、再会したふたりが馬に乗り、ロマンティックにアヴァロン島に向かって走りだすところで終わる。宮廷の力の象徴である理想化されたロマンスと非の打ちどころのない騎士道が、この空想上のアーサー王国伝説のなかでいにしえのルーツを与えられている。宮廷の振る舞いとロマンスをはるか昔の時代に投影することで、12世紀に女性の地位を向上させた画期的な文化を、古代ブリテンにルーツを持つ由緒正しい文化習慣に見せているのである。

『ランヴァル』からは、ジェフリー・オブ・モンマスの創作史と中世の宮廷の放埒《ほうらつ》な暮らしを組み合わせた作り話が、どのようなものだったかがわかる。文学者は昔から、創作物として過去が書き直されてきたことを知っていたが、歴史学者は自分たちの分野とは無関係とみなされがちなこうした現象を回避したくなるのかもしれない。文学の時代背景が正確な忠実であることを好むロジャー・シャーマン・ルーミスなどは、ジェフリー・オブ・モンマスの架空の歴史を「詐欺的な物語」と呼んでいる。だが、もしヨーロッパの宮廷文化が、娯楽という点で中世叙情詩人の歌文化だけに固執していたら、錯綜《さくそう》する愛の法廷の文化が衰えはじめた13世紀には、歌のテーマが枯渇していたかもしれない。けれども、舞台が遠い過去に置かれることが一般的だった空想物語の範囲が広がり、新しい領域に移行することで、宮廷ロマンスと一貫性のある新しい「物語」が誕生した。ジェフリーが作った大まかなアーサーの生涯を足がかりに、アーサー時代のロマンスと冒険の旅を描く広大な物語が出現し始めたのである。ジェフリーの『列王史』にはグィネヴィアやガウェイン、マーリン、モルドレッド、アヴァロン島は出てくるが、湖の乙女、ランスロ（ランスロット）、モルガン・ル・フェ、パーシヴァル、あるいはトリスタンとイゾルデのカップルは登場しない。彼らはみなのちのアーサー王伝説で、人々の目を引く新たな登場人物として誕生したものである。

伝説の「物語」の進化をたどるうえで同じく重要なのは、ジェフリーが聖杯、そしてアーサー王を何より象徴する場所であるキャメロット城について書いていないことだ。それらはいずれも、伝説のさまざまな構成要素や想像上のできごとから集められた詳細をもとに、数百年を経て「物語」が形成される過程で生まれたものである。ジェフリーやウァースが創作したアーサー王伝説とは明白なつながりを持たないまま、伝説は、アーサー王の架空の宮廷に引き寄せられて、騎士や英雄の「物語」として拡大されたのだ。アーサー王ロマンスは、やがてイングランドの国民的叙事詩となり、その膨大な物語群がチューダー王朝をはじめとするイングランド、そしてヨーロッパの文化全般に何百年も影響を与え続けた。

フランスからは、12世紀後半にクレティアン・ド・トロワの手で魅力的な「物語」が5篇誕生した。そのなかではアーサー王のもとに、エレック、クリジェス、ランスロ、イヴァン、パーシヴァルが集まっている。『ランスロまたは荷車の騎士』は、アーサー王の王妃グィネヴィアが悪の騎士、メレアガン卿に誘拐される場面から始まり、王妃に対してほとんど盲目的崇拝ともいえる愛情を抱くランスロが、捜索の旅に出て彼女を救い出す。クレティアン・ド・トロワの言葉を借りると、「王妃自身の［中略］明るく、美しく、輝く頭髪の束が」残っている櫛が見つかると、この騎士は気を失いそうになる。さらにこの物語では、ランスロが情熱的に誘惑してくる若い乙女をストイックに拒んで騎士の名誉を守ったこと、旅の途中で馬上槍試合の優れた腕前を見せたこと、超人的な力で格子窓を破ったことなどが語られる。そのころまでに、彼の心は、自分に好意的なグィネヴィアのもとへたどり着きたい、愛を貫きたいという熱い思いでいっぱいだった。愛が実って不倫に発展すれば、ヨーロッパで名を馳せた王の名誉を汚すことになる。この「物語」は、王宮の英雄たちがなるほど力をつけてきていたと思わせるよい例だ。

この6世紀の英雄は12世紀の執拗な愛へのあこがれを満たした。価値観という意味では、ランスロの行動は、伝統的な宮廷ロマンスで強調されるような、自分が仕える女性への献身をはるかに超えている。史料の研究から、ランスロの物語は、ケルトやアイルランド、ウェールズの伝説の断片を無理に寄せ集めて作られたことがわかっている。それでも、12世紀の聴衆はこの物語を何の疑問も持たずに受け入れた。一貫して物語性を重視し、感情に訴える円卓の騎士の冒険物語は、宮廷物語の流れに乗り、その歴史に彩りをくわえて、すばらしいけれども歴史としては疑わしい、宮廷にふさわしい理想的な振る舞いの先例を作った。

ドイツの作家ゴットフリート・フォン・シュトラースブルクは、1210年に1万9500行の詩『トリスタンとイゾルデ』を残した。これはトリスタンとイゾルデの恋愛物語で、トマス・オブ・イングランドが書いた少し前の物語をもとに、ウェールズのドライスタンという、おそらくは8世紀のピクト人王の伝説をたどる作品だ。何百年も人々を引きつけてきたこの物語の魅力は、王と、不義を犯している王妃、その恋人の王宮の騎士による、宿命的な三角関係にある。トリスタンはアイルランドのイゾルデ王女をマルク王の花嫁として迎えるために、船で迎えに行くが、その帰りに誤ってふたりとも惚れ薬を飲んでしまい、あと戻りのできない恋のとりこになる。イゾルデがマルクと結婚した後も、密やかな情事はそのまま続いた。結局ふたりの不貞は王の知るところとなり、恋人たちはさまざまな試練や裁き、別離を強いられるが、最後には苦悩と絶望のなかで息絶える。

ゴットフリート・フォン・シュトラースブルクの手を経て、トリスタンとイゾルデの物語は未知の世界を切り開いた。文献学者のアーロイス・ヴォルフは、「文学の世界には、古代末期から殉教者や聖人、罪人、告解者が棲みついているが、それがさらに王などの支配者にまで広がった」とまとめている。本書ではそこにカロリング朝時代の対立、聖遺物、巡礼を追加してもよいだろう。歴史学者のウィル・ヘイスティは「当時ならではの文学の開花」に言及しながら「この不倫の恋愛物語は、中世文学（あるいはおそらくほかの文学でも）にはそれまでなかったような主人公や物語のできごとを通して、道徳や宗教の限度とならんで人間の愛の限界を試す可能性を広げたように見える」と述べている。王宮で繰り広げられるこの物語は、中世の宮廷社会を魅了した。そこでは、宮廷ロマンスの伝統にしたがいながらも、抑えられない愛と不倫の物語として、ロマンティックな愛への強い衝動と抗しがたい恋愛の悲劇的な結末が描かれている。

トリスタンとイゾルデの物語がどのようにしてアーサー王物語群に取り入れられたのかは正確にはわからないが、『散文トリスタン *Prose Tristan*』（1230）という作者があいまいな13世紀の作品で、トリスタンはアーサー王の円卓の騎士の座を確保している。物語群に新たな伝説が組み込まれるたびに古代イングランドの伝説の過去が拡大し、輝かしい過去が周囲に影響をおよぼして、現在の価値を高める。アーサー王物語がヨーロッパ大陸で生まれると、伝説のイングランドはますます大きな力を持つようになった。14世紀のイタリアの作品、『円卓の騎士 *La Tavola Ritonda*』では、トリスタンがアーサー王の高名な騎士として登場するが、このときの関心は、恋愛より一騎打ちなどの騎士の馬上槍試合に向けられている。十字軍以降のヨーロッパで軍事活動が活発になったことの表れだ。アーサー王の伝説の宮廷では、ロマンスと騎士道が英雄の強さの構成要素になった。

先にも述べたが、パーシヴァルはジェフリー・オブ・モンマスの『ブリタニア列王史』には出てこないが、クレティアン・ド・トロワの『聖杯の騎士パーシヴァル』では主人公だ。パーシヴァルは、古いケルト伝説に登場する、高貴な出自を知らずに育てられた身分の低い人物がモデルになったようである。クレティアンの「物語」では、森のなかで育ったが、騎士になることを志し、やがてアーサー王の城に入る方法を見いだす。その最初の冒険を、ルーミスは「騎士の冒険譚と軽妙な喜劇の傑作」と呼んでいる。

パーシヴァルが探そうとする聖杯は、十字架にはりつけられたイエスの血を受けるために使われた杯を指している。そうしたものの存在は新約聖書には書かれていないため、これは伝説中の遺物である。アリマタヤのヨセフは単にイエスの遺体を引き取って埋葬しただけだった。しかし、流布本物語群《ウルガタ・サイクル》として知られる作品群に属する13世紀の『聖杯の歴史 *History of the Holy Grail*』では複雑な筋書きの物語が展開されている。そこでは、イエスを葬る墓を提供したアリマタヤのヨセフが聖杯を手に入れたあと、イングランドに運んで、コーベニク城に置いていったといわれている。別の伝説では、グラストンベリー大修道院付近のどこかに聖杯が埋められているという。また、イエスみずからがアリマタヤのヨセフとともにグラストンベリーを訪れたという、どうにも信じがたい伝承もある。数百年にまたがって書かれたこれらの物語を整理するためには年代順に考えることが重要だ。聖杯が隠されたとするなら、1世紀のあいだだろう。聖杯探索の物語の舞台はむろんその600年後のアーサー王の時代で、この作られた歴史が最初に流布本物語群に登場したのは13世紀初頭だった。それでも、謎は深まるばかりだ。聖杯はイングランドのどこに隠されていたのだろう？　背景をより広い視点からとらえるためには、この伝説を一般的な中世の伝統の一部として理解する必要がある。当時、聖遺物の遺骨、衣服、持ち物は、由来書（真偽はともかく聖遺物の由来や移動についてまとめたもの）とともにイスラエルからヨーロッパに渡った。そうしたものはパリのノートルダム大聖堂、イタリアのサン・マルコ大聖堂、スペインのサンティアゴ・デ・コンポステーラ大聖堂など、歴史に名高い大聖堂にあるといわれる。けれども、聖杯ほど重要なキリスト教の遺物をわざと隠すなどという話は聞いたことがない。つまり、これは「物語」を作るうえでの策なのである。もともと存在しないかもしれない聖遺物を隠せば、希望を持ちながらも探求は失敗に終わるという話の流れが自然にできる、ということなのだ。円卓の騎士のボース、ガラハッド、パーシヴァルによるいくつかの冒険物語では、つねに聖杯の謎が背後にあった。なかでもパーシヴァルは、聖杯を一瞬目にしたといわれたために、とりわけ名声と注目を集めていた。

聖杯が聖地からイングランドに運ばれるという想像上のできごとは、奇跡を起こす聖遺物の神の力が移される「物語」にもなっている。ジェフリーはトロイア王家からブルートゥスを経てアーサー王にいたる系図で、神の力が受け継がれていることを暗示しているが、聖杯の物語もそれと似ている。どちらもイングランドとアーサー王や宮廷の英雄たちに神聖な力を与えた。そのときからずっと彼らの冒険と旅はイギリス人の想像力をかき立てている。イエスは1匹の魚で何十人もの空腹を満たすといった数々の奇跡を起こしているが、アーサー王伝説では、アリマタヤのヨセフがそれに匹敵する奇跡を見せている。これは、初期の教皇が奇跡的な治癒を行ったとされるカトリック教皇が代々受け継ぐ霊的な力のようなものと考えられる。いくつかの伝説では、聖杯を見つけた騎士がアリマタヤのヨセフの直系の子孫として描かれており、アーサー王の円卓の騎士の系譜物語をさらに発展させている。

聖杯伝説の完成版ともいえるものは、小さな土地しか持たないバイエルンの騎士の手から生まれた。ヴォルフラム・フォン・エッシェンバッハの『パルチヴァール』（1200〜10）は、「中世には、唯一ダンテの『神曲』を除き、これほど高潔な文学作品はない」と評されている。クレティアンとエッシェンバッハの物語やパーシヴァルの冒険の旅には、アーサー王は主要人物として登場しない。いわゆるアーサー王伝説と呼ばれる作品の折衷的な側面を示すものとして、それに注目すべきだろう。すでに重点は王や王朝から離れ、代わって選択されたのは、拡大を続ける王宮の輪、つまりそれを形成する家来や騎士、貴婦人、廷臣の増幅する輪だった。その輪こそが中世ヨーロッパの権力の中枢だったのだ。『パルチヴァール』では、神に断固として抵抗する主人公が、徐々に穏やかになり、謙虚さを学ぶことに重きが置かれている。そこからは、中世ヨーロッパの宮廷で圧倒的にキリスト教が信奉されていたことが思い起こされる。王の騎士や廷臣に期待される世俗的な価値観は、新約聖書でイエスの弟子に期待されていた価値観に近かったのである。

その後300年のあいだに、ヨーロッパには何十ものアーサー王物語が出現した。そうした異なる伝説のほとんどを集大成したものが、トマス・マロリーが1470年に完成させた『アーサー王の死』である。老騎士マロリーは、晩年を過ごした牢獄でこの物語を執筆したとされる。罪の内容はわからないが、どうやら起訴はされても有罪にはならなかったようだ。マロリーの手元には少なくとも9種類の種本があった。彼の作品にいくつかある理解しがたい箇所や不一致は、まちがいなく異なる原典のあいだの矛盾に起因している。だがマロリーは、筋の通った文章を作るために細かい相違をなくすより、多くの物語のつながりを保つことに関心を持っていたようである。ある意味『アーサー王の死』は、トリスタンとイゾルデ、ガウェイン、イヴァン、ランスロ、パーシヴァルと同じくらい多様だ。だが別の見方をすれば、そうしたすべての「物語」をまとめることによって、膨大な物語群を貫くひとつのテーマを示しているともいえる。そこに描かれているのは、架空の宮廷の英雄崇拝と価値観だった。そしてヨーロッパの貴族はそれをもとに、みずからの行動の理想像を描いていた。

アーサー王の周辺で物語が蓄積されると、この王の宮廷がヨーロッパ全域に広がる帝国の舞台へと押し出されることが多くなった。中世初期にイングランドがヨーロッパに重大な影響を与えた、あるいは侵略したという史実はない。それでもアーサー王の物語群に大陸ヨーロッパの作家が貢献したことで、イングランドだけにとどまらないアーサー王帝国という概念が広がった。1589年に初版が刊行されたリチャード・ハクルートの全12巻の著作『イングランド国民の主要航海記 *The Principal Navigations Voyages Traffiques & Discoveries of the English Nation*』では、ヨーロッパにおけるアーサー王の名声について述べられている。

この王国「ブリテン」は彼にとって小さすぎたので、その心は満足していなかった。そこで勇敢にも、今ではノルウェーと呼ばれている全スカンシアとノルウェーの向こうのすべての島々、すなわちノルウェーに属する島とグリーンランド、およびスウェヴランド、アイルランド、ゴットランド、デンマーク、セムランド、ウィンドランド、カーランド、ロウ、フェムランド、ワイヤーランド、フランドル、チェリルランド、ラップランド、さらには東の海のすべての陸地と島々、またロシアまでも征服し［中略］［そしてここに］ブリテン帝国の東の国境を定めたのである。

たとえハクルートのあげた地名を確認できなくても、帝国と主張されているものが広大であることはまちがいない。これもまた、とてつもないフィクションである。

アーサー王物語の歴史的信頼性は、何百年ものあいだだれにも疑われなかった。今やこの物語はオリジナルの伝説とその後の変化や追加の区別が難しいほどの規模に膨れ上がっている。そこからは矛盾した物語が大量に生まれ、１０００年経っても創造的な物語作りが可能なほどだ。１００冊以上の本と40本の映画、あわせてトリスタンとイゾルデの物語を題材にした12本の映画が、アーサー王物語群の影響力がなおも健在であることを物語っている。新しく生まれる物語はみな、それより前の物語の改訂版だ。新旧の伝説のいずれにも歴史的な根拠はほぼないため、どれを掘り下げても、矛盾した伝説で身動きできなくなる。アーサー王物語群は、イングランドにヨーロッパ帝国の古代叙事詩をもたらし、ノルマン人のフランスから君主制と貴族を押しつけられて苦しんでいたその島国に力を与えた。ひとたび物語の力を認識してしまえば、史実などたいした問題ではなかった。

＊ 本節では『ブリタニア列王史』(瀬谷幸男訳) より引用した。

23 エチオピア王国と契約の箱

アウストラロピテクス・アファレンシスの化石、通称「ルーシー」がアメリカ合衆国の４つの博物館を巡って順次公開されたとき、ヒューストン自然科学博物館には２００７年を通じて展示されていた。１９７４年にドナルド・ジョハンソンによって東アフリカのオルドバイ峡谷で発見されたルーシーの骨は、付近の火山性堆積物を放射性年代測定にかけた結果、３２０万年前のものと特定されている。かつてアビシニアの一部だったその土地は現在エチオピア領内にある。ルーシーについてはジョハンソンによる包括的で詳しい著作があるが、20世紀の古人類学における最大の発掘のひとつであることは今なお変わらない。世界のなかでもあまり知られていなかったアフリカの国エチオピアは、ルーシーの発見によって一躍有名になった。ヒューストン自然科学博物館で実際にルーシーの展示にあてられたエリアはそれほど大きくなかったが、エチオピアの展示場は何倍も広く、ルーシーを見るまでに長いアプローチを進まなくてはならなかった。けれども、展示の目玉はルーシーではなく、地図やポスターや写真などを用いて工夫を凝らして伝えられている物語《ナラティブ》で、その中心となっていたのは、エチオピアのある教会が保持している驚くべき物品だった。聖書の十戒を刻んだ石板を納めたという「契約の箱」である。エチオピア正教会は現在も、ほぼ３０００年の昔に聖書の記録から消え去ったこの聖遺物を所有していると公言しており、ゆえに同教会はキリスト教世界において唯一無二の地位にあると主張している。

　聖書が語るところによれば「契約の箱」とはシナイ山でモーセが受け取った石板を入れるための、豪華な装飾を施した入れ物のことである。ヤハウェは十戒を口述したあと、一連の法規を伝え、それからイスラエル人たちが作るべき「箱《アーク》」について詳細な説明をしている。さらに箱を安置する祭壇、幕屋、そして執り行うべき儀式の細目も指示されている。箱はアカシヤ材で作り、寸法は縦２・５キュービット、横１・５キュービット、高さ１・５キュービット（約１３０センチ×80センチ×80センチ）、内側も外側も純金で覆い、箱の両側に金の環をつけて、アカシヤ材で作った棒を通す、などと書かれている。

「箱」はエジプトを出て移住の旅をするイスラエル人に運ばれ、シナイ半島の荒れ野を抜けてパレスティナの地に達し、モーセの後継者ヨシュアが率いた征服戦と士師記の不安定な時代を通じて維持された。その後、ソロモンの神殿に落ち着いたのが、紀元前10世紀と推定されている。サムエル記、列王記、歴代誌では「箱」に言及している箇所が多く、その後の数百年は無事だったことがわかる。エレミヤ書での登場は１か所だけで、紀元前５８６年のエルサレム攻囲戦のさなかにソロモンの神殿がバビロニア軍に破壊されて「箱」も失われたことがほのめかされている。第二神殿が築かれた時代のエズラ記、ネヘミヤ記のどちらにも「箱」は登場しない。旧約聖書に書かれた歴史のなかで「箱」が存在していた期間は、それが作られた紀元前12世紀ごろからエレミヤ書で最後に言及されている紀元前6世紀までの600年あまりである。

聖杯がそうだったように、謎めいた消え方をすれば必ずそれを探し求める動きが起こる。そしてまた想像力を駆使した「物語」が生み出される。「箱」をめぐる物語はいくつかあるが、ひとつはソロモンの第一神殿が破壊された時代を生きたエレミヤを中心とした話だ。紀元前100年ごろに書かれた旧約聖書外典の第2マカバイ記によれば、エレミヤは、モーセが神から約束された土地を眺めたというネボ山まで「箱」を運び、洞窟に安置して入口を封印し、のちに「その場所は秘密にしなければならない」と述べたという。エレミヤの時代から500年のあいだは「箱」についての言及がほかのどこにもないため、これは紀元前1世紀に作られた話だと考えられる。

さまざまな伝説によって「箱」の行き先はエジプトであったりイエメンであったり、ジンバブエのドゥムエ山地にある洞窟の奥深くに隠されたことになっていたりする。さらにはフランス、イギリス、アイルランド、アメリカへまで運ばれたとする話さえある。娯楽映画『レイダース／失われたアーク《聖櫃》』（1981）のラストシーンでは、「箱」がアメリカ政府の倉庫らしき場所に何千どころか何百万とありそうな膨大な収蔵物のひとつとして埋もれてしまう。これは明らかなフィクションだが、古い話が伝える「箱」の行方も同じようなものだ。黙示録を書いたヨハネは「天にある神の神殿が開かれて、その神殿の中にある契約の箱が見え」たと述べている。

なかでも独創的な伝説は「箱」がソロモンの神殿からエチオピアまで運ばれたというもので、現地では今も、北の国境に近い古都アクスムにあるシオンの聖母マリア教会に納められていると民衆に信じられている。その説を支える話によれば、紀元前6世紀に起きたソロモン第一神殿の破壊から400年前、紀元前10世紀のソロモン王の時代に「箱」の行方がわからなくなったらしい。そこへ、「箱」が秘密裏に運び出されたようすを描く細かい話が添えられ、さらに紀元前10世紀から現在にいたるエチオピアの「箱」の歴史の話が続く。一連の話全体が、古代の数世紀にわたって多大な勢力を誇っていたアクスム王家とその後のエチオピア文化における「力の物語《ナラティブ・オブ・パワー》」として機能している。

アクスムは、遅くとも紀元前5000年以来ずっと人々が居住し続けてきたその同じ場所に現在も位置している。紀元前1世紀の後半、アクスムには名の知られた王朝があった。遺跡のなかでも目を引く建築物はステレと呼ばれる巨大石柱群で、多くは今も120基の石柱が立っている北ステレ公園にあるが、それらを見下ろすようにそびえ立っているのが高さ24メートルの「エザナ王のステレ」である。エザナはエチオピアで最初にキリスト教を信仰した王だった。一般にステレは王や有力者の墓標である。建築上の構造はアッカドで法典を定めたハンムラビ王の石柱やローマのトラヤヌス帝記念柱の影響を受けていた可能性もあるが、石柱自体は西アジア全体に広く見られる。アクスムの巨大石柱群をはじめとする特徴的な考古学遺跡のいくつかはユネスコの世界遺産に登録されている。

共通紀元から間もないころはまだ小さかったアクスムの王朝は、やがてアクスム帝国へと発展し(英語の綴りもAxumからAksumiteへと若干変わって)、支配地域は、西はナイル川から東は紅海の両側まで、つまり現在のエリトリア、エチオピア北部、イエメン西部、サウジアラビア南部、スーダンにまで広がった。1世紀半ばの航海の手引書『エリュトゥラー海［紅海］案内記 *Periplus*

Maris Erythraei』には、ローマ帝国の支配下にあったエジプト、紅海の北岸、アフリカ北東部、インド南西部などの数々の港とならんで、アクスムの港がいくつも記されている。交易の要となる水路を持っていたアクスムは、アフリカからの輸出で重要な役割を果たすとともに、地中海とインド洋のあいだの貿易にも積極的にかかわった。アクスムがその名をとどろかせたのは１００～９４０年ごろで、ローマ帝国最後の４００年もそのなかに入る。

先史時代のアクスムは多神教だった。最古の神のひとりは戦神アスタルだったが、イスラム教以前のアラビアの諸神の異名であるバビロニアのイシュタル、カナンのアシュラ、ヘブライのアシュトレトとよく似た女神も崇拝されていた。1世紀、アクスムの勢力範囲が広がるにつれて、まずはユダヤ教、次いで4世紀ごろにキリスト教が取り込まれた。おそらく、皇帝コンスタンティヌス1世のキリスト教公認によってローマ帝国内で大勢の人が改宗した影響を受けたのだろう。「契約の箱」はアクスムの教会にあると現代のエチオピア人が信じる根拠となった壮大な物語が築かれた背景には、キリスト教への深い傾倒があった。

アクスム王国は衰退の時期を経て、９６０年ごろ滅んだ。原因については諸説があるが、明らかに、それまでアクスムが支配していた海路でイスラム勢力が力を増したことが大きい。９６０～１２７０年までの約３００年間、アクスムは有力なアフリカ諸国の支配下におかれたが、文化とキリスト教信仰は損なわれることなく存続した。13世紀の初めごろ、エジプトのコプト正教会司祭アブー・アル＝マカーリムが教会と修道院の概略史を書いた。そこに、「契約の箱」はアビシニア（エチオピアの古名）にあるとする古い信仰についての最初の言及がある。彼の記述によれば、「箱」

は、イエスの降誕祭、洗礼祭、復活祭、そして「輝く十字架祭り」（十字架に見立てた木を焚き火に立てる）を祝うために年に4度決まって行われる祝祭儀式に欠かせないものだった。どのような由来があっていつから始まった儀式なのかは今となっては知る由もないが、この儀式はエチオピアの民族叙事詩『ケブラ・ナガスト』（列王の栄光）へと発展した。

『ケブラ・ナガスト』は古代のソロモンの血を受け継ぐ王朝が1270年に復古したことを祝うものらしく、それに先立つザグウェ朝を不法に王位を奪った者とみなしている。この王朝の復古から44年間は明らかに不安定な時代で、次々に交代した王の数は8人にのぼり、なかには在位が1年に満たない王もいた。安定をもたらしたのは第9代のアムダ・セヨン1世で、統治した30年（1314～44）のあいだに、数々の功績を残したといわれている。ショア地域を平定してエチオピア王国に組み入れたのもアムダ・セヨンだ。そうした内部証拠にもとづき、多くの学者のあいだでは、叙事詩「物語」『ケブラ・ナガスト』が現在の形になったのはアムダ・セヨンの時代の初期、特に1314～21年だったということで意見が一致している。しかしながら、『ケブラ・ナガスト』に描かれている時代はそれよりずっと前の、エチオピアとコンスタンティノープルのあいだに密接な関係があった時代である。物語に登場するのは、312年のコンスタンティヌス1世の改宗と330年のコンスタンティノープルへのローマ帝国の首都移転だ。第20章の驚くべきストーリーでは、ソロモン王が「ローマ王国」を「イスラエル王国」にくわえるために、末の息子アダミスをコンスタンティノープルへ送り込んだことになっており、それゆえエチオピアとコンスタンティノープルの両王家はともにソロモン王血を受け継いでいると示されている。だが、このふたつの「王国」は1400年も時代が離れている。これは、ペルシア、フランク王国、ブリテンですでに見てきたような、創作された歴史的背景によくある年代の不整合と同じだ。この年代錯誤を見れば、驚くほど実際の可能性が無視されている（あるいは歴史が歪んで認識されている）ことがわかるが、そこに含まれているコンスタンティヌスの時代のできごとからは、14世紀に編纂を終えて完成した『ケブラ・ナガスト』の源流が相当に古くから存在していた可能性を示唆している。イスラム教国がアフリカで勢力を伸ばしたために、エチオピアがヨーロッパ世界から切り離されて孤立したキリスト教国となったことが、考察の手がかりになりそうだ。同書を英訳したエジプト学者のE・A・W・バッジは、『ケブラ・ナガスト』のもっとも古い形は6世紀ごろ」、すなわち周辺地域がイスラム教に支配されるより前に作られたと推定している。デイヴィッド・アラン・ハバードもこれと同意見で、「エチオピアとローマの同盟関係の記述」と「その同盟の記憶」にもとづき、物語の起源は6～7世紀だろうと述べている。

『ケブラ・ナガスト』の中核をなす伝説では「箱」がエチオピアの地に到着した時期は紀元前10世紀だといわれているが、共通紀元直後からの数世紀のあいだに何百と立てられたステレには「箱」伝説に言及しているものがひとつもない。つまりステレが盛んに作られた6世紀より前にはそのような話は存在していなかったと考えられる。要するに、『ケブラ・ナガスト』はきわめて独創的な宗教のプロパガンダであり、1600年昔までさかのぼる創作の歴史だということになる。

『ケブラ・ナガスト』はエチオピア人による自己賛美の文学作品だ。かなりの学識者が書いたもので、幾人かは奥付に名前が記されている。「物語」は歳月をかけて幾重にも積み重ねられ、最終的な編纂では117章もある大作となっているため、どの部分が初期にあるいは後期に書かれたのかを区別し判定することは事実上不可能である。先に引用したハバードの未発表論文は『ケブラ・ナガスト』の原典を徹底的に分析したもので、列挙されている出典は旧約・新約聖書からユダヤの律法書、聖書外典、初期キリスト教の教父の文献まで幅広い。またドイツ語やフランス語で書かれ、まだ英訳されていない過去の学術的成果の多くを収録しているという点でも有益な研究である。『ケブラ・ナガスト』が、中心となる聖書の物語に古い神学、キリスト論、聖母マリア論を取り入れ、エチオピア独自の登場人物を配して書かれたキリスト教叙事詩だということは間違いない。その核となるストーリーは、現在の形になってから800年経った今でも、エチオピア国民にとってなくてはならない強力な「力の物語」であり続けている。

『ケブラ・ナガスト』の最初の2章は「王の栄光と偉大さの根拠は何か」という重要な問いを投げかける。それを論じるために318人の正統派の司教たちによる架空の会議が開かれるが、これは325年にコンスタンティヌスが開いたニカイア公会議を模したものである。歴史上は、この公会議で出されたニカイア信条によって、ヨーロッパや西アジアで支持されていた「イエスは神と同質である」とする考えが正統なものと認められたが、「イエスは神に造られた存在」とみなしていたアレクサンドリアのアリウスとその信奉者である北アフリカのアリウス派にとっては、これは歓迎できない裁定だった。451年のカルケドン公会議をはじめとするその後の公会議でもニカイア信条はさらに強化されたが、「アリウス派の異端」が完全に消滅することはなかった。

アリウス派の流れをくむ教派にはエチオピアのコプト派も含まれ、今日ではまとめて非カルケドン派と呼ばれている。リチャード・ルーベンスタインによればニカイア公会議には２５０人の司教が出席し「それまでのキリスト教史にはなかった大規模な会議で〔中略〕教会組織としては歴史上最大の集会だった」という。司教の出席人数を３１８人に膨らませた『ケブラ・ナガスト』の架空の会議は、ニカイア公会議への報復のようでもあり、また宗教会議そのものを否定する意義があったようにも見える。おそらく、それより本質的な問題、すなわち王の偉大さと栄光を扱おうとしたのだろう。『ケブラ・ナガスト』の執筆者（たち）は、それらに比べればキリストがなんであろうとたいして重要ではないという皮肉な状況を作り上げたのだ。

『ケブラ・ナガスト』の物語群は文章の巧拙によっていくつかのまとまりに分けられるが、それらがかなりうまく組み合わされている。ハバードは研究で学識の深さを示しながらも、現在の研究調査に関連する重要な問題のすべてを避けて通っている。３１８人の司教たちが出席する架空の会議の主題は、ある写本の解釈と説明だった。「書の発見の概要」と題された第19章で明かされるその写本こそが「ケブラ・ナガスト」である。執筆者たちは冒頭から、きわめて重要な場所にある古文書保管所でそれが「発見」されたと述べて、同書の権威を高めている。驚いたことにこう書かれているのだ。「ローマ（ビザンツ帝国、それも首都のコンスタンティノープル）の大主教デマーティヨースが発言した。『私は［聖］ソフィアの教会で書物や王の財宝の中から一冊の書物を発見した。（それによると）世界の王権全体が、ローマの王とエチオピアの王のものである』」。さらに第29章では、この会議で「信仰」の「（歪みを）改めた」と書かれている。もちろん執筆者たちがいう「信仰」とはエチオピア独自のコプト正教会だ。つまり、『ケブラ・ナガスト』の根底にあるのは、ヨーロッパの諸教会すなわちローマ・カトリック教会が正統としている見解に対する異議申し立てである。『ケブラ・ナガスト』の奥付に名を残した執筆者たちの素性はわからないが、明らかに博識だった。まず、コンスタンティヌス以前には公式な「世界の所有権」がローマ皇帝にあったこと、そして330年にローマ帝国の首都が東へ移されたときに、ビザンティウムからコンスタンティノープルへと名が変わった都市が重要であることを、彼らは認識していた。さらには教会法上の「世界の所有権」が文書記録によって定義されていることも知っていたかもしれない。すでに見てきたように、その定義は書物ではなく長い書簡形式の文書、すなわち、4世紀に生きたコンスタンティヌスの署名なるものが記されているが実際には8世紀に偽造された『コンスタンティヌスの寄進状』に書かれている。本書の「神聖ローマ帝国の創作物語」で論じたとおり、この『寄進状』はイタリア全土と帝国西方属州を教皇シルウィウス1世に委譲する（寄進する）旨が書かれたものだ。

『ケブラ・ナガスト』の執筆者たちは『寄進状』そのものを知っていたわけではないだろうが、自分たちが作成する書物の出どころとしてコンスタンティノープルを選んだ点は示唆に富んでいる。『ケブラ・ナガスト』が最終的な形になった12世紀までには、『寄進状』がもたらした政治的な波紋はキリスト教世界全体に広がっていた。『寄進状』によってローマ帝国は東西に二分されたが、『ケブラ・ナガスト』はエチオピア皇帝を第三の受益者として世界の三分割を創作している。つまりこの作品は、偽書『コンスタンティヌスの寄進状』ですでに実証されたものごとの上に成り立っているとみなすことができる。「物語」はエチオピア帝国をローマ帝国、あるいはその後継である神聖ローマ帝国と同等の地位に置いた。いつごろその部分が書かれたのかは特定できないが、おそらく4世紀と8世紀のあいだ、エチオピアが北方のキリスト教世界の影響下にあった時代だろう。

『ケブラ・ナガスト』の中心はシバの女王がソロモン王を訪問するストーリーだが、かなり誇張されている。イスラエルの考古学者アミハイ・マザールはこれを史実と考えるべきではないと述べているが、仮に史実だとしたら紀元前10世紀のできごとということになる。ソロモンの知恵を噂に聞いた女王が「難問をもって彼を試そうとして」彼の宮廷を訪れる。旧約聖書の「難問」という言葉がヘブライ語ではなくアラム語からの借語であることから、ソロモンの治世とされる時期から４００年後の紀元前6世紀の半ばごろに改訂された話であることはほぼ間違いない。この女王の国として一般に知られるシバはアラビア西南部（現イエメン）にあった地域で、アフリカからインド、東洋までの海洋貿易の中心地であり、紅海をはさんで「アフリカの角」（アフリカ大陸東端の半島、ソマリア全域とエチオピアの一部などを占める）にも影響を与えていた。イスラエルをはじめとするアラビア北部の国々はシバの商人を介してぜいたく品を手に入れていた。旧約聖書によればシバの女王は「極めて大勢の随員をともない、香料、非常に多くの金、宝石をらくだに積んでエルサレムに来た」とあり、交易の隊商を思わせる。

旧約聖書にあるソロモン王とシバの女王の話は、さらなる伝説を引き寄せる磁石のようなものである。『ケブラ・ナガスト』の根拠になったと思われるアラビア語版は、不確実ながら9〜10世紀のものと考えられるが、聖書の時代よりあとに書かれたもの、ましてやソロモン王の時代から長ければ2000年も経って書かれたものについては間違いなく、すべて伝説であると理解しなくてはならない。信頼できる歴史の研究、文献の分析、批判的考察に照らせば、ストーリー全体が創作物語であって、しかもすばらしくうまく作られている。

『ケブラ・ナガスト』ではマーケダーという名のシバの女王とソロモンの物語は多くの章にまたがっている。同書を史実と考えるエチオピア国民にとっては「トロイアのヘレネ」や「アエネーアスとディード」、「アントニウスとクレオパトラ」などの物語に匹敵するドラマがそこにある。この長い物語は「エチオピア女王の商人」であるタームリーンが、ソロモン王と交易すべく山ほどの商品を携えてイスラエルに到着する第22章から始まる。王はちょうどソロモン第一神殿の建設に専心しているところだった。ソロモンからのすばらしい返礼の品々を持ってシバ王国に帰還したタームリーンは、王の知恵と権威について熱心に女王に伝えた。「女王はみずからの僕である商人の話を聞いて驚嘆」した。第24章は知恵の価値について文学的比喩や比較をたっぷり交えつつ長々と詳しく語られている。もしかすると作者は、すでに述べたようにダマスコ文書とともにカイロで発見された聖書の外典で、とりわけ叡知を重視しているシラ書（ベン・シラの知恵）を読んでいたのかもしれない。そして女王はみずからソロモン王に会うため「七百九十七頭のラクダ」と「数え切れないラバとロバ」（数字が誇張された明らかな例）をしたがえて、第25章で出発する。

第27～28章のふたりの会話では、まずマーケダー女王の宗教観が語られる。それは当時のエチオピアの信仰、すなわち太陽、空、山、森、石、木々や動物などを対象とするアニミズム崇拝だった。しかしソロモンがイスラエルの宗教、民に与えられた十戒、モーセの律法について話すと、女王は改宗する。「今後、私は太陽を崇拝せず、太陽の造り主であるイスラエルの神に祈りを捧げます」。先述のシャルルマーニュがコンスタンティノープルでイスラム教の君主を改宗させた話と同じように、キリスト教徒の語り手はとかくほかのあらゆる宗教よりもキリスト教が上位にあると述べたがる。シバの女王が改宗する物語はアクスムがキリスト教に転じたことの理由づけだが、しかしすでに述べたとおり、それは何百年もあとにローマ帝国がキリスト教を国教化してからのことだった。

歴史の上では、ソロモンの時代にはまだユダヤ教は一神教にまで発達しきっていなかったことがわかっている。婚姻外交が行われていたため、ソロモンのハレムにはイスラエル以外の王国からきた多数の女たちがおり、そこでは多神教的な信仰が当たり前だった。すでに述べたように純粋な一神教がイスラエルで信仰されるようになるのはずっとあとのことであり、ましてエチオピアではさらに遅い。ゆえにマーケダー女王が紀元前10世紀に一神教であるユダヤ教に改宗したという話は、『ケブラ・ナガスト』の大部分がそうであるように、時代が大きく間違っている。それでも、ソロモン王とマーケダー女王の対話全体を通じて明らかにされる、物語の根底にあるロマンティックな魅力は否定できない。ソロモンは彼女に惹かれ「友好の誼《よし》みで、明朝までここでお寛ぎください」と誘い、その夜のうちにふたりは臥所《ふしど》をともにする。その後ほどなくして彼女は国へ帰り、ソロモン王に懐妊を告げることなく息子を産んで、その子をエチオピア語でバイナ・

レフケムと名づける。一般にはメネリク1世として知られることになるこの王子は父親を知らずに育つ。このあくなきロマンティシズムは『千一夜物語』の一篇のようでもあり、母と子が父から遠く離れて生きるという設定は古代インドの劇『シャクンタラー』を思わせる。

王子が自分の父について知りたがるようになったのは12歳のときだった。22歳になると彼はイスラエルへと旅立つが、そのころにはソロモン王とうりふたつであることがだれの目にも明らかになっていた。父と子は対面し、メネリクの戴冠式とエチオピアへの帰還が語られる。帰還にはイスラエルの貴族子弟21人が同行しその名前も書かれているが、聖書に記載されている名はひとつもない。貴族階級の移住は、ソロモン王じきじきの裁可によってエチオピアへ大々的に権力を移行させたとも見える。貴族たちは故国を離れるのを嫌がったが、そのなかのひとり、アザールヤースの夢に神の御使いが現れた。彼はほかの者たちにその夢で「神の御使いがどのように彼の前に姿を現したか、神の掟の箱はどのようにして彼らに与えられるか、神はどのようにしてイスラエルの王国から目を背けられるのか、［中略］どのようにして［中略］イーヨーレブアーム［レハブアム］の方には二部族しか残らないのか」を説明した。

話の続きを読むと、箱が盗まれ、シオン（箱）が「もしお戻りにならないなら、それは神のご意思なのです」とあり、「箱」がエルサレム神殿からエチオピアへと運ばれたのは神意だったことが暗に示されている。盗難を隠すために偽の「箱」が作られたが、どのみち「箱」はつねに人目から遮られていたため、聖書に書かれた時代のうちにこの犯罪が露見することはなかった。エチオピア人の目から見れば「箱」はイスラエルに残るよりエチオピアに移動したほうが、はるかに有意義だった。バッジは「『ケブラ・ナガスト』が書かれた目的は、エチオピアがシオンの新たな故郷となるべく神に選ばれた国であると人々に信じさせることだった」と述べている。その説明からわかるとおり、『ケブラ・ナガスト』は歴史というより説得力のあるフィクションとして作られたのである。

物語全体の土台となっているのは『ケブラ・ナガスト』の執筆者たちが本書のいたるところで提唱している独自の聖書解釈である。イエス・キリストはユダヤ人を糾弾し、彼の言葉を聞こうとしない者たちは打ち負かされると予言した。「イスラエル（人）ではなくして王として支配する者は、掟と戒律に反しており、神はそれを喜ばれない。［中略］イスラエル人は昔から彼らの王を罵り、預言者を怒らせてきた。また近年は彼らの救い主を十字架に掛けた」。こうしたほのめかしは、シナイ山のふもとにおける金の子牛の偶像崇拝、ダビデ王とバテシバの姦通、繰り返されるバール神やアシュラ神崇拝への回帰など、旧約聖書に記録されている宗教的背信行為に通ずるものがある。

『ケブラ・ナガスト』の後半では、堕落したソロモン王という新たなイメージが描かれている。エジプトで盛んに行われていた偶像崇拝をソロモンが受け入れたのは、ファラオが自分の娘マクサーラーを通じてそう仕向けたからだった。彼女は「彼に対して品を作り、甘い声と女の優しい言葉と微笑みで話しかけた」。そうやって偶像崇拝へとソロモンを引き込んだのだが、これが象徴的な誘惑にとどまらなかったことを示すために、『ケブラ・ナガスト』は旧約聖書にある女に誘惑された男たちの例をならべている（アダムはエヴァに、ダビデは人妻バテシバに、アムノンは異母妹タマルに、等々)。つまり明らかに肉体的な誘惑に負けたのだ。晩年のソロモン王は「女好きが嵩《こう》じて彼の心を神への愛から逸らしてしまい、彼の知恵も忘れてしまった」という。その女たちのなかにファラオの娘がいた。彼女はソロモンの好色につけこんで誘惑、賄賂を使って、ついには異教の神々に供物と崇拝を捧げさせることに成功した。ソロモンは、「彼女の神々の部屋に入るのは罪だと知っていながら、このように行動した」のである。西欧人は聖書を読むときに、ソロモン王についてはとかくその栄光と叡知(「箴言」は長らくソロモンが書いたとされていた)にばかり目を向けがちだが、『ケブラ・ナガスト』の執筆者たちは聖書に記されているとおりにソロモンの弱点がどこにあるかを見抜いていた。

エチオピアが新たな神の選民となって繁栄するところまでを描いたのちの結末部分に、この老ソロモンの描写が置かれていることの意味は大きい。イスラエル王家に与えられていた神の恩寵がエチオピア王家に移ったことを正当化する働きをしてくれるからである。もちろん、ソロモン亡きあと王家が衰退してイスラエル王国とユダ王国のふたつに分裂し、ついには紀元前586年のバビロン捕囚によって滅亡にいたるという流れを『ケブラ・ナガスト』の執筆者たちが十分承知していたことには注意する必要がある。この物語はあたかもそれを予見していたかのごとく記されているが、その歴史的事実から何百年も経って書かれたのだから後知恵もいいところである。「契約の箱」がエチオピアにもたらされた経緯を詳述する『ケブラ・ナガスト』の物語が完成したのは14世紀、それに先立って存在したと思われる原型は6世紀までさかのぼる。ソロモン王とシバの女王の時代と『ケブラ・ナガスト』が書かれた時代の年代的な隔たりは、この物語に歴史的根拠がないことを示している。聖書から「箱」が消えたという記述を引用したところで、エチオピアに「箱」が存在する証拠にはならない。ほかの疑問がいくつも出てくるだけである。けれども「箱」がつねに人の目から隠されてきたために、論破できない話がいくつも生まれる余地があった。「箱」が作られてからずっと、聖書の記述は例外なく「箱」が厳重に覆われていたことを伝えている。「箱」のなかにあるはずの十戒を記した石板を見た者はだれもいない。いや「箱」を見るだけでも命取りになる。「主はベト・シェメシュの人々を打たれた。主の箱の中をのぞいたからである。主は五万のうち七十人の民を打たれた」。また「箱」がエルサレムへと運び込まれたとき、その横を歩いていたウザが手を伸ばして箱が落ちないよう押さえただけで「ウザに対して主は怒りを発し、この過失のゆえに神はその場で彼を打たれた。ウザは神の箱の傍らで死んだ」と聖書に書かれている。

『ケブラ・ナガスト』によれば「箱」はエチオピアに運ばれる途中もずっと覆い隠されていた。到着したとされる時点よりあとに「箱」が見られたという記録はまったく存在しない。だが、エチオピアではまったく問題にされないようだと、調査に訪れたジャーナリストのポール・ラファエルは述べている。革命で廃位されたのち1975年に没したエチオピア最後の皇帝ハイレ・セラシエはみずから、ソロモン王とシバの女王の息子メネリク1世から225代目の直系子孫であり、ほぼ3000年近く続いた王家の血を引いていると称していた。エチオピア人はその系図を14世紀から現在までたどれるのかもしれないが、『ケブラ・ナガスト』でさえそれより前の2400年分の系図は示していない。

エチオピア人の信じるところではその３０００年を通じて「箱」はずっとアクスムにあった。ただしタナ湖の島に隠されていた４００年ほどは例外で、現在その場所は聖地になっている。ラファエルはエチオピア正教会のアブナ・パウロス総主教に、「契約の箱」を保持しているという主張を裏づける証拠は何かと質問した。彼が得た返答は「主張ではない、真実だ」というものだった。エチオピアではまた、幼子イエスと聖母マリアがヘロデ王の追っ手を逃れてエジプトにいたったとき、途中でエチオピアに10日間滞在したといわれ、その祈りの場所も聖地になっている。「聖母子がこの場所を訪れたという証拠はあるのですか?」というラファエルの質問に対しては「事実であるから証明など必要ない。この地の修道僧たちが何世紀もそう語り継いできた」との返事だった。いうまでもないことだが、この論法は幅広い社会における無数の「力の物語」にそのままあてはまる。信頼できる歴史の分析というものがまだなかった科学以前の時代には、伝承「物語」はそれ自体が十分な証明だった。物語とは変容するもの、枝葉がついてエピソードが増やされ、多様な誇張がくわえられて大きくなるものであるという認識は、そこにはまったくない。

アクスムにあるシオンの聖母マリア教会では、生涯をそこで過ごす修道僧がひとり「箱」を守っている。ほかのだれひとりとして、その室内に入ることは許されず、彼はけっしてその聖所を離れない。人生が終わりに近づくと自分で後継者を指名するか、または死後に修道僧たちが会議で後継者を選ぶ。今も昔も、その守護者が「箱」を見ることを許されているのかどうかはわからない。エチオピア人だろうと外国人だろうと、「箱」がだれかに目撃されたという記録はない。それでも、3000年前にあったできごとにまつわる伝説と今もアクスムの教会に「箱」があるという話は熱心に信じられ、国単位としては指折りの「力の物語」を形作っている。それがなければ現代の国際舞台で片隅に追いやられてしまう国に、神によって選ばれた民という意識、宗教世界での高い地位、国家の威信を与えているからだ。エチオピア国民にしてみればこの魅惑の前には、オルドバイ渓谷で発見されたルーシーの骨など取るに足りないものなのである。

＊ 本節では『ケブラ・ナガスト』（蔀勇造訳）より引用した。

24 処女王の物語

イギリス史上もっとも有名な王家はおそらく、1485年に薔薇戦争に勝利して王位についたヘンリー7世に始まるチューダー家だろう。ヘンリー8世は幾度も王妃を替え、そのうち何人かを処刑したことで悪名高い。自分の情欲を満たしたいがためにローマ教皇と争い、破門されるとイングランド国教会を成立させて中途半端な宗教改革を行った。その改革に反対する人々を弾圧し、トマス・モアをはじめとするカトリック信徒を処刑したことでも知られている。ヘンリー8世の長女メアリーは1553〜58年までの5年の治世のあいだ、宗教改革をもとに戻そうとしてプロテスタント信徒を何百人も迫害して処刑した。メアリーの死去によって次に王位に就いたのが、ヘンリー8世の2番目の妻の子で、ロンドン塔に幽閉されていた異母妹エリザベスである。女王エリザベス1世はそれまでのだれよりも偉大なる君主として、生きているうちにチューダー朝神話の偶像となった。エリザベスが受け継いだのは祖父であるヘンリー7世がでっちあげた家系だった。それは、ウェールズ人の祖先とジェフリー・オブ・モンマスの『ブリタニア列王史』をつなぎ合わせたもので、伝説のアーサー王、さらにはホメロスの『イリアス』に登場するトロイアの王家にまでさかのぼっていた。くわえて、女王は父のみだらな性癖を拒絶し、「処女王」という強力なシンボルをみずからにあてがった。エリザベス女王が演じたこのチューダー朝の神話は、王室を取り巻く数多くの文芸の徒に支えられ、長きにわたって君臨した彼女の統治に驚くべき力を与えた。

ウェストミンスター寺院には、イギリスの君主制の900年間が圧縮されている。1066年の晩夏にイングランド侵攻を開始したノルマン人の軍勢は、年が明けぬうちに勝利をおさめた。ヴァイキングの血を引く征服王ウィリアムである。当時イングランドの王位をねらうライバルは幾人かいたが、ウィリアムは同年12月25日に再建されたばかりの聖ペトロ修道教会で戴冠式を行い、王の座を手に入れた。バイユーのタペストリー（ノルマン人による征服を描いた刺繍画）からは、その教会がロマネスク様式だったことが見て取れる。13世紀までには現在のウェストミンスター寺院となるゴシック様式への建て替えが始まり、その後数世紀にわたって幾度か散発的な増改築が行われた。以後、ウィリアムのドラマティックな演出が踏襲され、長い歴史を通じて、イギリス君主の戴冠式は例外なくウェストミンスター寺院で行われている。

同寺院ではまた1100～2011年までのあいだに16回の王族の結婚式が挙行されている。建物内にはエドワード懺悔王（1066没）からジョージ2世（1760没）にいたる君主18人、その配偶者および子女22人、作家、画家、政治家など39人が埋葬されている。敷地内には合わせておよそ2500人の墓や記念碑があるが、正面入口を入ってすぐの場所にあるのは無名戦士の墓だ。その碑文には、イギリス史における彼らの貢献をたたえて、「王たちのあいだに」埋葬されると刻まれている。だがもっとも目を引くのはやはりチューダー家の4人の君主のものであり、なかでもエリザベス1世は飛び抜けている。

ヴィクトリア女王以前の1000年におよぶイングランド君主の歴史を見ても、エリザベス1世の知名度に対抗できるのはその父ヘンリー8世と姉のメアリーだけで、この両者は悪名高いというほうが適切かもしれない。エリザベスにはふたりを憎んでもいいだけの正当な理由があった。ヘンリー8世はエリザベスの母アン・ブーリンと結婚したいがためにローマ・カトリック教会に働きかけて最初の王妃キャサリンを離縁して追放しておきながら、エリザベスが2歳のときにそのアン・ブーリンを投獄して処刑した。アンが葬られたのは、ロンドン塔の敷地内にあるセント・ピーター・アド・ヴィンキュラ礼拝堂（「聖ペトロの鎖」を意味するラテン語名）の囚人墓地で、墓碑銘すらない。一方、フォックスの『殉教者列伝 *Book of Martyrs*』が語るところによれば、メアリー女王はその恐怖政治によって280人以上のプロテスタント信徒を火あぶりの刑に処した。これほど異常な家族史を持ちながら、エリザベスはなんとか死刑を免れ、無傷で生き延びた。45年にわたったエリザベスの統治時代にはプロテスタントとカトリックのあいだに不安定ながら休戦状態が成立し、平和と安定がもたらされた。父と姉がまねいた宗派の対立や大量処刑とは正反対に、エリザベスは宗派の違いを許容し、自身はイングランド国教会の信徒であるにもかかわらず、宮廷音楽家ウィリアム・バードがカトリックに改宗した際には彼が訴追を免れるよう計らっている。この寛容の精神が宮廷人のあいだに広まったことで、宗教にもとづく迫害に終止符が打たれた。エリザベスは、イギリスがスペインの無敵艦隊に圧倒的な勝利を収め、のちにエリザベス時代と呼ばれることになる文化的ルネサンスが花開くところをその目で見ることができた。

ウェストミンスター寺院の東端にあるヘンリー7世礼拝堂の内部に、床よりも高く据えられたエリザベスの棺がある。象徴的な意味をこめて特別に大きく作られたその棺には、晩年の女王によく似た大理石の肖像彫刻がのせられており、それら全体を堂々とした柱に支えられた天蓋が覆っている。世界でもこれほど多くの人々が見物に訪れる棺はほかにないだろう。朝から晩まで見物人が列をなして通り過ぎ、それが何世紀にもわたって続いている。重々しい装飾からは権力がにじみ出ているように見える。宗教を操り、次々に妻を替えたヘンリー8世が、ウェストミンスター寺院ではなくウィンザー城の地味な墓に埋葬されているのはなんとも皮肉な話である。輪をかけて皮肉なのは、エリザベスの次に王位に就いたジェームズ1世がエリザベスの棺を姉メアリーの棺の上に安置すると決定したことだろう。この姉妹は「同じ墓に入っている」といわれることも多いが、生前の不仲を思えばそれがいかに不適切であるかがよくわかる。正確には同じ墓に入っているのではない。エリザベスの墓が完全にメアリーの墓を圧倒し、覆いかぶさって、見えないように下敷きにしているのだ。偶然とはいえ両者にふさわしい象徴である。

だれの作品かはわからないが、『王女エリザベス・チューダー *Elizabeth Tudor as a Princess*』と題され、1546年に描かれた13歳ごろのエリザベスの肖像画がある。豪華な赤い生地のドレスと頭上のティアラで着飾ってはいるが、後年の過剰な装飾と象徴だらけの多くの肖像画に比べればシンプルな絵だ。慎《つつ》ましやかな襟ぐりの胸元にはカトリックの十字架と見まがう首飾りをつけている。2冊の本――書見台に載せられた大判の本と彼女が両手で持つ黒い表紙の小さな本――が描かれているが、これはルネサンス的な向学心と、教養の究極の権威として聖書のみに揺るぎない信頼を置くプロテスタントの信仰を表している。エリザベスはまさしく、プロテスタントのイングランド国教会を作ったヘンリー8世と、すでに根づいていたその新しいキリスト教の影響を受けて育ったアン・ブーリンの娘だった。その後長く続くことになる彼女の治世を通して、新教は女王と国の両方を支えることになる。

エリザベスが玉座についたのは1558年11月17日、25歳のときだった。まだ年若く結婚もしていない女王に国を治め守ることなどできるのかという疑いが渦巻くなかでの即位である。しかしエリザベスは、父王が幾人も妻を替え宗教制度を変革したことで生み出した多くの紛争をよく知っていた。異母姉メアリーが女王だった5年間の混乱も見てきたうえに、1年にわたってロンドン塔に幽閉されたこともあって、自分に王位が与えられたのは神意であると確信するにいたった。彼女はこう書いている。「至高の地位、王たる者の座に、神はこのつたなき身を据え給うた」。チューダー家の先代たちとは劇的に異なる、人を懐柔するような「物語《ナラティブ》」を創出したことはエリザベスの大いなる功績である。

年月が経つにつれ、エリザベスの治世がそれまでにないよい時代であることが明らかになった。畏敬の念はやがてカルトのような熱気を帯びた。キャロリー・エリクソンの言葉を借りれば、「イングランドの人々は女王の即位記念日を、1年で最高の祝日であるかのように祝った」。それはまさに宗教的なオーラと呼ぶにふさわしく、しかも年ごとに強まるばかりだった。

エリザベスが即位したときに処女だったことは年齢を考えれば別に驚くことではないが、その状態が続くうちにいつしか処女性が永遠の処女のオーラを帯びて、時とともに強大な力をもたらすようになった。常人とは違う存在になったエリザベスは、一種の神秘性をまとって、思いがけない権威と権力を手に入れたのである。エリザベスが国を治めていたあいだ、結婚のうわさはたびたび流れたが、女王の寵愛が続くことはなかった。いつまでも結婚しないために後継者問題が持ち上がり、何度もそれとなく女王に伝えられたが、なんの進展もなかった。当初は未婚を不自然あるいは不完全な状態とみなしていた一般国民も次第に見方を変えて、謎めいた畏敬の念を抱くようになった。それは、女王の人格と権力に合うように創作された「物語」の幾重にもなった勝利だった。

中世の神学と芸術の遺産ともいえる聖母マリア崇拝の「物語」を通して、処女性は王権と強く結びつけられていた。カトリック教会が聖母マリアを「天の女王」と定義したことがその教義と比喩の原点である。パリのノートルダム大聖堂の交差部にある14世紀の大理石彫刻の聖母像では、聖母マリアがフランスの王と同じような冠をかぶっている。またドゥッチョが１３０８年に、ジオットが１３１０年に描いた玉座の聖母子像ではいずれも、王族の装いをした聖母マリアが王宮らしき場所で一段高い玉座にすわっている。

カトリック教会が美化した聖母マリアにまつわるたくさんの古典的な象徴は、エリザベス女王によって巧みに利用され、当時の文学作品でもほのめかされた。たとえばエリザベスがつけていた髪飾りには月の紋章があり、これはローマ神話の月の女神で処女であるディアナ（ギリシア神話ではアルテミス）を連想させる。この女神は出生の地とされるデロス島のキュントス山にちなんでキュンティアとも呼ばれている。リチャード・バーンフィールドが詠んだ「シンシア（キュンティア）Cynthia」（１５９５）と題された詩は、ギリシア古典にある「黄金のりんご」をめぐる美しさの競い合いとパリスの審判（勝者はアフロディテ）の物語を下敷きにしているが、バーンフィールドの夢物語で審判をつとめるのは最高神ユッピテルである。詩人はエリザベス女王を「聖なる処女、純潔の女神」と呼び、勝負は「月と汝」のあいだで行われるという。詩の世界では、月が象徴する夜と、女王に象徴される昼とが競い合う。月はその姿を変えるが女王は不変だ。ジョン・デイヴィスの「人妻と寡婦と乙女との議論」（１６０２）という詩では、星の乙女アストライアというまた別の処女神について言及されている。この詩はエリザベス女王に愉快な賛辞を送っている。「議論」は「乙女」の圧勝で終わるのだが、その勝因は、処女性は「汚れなき乙女」だけに与えられるもので、そのような人物ならば「天の国の相続」以外はなんでもできる、と述べた乙女の主張にあった。人妻と寡婦は喜んで乙女の論に降参し、三者はこぞって「アストライア女神の神殿」に捧げものを供えるために出発する。

小マサイスによる有名な肖像画『篩《ふるい》を持つエリザベス女王』（１５８３）では、左手にさりげなく提げられた篩が象徴として巧妙に用いられている。ギリシアのウェスタ神殿に仕えた巫女トゥッキアが純潔を疑われた際に篩でティベリス川の水を汲み、それを漏らすことなく神殿まで運んだことで身の潔白を証明したという伝説がその由来である。背景の暗がりに置かれた地球儀はイングランドの部分だけが光っていて、彼女の治める王国が帝国並みの力を持っていることがほのめかされている。さらに柱部分にはアエネーアスとディードの物語の一場面が描かれており、これは帝国の利益のためには恋愛を犠牲にせざるをえないことの遠回しな表現だ。1585年作の通称『白貂《アーミン》のいるエリザベス女王1世の肖像画 *Ermine Portrait of Queen Elizabeth I*』では、王族の正装をした彼女の袖に処女性の象徴である生きた白貂《しろてん》が配されて、帝国を支配する彼女の謎めいた力の源が強く示されている。アン・サマーセットはそのさりげない描写について次のように指摘している。「自身の肖像画に、中世の文献で聖母マリアと結びつけられていた数多くの表象を取り入れたことで［中略］エリザベスは、もしかすると自分でも知らないうちに、カトリック信仰の時代に『天の女王』に捧げられていたけれどもプロテスタント信仰で行き場を失ってしまった聖母崇拝の名残を、現世の女王たる自分に向けさせたのかもしれない」。エリザベス女王時代の作曲家ジョン・ダウランドが1600年に発表した『歌曲集2―アリア』には、「熱心なプロテスタント信徒だった騎士たちの心の内で、実際にイングランドの処女王がカトリックの聖母マリアの代用となっていたことを示す歌詞がある」とエルキン・ウィルソンは述べている。こうして、アリスン・ウィアがいうように「宗教改革後の時代に、女神を望む民衆の気持ちが女王崇拝に置き換わった」。女王を聖母と同一視するなど、程度の差こそあれ、カトリック信徒からは嫌悪されただろうが、それもさまざまに緩和された。エリザベスが賢明にもカトリックに対して寛容な態度をとったため、反対派の矛先は鈍りがちだった。くわえて、明らかに聖母を象徴しているとわかる肖像画が一般民衆の目に触れることはほとんどなく、豪華な王宮の廷臣たちは当然ながらほとんどがプロテスタント信徒だった。象徴的な聖像図《イコン》が聖母マリアからエリザベス女王に置き換わった結果、エリザベスを古典的なキリスト教神話の伝統にあてはめる一連の物語が生まれ、そうした物語と絵画の両方が、神に近いほどの権力をこの女王に与えることに貢献した。

チューダー家の君主は1世紀以上にわたって、自分たちに伝説の歴史をあてがうことでみずからの権力、地位、権威を強めていた。イギリス王家の血統は当時より700年前のアルフレッド大王（在位871～99）までたどることができたが、ジェフリー・オブ・モンマスは彼らの祖先を紀元前12世紀のトロイアの王プリアモスに置いて、2000年分の系図を創作していた。ブリトン人という呼び名のもとになったのはプリアモスの曾々孫だったブルートゥスだといわれた。その後、この系図には、かの有名な円卓の騎士伝説によって12世紀に強化された6世紀のアーサー王の伝説がくわえられた。アーサー王の子孫を名乗り、その血統を重視した王は何人もいる。ほかに記録がない以上、相当に疑わしい家系図であっても、自分たちにとって都合がよければ歴史と物語は違うと論じることはまずない。ブリテン王アーサーを先祖に持つという誘惑はあまりに強すぎた。

ウェールズのチューダー家は、イングランドの君主の家系をたどって自分たちの系図を作ろうとしたものの、大きな空白にぶつかった。アルフレッド大王までさかのぼる数世紀はまずまず筋が通っているように見えたが、ジェフリー・オブ・モンマスの『ブリタニア列王史』は紀元689年に死去したカドワラドル王（ウェールズにあったグウィネズ王国の王）で終わっており、アルフレッド大王が即位した871年までに200年もの開きがあったのだ。しかしながら、物語の想像ではこうした不連続はほとんど問題にならない。そうでなかったらヘブライ人やローマ人、フランク王国やペルシア帝国、そしてイスラムの系図はとうの昔に崩壊していたことだろう。チューダー家には、使えそうな系図がもうひとつあった。アーサー王である。アルフレッド大王より前の代々の王たちを理想的な人物として描き始めたのは、エリザベスの祖父ヘンリー7世だったようである。ウェストミンスター寺院からテムズ川を数キロ上った場所に彼が築いたリッチモンド宮殿は、チューダー家の後継者たちの主たる住まいとして使われていた。エリザベスは数十の城や宮殿を相続していたが、リッチモンドで子供時代を過ごし、即位後もそこに滞在することが多く、1603年に息を引きとったのもその場所だった。リッチモンド宮殿の特徴は、アーサー王の血を引くことを示す装飾である。ヘンリー7世の父はエドマンド・チューダー、祖父はオーウェン・チューダーで、みずからをアーサー王の血を引くウェールズの王子と称していた。ウェールズとアーサー王の結びつきはあいまいだが、アーサー王は、ジェフリーの『ブリタニア列王史』より前からウェールズの伝説に登場していた。それが、サクソン人の侵入によって追いやられたブリトン人がウェールズに砦を築いて拠点としたという説に信憑性を与え、アーサー王の子孫がいてもおかしくないという土台を築いた。かくしてヘンリー7世はリッチモンド宮殿の大広間に、アーサー王だけでなく、ジェフリー・オブ・モンマスが勝手にブリテン王国の始祖に定めたブルートゥスについても立派な肖像画を飾った。

ヘンリー7世はもうひとつ、ドラマティックな人工遺物を用いて、アーサー王の血筋を強調した。アーサー王と12人の騎士の円卓である。このテーブルは、作成時期が13世紀のエドワード1世の時代、1250〜80年のあいだであることが材料の年輪年代測定によって確定している。おそらくは円卓の伝説が初めて出てくるロバート・ウァースの『ブリュ物語』がもたらした産物だろう。この13世紀のテーブルがその後いかなる経緯をたどってヘンリー7世のもとにたどり着いたのか、当時どのような状態にあったのかは知る由もないが、ともかくそれはハンプシャーにあるウィンチェスター城の大広間に据えられた。ヘンリー7世は円卓の縁にアーサー王の忠実な騎士たちの名前を描かせ、驚くことに中央にアーサー王ではなく自分自身の強烈なイメージを置いた。ランカスター家出身のヘンリーは、同家の紋章である薔薇を円卓の中心に描かせたのである。最終的にアーサー王が生きた時代より数百年後に作られたものと判明するまで、エリザベスの時代からその後何世紀にもわたって、一般にはこれこそがアーサー王の宮廷にあった円卓だと信じられていた。

　アーサー王からさかのぼってブリトン人の名の由来となったブルートゥスへ、さらにはトロイアの王家まで起源をたどることで、チューダー朝、なかでもエリザベス女王は古代から続く由緒ある血統を手に入れた。エルキン・カルフーン・ウィルソンの著書『イングランドのエリザ *England's Eliza*』に収録された女王をたたえる文学作品や戯曲では、アーサー王がエリザベス女王の祖先であることが一大テーマとなっている。スペインの無敵艦隊に大勝した（１５８８）翌年には、平和な時代をもたらした女王に捧げる、トマス・ヒューズの『アーサー（ユーサー・ペンドラゴン子息）の悲運』が上演された。

　ジェフリー・オブ・モンマスの『ブリタニア列王史』をもとに、モルドレッドの裏切りとアーサー王の死に焦点を当てたその戯曲には、最初と最後に女王に捧げる賛歌が入っている。冒頭では「神聖なる陛下」と呼びかけ、「悲劇はわが国からことごとく去り、舞台だけのものとなった」と女王の統治下の平和な時代をほめたたえる。終幕ではアーサーの後世に「天なる乙女座より輝かしき星が降臨し」国を治めるとして未来を見据え、女王について「ブリテンを祝福するべく生まれた美徳の処女《おとめ》／比類なきブルートゥスの子孫、輝かしきトロイアの王なるプリアモスから続く希望」とうたう。エリザベスがトロイアの王家の子孫であるというテーマは次の年に上演されたロバート・グリーンの喜劇『修道士ベーコンと修道士バンゲイ *Friar Bacon and Friar Bungay*』（1589）でも繰り返されており、作中ではイングランドについて「ブルートゥスはここに新しきトロイアを築いた」と語られる。

イングランドの源流がトロイアにあり、エリザベス女王はブルートゥスとアーサー王の子孫であるとする文芸作品や演劇のうち、今日まで残っているものはほんの一部にすぎない。失われた戯曲には『ブルートゥスの征服 *The Conquest of Brutus*』『アーサー王 *King Arthur*』などがあり、チューダー家の血統がよく使われるテーマだったことをうかがわせる。エリザベス女王に対する文学的な賛辞をエルキン・ウィルソンが集大成した『イングランドのエリザ』はすばらしい大作だが、その大部分はチューダー家の歴史にまつわるフィクションで占められ、女王の長期政権に架空の力を与えている。ウィリアム・シーガーは1602年の評論で、そうした遺産について、「何人かの作家は売れるものを書こうとして、実際信じられないような空想や絵空事を重ねている」としながらも、「イングランドのアーサー王などの言い伝えには、疑い退けるべきではない多くのものが含まれている」と述べている。シーガーほどの明敏な観察者でも、「空想や絵空事」と

「疑い退けるべきではないもの」のあいだになかなか線を引けずにいたことは注目に値する。

　トロイア、ブルートゥス、アーサー王へと続くこの系譜はローマやフランク王国にあった同様の系図と同じ役割を果たしているが、トロイアの王家からエリザベス1世までの2700年という長さは別格で、聖書を除けばこれほど長い系図はほかにない。その古さは宗教面でも有利に働いた。イングランド国教会の首長だったエリザベスは、父のヘンリー8世がローマ教皇と訣別して以来、教皇と力を競い合っていた。代々のローマ教皇に劣らぬどころかずっと古いチューダー家の家柄が、カトリック教会やカンタベリー大主教が説くものよりイングランドの信仰のほうが確実に優位だと彼女に信じさせたことは間違いない。こうした数々の象徴と家系にまつわる伝説の積み重ねは、サマーセットがいうように「女王を理想の姿で描き、神に近いオーラをまとわせるために、イメージ、寓話、神話を織り交ぜながらエリザベスを包み込んだ」のである。

　エリザベスのやや仰々しい行動に、毎年夏に行われたイングランドの地方巡幸がある。それは彼女が女王の座にあった45年間の大部分を通じて続けられていた。巡幸については、今から200年以上前にジョン・ニコルズがまとめた膨大で詳細な記録があるが、その後、注意深く校訂されている。女王の多くの伝記で短く取り上げられているその内容からは、巡幸が彼女を取り巻く「物語」の一部だったことがよくわかる。たいていの場合、女王は大きい街を10か所ほど訪れて、貴族の屋敷や王室所有の荘園または大地主の館などに滞在した。けれども、おもな目的は臣民に顔を見せることだった。当時の報告記録によれば、エリザベスは自分を見ようと集まった群衆の気が済むまで時間をとったという。随行した数百人の従者と400～600台の馬車や荷車は、神から授かった女王の権力と威光を示すものだった。エリザベスは民に目を配ったことでよく知られている。それもまた女王を包み込むストーリーの表現のひとつで、彼女の治世という進行形の「物語」のなかに臣民を巻き込むためのものだった。

エリザベス女王時代の終盤には、宮廷内の権力争いや陰謀の歴史に焦点を当てた戯曲の傑作がいくつも生まれている。在位最後の10年に演じられたシェイクスピア劇には、ヘンリー4世、ヘンリー5世、ヘンリー6世、リチャード2世、リチャード3世、エドワード3世、ジュリアス・シーザー、そしてハムレットを取り上げた作品があるが、いずれも宮廷の醜聞や騒動、ときには歴代の君主の知られざる暴力をあばき出す内容だった。実世界では、大陸ヨーロッパでカトリック教会の支配、異端審問、魔女狩り、処刑が続いており、スペインはオランダに勢力を拡大していた。それとは対照的に、イングランドには、マラトンでギリシアがペルシアを打ち負かしてから目にすることがほとんどなかった勝利の時代が到来していた。それは、16世紀の終わりを特徴づける平和で安定した君主の時代である。イングランドでは文化のルネサンスが最高潮に達していた。

エリザベス女王を「栄光」を意味するグロリアーナと呼び、その宮廷をこれ以上ないほど賛美したのがエドマンド・スペンサーである。王宮を理想化した作品は多々あるが、詩『妖精の女王』（1590〜96）にならぶものはなく、ここまで極端な称賛を捧げられた君主もほかにないだろう。この長詩は歴史上のいくつかの勝利を祝うものだ。第5巻の政治的な寓話では、女騎士ブリトマートが女巨人ラディガンドと決闘して勝利するが、これはエリザベスとメアリーになぞらえた勝負である。また、アーサー王が倒した、教会に巣くう竜はローマ教皇で、1588年にスペイン無敵艦隊を破ったイングランドの勝利によるカトリック教会の敗北が暗に示されている。第2巻第10編でアーサー王に言及しているスペンサーは、グロリアーナについて「おお、最高君主たる女王陛下よ、その名、その王国と臣民は、かの誉れ高き王より受け継がれている」と語る。彼は次に、ほぼ70節にのぼる物語詩「ブリトン諸王年代記」を披露するが、これは登場人物のひとりであるグウィヨンが「妖精の国の古代」と題された書物を読み上げる形をとっている。その架空の書物はまさにジェフリー・オブ・モンマスの『ブリタニア列王史』をもとに想像したような話だが、『列王史』そのものもまた神話のような過去を想像したものであることを思い出したい。しかし、アーサー王とのつながりは文学的叙事詩にとどまらなかった。女王を慕う臣民のあいだでは、はっきりと現実のものとして認識された。1576年の巡幸で、古くからアーサー王ゆかりの地として知られていたケニルワース城のレスター伯を訪ねたエリザベスは、アーサー王伝説で有名な湖の乙女に扮した女性に出迎えられたという。

エリザベスの巡幸はこの世のものとは思えないほど華やかな祭典だった。女王の出立と帰還のたびに、ロンドンは『妖精の女王』の想像世界に似た魅惑の雰囲気に包まれた。驚くまでもなく、沿道では伝説や神話の登場人物たち、すなわちあまたの神や女神、人魚、美しい妖精、巫女、半魚人、さらには妖精女王そのものにまで扮した人々がエリザベスを歓迎して敬意を表した。『妖精の女王』でおおむね第5巻にかぎられていた政治的な寓話は、精神的な影響という意味では、この広大な想像上の光景に比べて影が薄かった。空想の妖精の国はエリザベス女工の宮廷と王国の世界全体を含むどころかそれを超えて、上は天国から下は地獄までの架空の空間と、アーサー王までさかのぼるだけでなく、ときに古代の神々さえ登場する「物語」の時間に広がっていた。多様な場面、多様な景色を持つ妖精の国の物語空間は、ダンテの『神曲』に匹敵する。

作者のスペンサーは、ウォルター・ローリーに宛てた手紙に「本というものの結末はすべて、紳士的あるいは貴族的な美徳と礼儀の規律を教えるものであるべきだ」と書いている。『妖精の女王』はカスティリオーネの『廷臣論』(1528)とは大きく異なる作品だが、どちらも宮廷を人間の最高の理想が到達しうる舞台とみなしている。スペンサーの目的は、一連の理想を妖精女王に仕える騎士たちに託して具体化することだった。当初は12の徳を考え、各巻でひとつずつ取り上げる計画だったようだが、実際に書かれたのは6巻までと7巻の断片だけである。スペンサーが宮廷の理想とみなした6つの美徳は、神聖、節制、貞節、友情、正義、礼節だった。一様に人間性を重視していることから、この作品をルネサンス人文主義の極致、そして中世カトリック教義「七つの大罪」への反論とみなすこともできる。スペンサーのローリーへの手紙からは、彼の物語が君主の理想化にも貢献したことが見て取れる。「あの『妖精の女王』では栄光について書くつもりだったが、わたしにとって最高にすばらしく栄光に満ちたお方といえばやはり女王陛下であり、陛下の王国こそが妖精の国だと思うにいたった」

『妖精の女王』はこれまでに書かれたもっとも豊かな物語集のひとつである。登場人物は古代の諸神と同じくらい多い。そこには架空の人物、ギリシア神話の神々はもちろん、『ギルガメシュ叙事詩』のフンババ、『ベオウルフ』のグレンデル、『ラーマーヤナ』のラーヴァナ、メソポタミア神話のティアマトなどを連想させる怪物たちがひしめいている。長大な叙事詩である（第1巻だけでも617連の9行詩がある）この作品は、6巻すべてを合わせると『イリアス』や『アエネーイス』よりも長い。これより長いのはヒンドゥーの『マハーバーラタ』だけだ。グロリアーナに仕える赤十字の騎士やグウィヨンの探求の旅は、それまでに書かれたどのような空想物語にも劣らない。これほど豊かな層になった寓話はあとにも先にもないかもしれない。それでいて、厳格なキリスト教寓話『エヴリマン』、『神曲』、『農夫ピアズの幻想』といった中世の名作とは明らかに一線を画している。大宮廷時代が終焉を迎えるころ、『妖精の女王』は、伝統の原点となったアーサー王の宮廷と肩をならべるほどになった。

第5章 イデオロギー

25 「発見」――ヨーロッパの権力の物語

15世紀、その後の300年にわたって世界の歴史を形作ることになる重大な変化がもたらされた。レコンキスタ、つまりイスラム教徒をイベリア半島から排除するための長い闘争が、ヨーロッパ人の意識に大きな影響を与えたのである。「数世紀にわたりキリスト教徒とイスラム教徒が対立した」結果、異教徒であるイスラム教徒を嫌悪したり、ほかの宗教は異端で無教養だと考えたりする傾向がヨーロッパ人のなかに広まっていた。一方、ヨーロッパは無敵の制海権掌握への途上にあった。V字型の船体と可動式の帆を持つカラベル船（3本のマストを持つ小型帆船。高い操舵性を有する）が開発されると、タッキング（帆船の船首を風上に向けて回し、風を受ける舷を反対側に変えて方向転換すること）という帆走法を使って、向かい風でも外洋探検ができる道が開かれた。この新たな力の可能性を理解していたのが、ポルトガルの王子エンリケ（1394～1460）である。地理学に対する関心が高かった彼は、地図作成者を任命したことで「航海王子」として名声を得たが、この呼称は何世紀もあとになって生まれたもので、エンリケ自身は一度も海に出たことはなかった。

エンリケは豊かな想像力とカラベル船を駆使して、ヨーロッパの外へとポルトガルの勢力拡大を推し進めた。ヨーロッパの小国にすぎなかったポルトガルは、彼の時代にアソーレス群島と一連のアフリカ沿岸の街を支配下に収めた。新たな展望がポルトガルを奮い立たせた。エンリケの死後、ポルトガルはアフリカ沿岸に遠征隊を繰り返し派遣し、それぞれがさらに南下を続け、やがてひとつの遠征隊が1497年に喜望峰を回って、インド沿岸のゴアに植民地を築いた。一方、イタリア生まれのクリストファー・コロンブスは、マルコ・ポーロの『東方見聞録』にある中国《キタイ》、日本《カパンゴ》、インドの情景に触発されて、西回りで東方にたどり着こうと考えた。スペインのフェルナンド王とイサベラ女王に働きかけたコロンブスは、1492年に3隻の船でアメリカ大陸に上陸した。

アフリカの海岸に上陸したポルトガル人は、当地のイスラム教徒であるサラセン人と対立した。1452年、教皇ニコラウス5世は即座に、サラセン人を制圧し征服する権限をポルトガル王アフォンソ5世に付与する教皇勅書、「ドゥム・ディヴェルサス」を発した。仕務については文書の冒頭で次のように述べられている。「カトリックの信仰に反抗し、キリスト教を消滅させようとする者には、キリスト教信徒が勇気と断固たる態度をもって反撃しなければならない」。オスマン・トルコがコンスタンティノープルの北にあるボスポラス海峡のヨーロッパ側に要塞を完成させると、敵意はエスカレートした。1453年にコンスタンティノープル（イスタンブールと改称された）が占領され、とくに地中海東岸最大の記念建造物、ハギア・ソフィア大聖堂（「神聖なる知恵の教会」）がモスクに改修されると、キリスト教ヨーロッパは激怒した。１４５４年、教皇はためらうことなく、一層厳しい教皇勅書「ロマヌス・ポンティフェクス」を発した。これは「ドゥム・ディヴェルサス」の内容を再確認するとともに、アフォンソ5世に「すべてのサラセン人や異教徒、その他キリスト教徒の敵［中略］を襲撃、捜索、捕獲、征服、制圧し、永久に奴隷にする権限を与える」ものだった。勅書には異教徒を改宗させるという宗教的な動機が明示されているが、経済的な動機もすぐに表面化した。勅書は、アフォンソ5世が「自身と後継者に王国、公爵領、伯爵領、公国、所領、財産、所有物を帰属させ、自分と自分の使用と利益のために転換させることができる」と定めているのである。その後文書は「魂の救済、信仰心の増強、敵の打倒」という宗教的な目的にもどる。しかし、その先には、「さらに遠く離れた土地を、異教徒の手から取り立てる」という目的があった。「遠く離れた土地」はまもなく、アフリカの「南岸」までのすべての沿岸地域と定義された。１４５４年の時点でヨーロッパ人はまだ、アフリカの海岸線が岬を回った先にも続いていて、その向こうに新たな大洋があることを知らなかったが、「ロマヌス・ポンティフェクス」は、ポルトガル人が航海できる場所であればどこまでも拡大されて適用できると解釈された。

15世紀半ばまでは、権力がおよぶ範囲はもっぱら国内で、その力は神聖ローマ帝国において君主のような地位にのぼりつめた教皇も含め、君主によって行使された。そういった国内の権力は理屈抜きで故国を守ろうとする。人類の進化に深く根差している、ロバート・アードリーが呼ぶところの「縄張り意識」が働くためだ。しかし、ポルトガルが国外に飛び出し、危険を冒して遠隔地に進出するには、既知の土地と未知の土地の両方に適した新たなアプローチが必要だった。教皇勅書「ドゥム・ディヴェルサス」と「ロマヌス・ポンティフェクス」は、イデオロギーの夜明けを知らせるものだった。遠く離れた沿岸地域における権力の行使を規定する明確な政治、宗教、経済の方針だったからである。

40年後、クリストファー・コロンブスはカリブ海諸島に到着し、スペイン国王フェルナンドとイサベラに見せるために、捕らえた現地の人々を生きた異教徒の見本として連れ戻ってきた。コロンブスの成功によってふたつの重要な問題が浮かび上がった。ひとつは海洋の所有者はだれかという問題だ。スペインが新たに海洋進出を開始してポルトガルを刺激したため、外海における紛争を避けるために教皇の裁決が求められた。その結果、既知の世界と未知の世界の両方をスペインとポルトガルで分割することになった。スペインはアソーレス群島の西約480キロの大西洋中央を境界とすることを提案したが、ポルトガルが反対したため、トルデシリャス条約（1494）によりベルデ岬諸島の約1776キロ西に境界が定まった。アフリカ沿岸地域と境界の東側がポルトガル領となり、スペインは西側の権利を得ることとなった。教皇の承認により、事実上、世界の大洋がスペインとポルトガルのあいだで分割されることになったのである。捏造された『教皇の書』と偽の『コンスタンティヌスの寄進状』が、依然として、地上のすべての王に対する教皇の権力を支えていたことを思い出してほしい。表向きは寄進状により皇帝コンスタンティヌスから教皇へヨーロッパが贈られたことになっていたが、ローマ・カトリック教会の回廊のどこかから出てきたこの偽書によって、教会はみずからヨーロッパを手に入れたようなものだった。教会に世界が寄進されたのは、イエスが述べたと1世紀に定められた言葉に端を発している。「あなたがたは［中略］地の果てに至るまで、わたしの証人となる」（使1章8節）。しかし、ウタ・ランケ＝ハイネマンはこう指摘している。教会は自分たちに寄進させる方法を見つけ、その結果、より多くのものを所有するようになった。トルデシリャス条約によって、ポルトガルとスペインは、地球の果てまでの海洋を所有する教会の代理人となった。

コロンブスの帰還後まもない1493年5月4日、教皇アレクサンデル6世はスペイン王フェルナンドと女王イサベラに向けて新たな教皇勅書「インテル・カエテラ」を発した。これは、他のヨーロッパ勢力の手がおよんでいない土地を新たに発見して占領し、人々を改宗させよ、と命じるものだった。1455年の教皇勅書はアフリカ沿岸地域のサラセン人に適用されていたが、1493年の勅書は大西洋を越えた広大な新領土にまで対象が広がり、そこに住む、コロンブスが「インディオ」と名づけた未知の先住民も含まれることになった。これらの教皇勅書は、先住者の有無にかかわらず、発見した土地は当然自分たちのものだというイデオロギーを打ち立てた。教会はこうして全世界を手に入れた。

ローマ・カトリック教会の権力と権威は、捏造された歴史にもとづいていた。その重要な道具は、1千年紀から行われてきた公会議での宣言と、もくろみをわかりにくくする「教義」と呼ばれるカテキズムである。信者たちは教義とカテキズムを不変の真理と考えているが、実際それらは教会のもったいぶったラテン語で飾られ、儀式ばって発せられる物語にすぎない。そうして神学の歴史はすべて捏造の「物語《ナラティブ》」に支配されてきた。前述したように、神の母、永遠の処女、無原罪の御宿り、聖母被昇天、そして共贖者という5つの物語によって、聖母マリアはわずかに女神に届かない地位にまで引き上げられた。けれども、神学的な教義がまとう神秘性は、教義がその創作者に力を与えるために考案されたフィクションだとわかれば消え失せる。

教皇ニコラウスとアレクサンデルが作り上げたのは、ヨーロッパのキリスト教の状況に合わせて都合よく組み立てられた「物語」だったが、そこに非ヨーロッパ人が巻き込まれて、不本意な犠牲者となった。この「物語」では、ヨーロッパ人が岸辺に上陸すれば、先住民が持っていた土地に対するすべての権利を得られると定義されていた。これがいかに厚かましいかは、次の歴史と筋書きの予想を読めばわかる。確かな記録が残されている中国の海洋進出について考えてみよう。15世紀初め、中国の探検家、鄭和《ていわ》は数百隻の船と数千人の兵を率いて7回の遠征を行い、南シナ海を下って、インド洋を横断し、アラビア海と紅海に入って、アフリカ東岸にまで到達した。ところが、中国の政治的な事情からその後の航海はとりやめられ、中国の海上覇権と海を越えての帝国建設の試みは終わった。しかしながら、もし8度目の遠征が行われ、鄭和がアフリカの岬を回り、大西洋を北上し、海岸に中国の旗を立て、「新たな土地（ポルトガル、スペイン、あるいはイギリス）を発見したのだから、征服し、奴隷にし、中国の宗教に改宗させる権利がある」と宣言していたとしたらどうだっただろう。ローマ教会とヨーロッパの君主国は、世界中で発見された土地は教皇勅書で認められているのだから自分たちのものだと主張するが、これ以上の虚偽はない。

勅書が適用されると布教活動も活発になった。イエズス会はポルトガルに続いてインドとマレーシアに行き、伝道団と教会を設立した。住民たちはすでに十分に発達した宗教（ヒンドゥー教、仏教、イスラム教）を信仰しており、キリスト教への改宗に抵抗したが、今日アジア各地にキリスト教の拠点があることを考えれば多少は成功したと見える。しかしながら、もっとも大きな影響を受けたのは南北アメリカだった。スペイン人が中南米に遠征した結果、現在、カトリック信徒の大多数はアメリカ大陸に居住している。

「発見」についての解釈は、ポルトガルとスペインのために教皇勅書によって作り上げられたものだが、ヨーロッパ中心のこの前提は南欧のカトリック地域を越えて広がり、オランダ、フランス、イギリスの探検姿勢の基礎になった。イエズス会はフランスの探検隊に続いてセントローレンス川を上り、カナダの奥地へと進んだ。彼らの活動はケベック州を中心とするカナダ東部にカトリック信仰を定着させることにつながった。300年におよぶイエズス会の記録は、ルーベン・ゴールド・スウェイツの監修で英語に翻訳され、1896年から1901年にかけて70巻を超える『イエズス会報』として編纂されている。

「先占」（いずれの国の領土でもない土地に、他の国に先駆けて支配をおよぼすことにより自国の領土とすること）という教皇のアイデアは、プロテスタントにも採用された。彼らは異教徒というレッテルを貼られた人々が先住していても、ヨーロッパ人が発見すればそちらが優先されるのは当然と考えた。こうして教皇勅書と教義は、次第に新世界におけるプロテスタント支配者の統治原理となっていった。ヘンリー・ハリスが実証しているように、15世紀の教皇勅書はアメリカ外交史の序章だったともいえる。

教義は教皇令を支えるものだが、物語の源泉は聖書にある。アダムとエヴァは地上を「支配」することを許された。ヤハウェとの「契約」によって、アブラハムとそのヘブライ人の一族は、パレスティナ人がすでに居住していたにもかかわらず、その土地に定住する権利を得た。ヤハウェ自身は、すでにカナン人が居住していた「約束の地」を征服するヨシュアに力を貸している。「行って、すべての民をわたしの弟子にしなさい」（マタ28章19節）は、1世紀末の福音書作者がイエスの言葉として表した命令だ。この聖書の命令は地中海沿岸地域に広まり、ローマ帝国に定着した。コンスタンティヌス帝がキリスト教を採り入れたのち、ローマ教会は修道院や大聖堂を建設するために先住民の土地を精力的に没収し、聖人崇拝を奨励したばかりか、「聖遺物」（洗礼者ヨハネの首、使徒マタイの骨、マリアの衣、本物の十字架の破片など）を探索し、でっちあげ、略奪し、あるいは盗用して、世界最大のコレクションを作り上げた。ヨーロッパ人がキリスト教徒の優位性という前提を継承し、新たな「選民」として認められたことは、社会にも精神にも影響をおよぼした。聖書の前例と教皇勅書の関係は、スティーヴン・T・ニューコムによって明らかにされている。「選ばれた民に対する主の約束の物語は、神が土地を授与するという物語で、教皇勅書や、大発見（大航海）時代にキリスト教ヨーロッパの君主によって出されたさまざまな植民地の特許状によく似ている」。アメリカの移民たちはこうして神の新たな選民となり、新世界は新たなイスラエルとなった。

神が土地を授けるという考えは、やがて教皇勅書をはるかに超えて広がった。１６０６年、イングランド王ジェームズ1世は「ヴァージニアの最初の勅許状」となるものを出した。これは十字軍の遠征に見立てた上流階級のための勅許状といった体裁で、ロンドン中心街の「爵位を持つ人々、紳士階級、貿易商、冒険家など」が、新世界の海岸に入植地を作ろうとすることを承認するものだった。その結果、1607年、現在のアメリカ・ヴァージニア州に、王にちなんで名づけられたジェームズタウンが建設された。ジェームズタウンに関するわたしたちの知識は、ほぼすべてがキャプテン・ジョン・スミスの『ヴァージニア通史 *Generall Historie of Virginia*』(1624)を情報源としている。彼が先住民の娘ポカホンタスに救われた物語はおそらくフィクションだろうが、アメリカ先住民の歴史のなかでもっとも広く知られている話である。スミスは数年後にジェームズタウンを去ったが、北岸に戻り、そこでの様子を『ニューイングランド詳説 *A Description of New England*』(1616)に著している。イギリスに向けて新世界を宣伝したこの著作には、「発見の原則」とは異なる雰囲気がある。

大西洋岸の暗い汀線《ていせん》を眺めながら、スミスは天然資源について有頂天になって記している。「わたしは、富以外の動機によって連邦を樹立できると考えるほどばかではない」。そして富はそこにあった。「釣り人の腕が悪ければ、釣り針と釣り糸を使って1日に100匹も200匹も300匹ものタラを釣りあげることはできない」が、それでも1匹10シリングで売れれば「使用人、主人、商人」みなに利益をもたらす。1時間の釣りで1週間分の魚が手に入るかもしれない。

7日のうち3日しか働かなくても、使いきれないほどの金を稼ぐことができる。[中略] 狩りにしてもそうだ。森、湖、川は獲物を追うだけの場所ではない [中略] が、狩りの対象となる獣の肉はごちそうになるし、皮も豊かで、日々の労働に十分見合う、船長ほどの収入が見込める。

新天地探検に隠された強欲な動機は明らかである。新世界には、漁師、大工、仕立屋、鍛冶屋、農民、職人、鋳鉄工に収入をもたらす天然資源があり、だれもが金持ちになると期待できるのだ。

スミスは、イギリスを裕福にするために環境を荒らされる人々については記していない。しかし彼らは別の目的で重要な存在だった。キリスト教の強化である。この点についてのスミスの主張は、教皇勅書の受け売りのように見える。「もし宗教に対する信仰や熱意が少しでもあるなら、哀れな未開人を改宗させてキリストについて教える以上に有益で、神にとって望ましいことはない」。発見された土地が居住者のものだ、あるいは、彼らには彼らの信仰がある、などとはスミスはこれっぽっちも考えていない。「未知のものを発見するほど、敬意と誠実さにふさわしいことがあるだろうか？　町を作り、人を定住させ、無知な者たちに知識を与え、ものごとを正しく改め、美徳を教え、わたしたちの生まれた母国に従属する王国を手に入れるほど敬意と誠実さにふさわしいことがあるだろうか？」。ヨシュア記はすでに定住者がいたパレスティナを「約束の地」と定義し、その定住者を徹底的に滅ぼすべき邪魔者とみなしたが、その聖書をよりどころとする文化を中心とした征服者気質が、アメリカの大西洋岸に移住したヨーロッパ人の思考の根底にあった。カナンの乳と蜜は、アメリカ東部の森の野生生物と木材に、カナン人は森林の土着の野蛮人に置き換えられた。

こうして、新世界をヨーロッパのものにするための、おもに経済的で、わずかに精神的な基盤が置かれた。教皇ウルバヌスにとって、動機は食料（資源）と土地だった。聖書の神話はともかく、ジョン・スミスの新世界の描写に込められているプロパガンダは明確だ――イギリスの権力のための強欲な青写真である。そして、プロパガンダはつねに語り手にとって都合のよい権力の「物語」だ。この場合、語り手は、土地の境界を示す杭を引き抜き、荒れ野に新天地を建設するイギリス人だった。

ヘンリー8世以降、イギリス君主はカトリック教会とのつながりを完全に断ち切ってイギリス国教会を支配していた。にもかかわらず、ローマ教皇の征服と改宗の物語は冒険者たちにもあてはめられて、ジェームズ王がいうところの「これまで暗黒のなかで生きてきて神の真の知識と崇拝について無知だった者たちにキリスト教を広め、神の栄光に役立つ」ことが彼らに期待された。あわよくば植民地の移民たちがやがて「そこに住む異教徒に人間の礼節を教える」ことができるかもしれないというわけだ。それどころか、15世紀の教皇が定めた最初のヨーロッパ人発見者による改宗の権利が、イギリス君主制の原理にさえなった。「現在キリスト教の君主または人々によって所有されていない［中略］アメリカの領域」にはキリスト教が広がる余地がある。勅許状が適用された土地には数千年も前からの居住者がいたが、彼らの生活や願いは、新世界に到着した白人の王やキリスト教の移民にはまったく重要ではなかった。ジェームズタウンへの上陸から2年後、オランダ議会が西インド会社の設立を許可し、１６２４年以降、入植者が上陸した。その影響は広範囲におよび、領土の問題も生じた。彼らはたび重なるインディアンの奇襲に耐えながら、ハドソン川流域のアメリカ先住民の土地に入植した。

1620年にメイフラワー号でヴァージニアに渡った清教徒《ピューリタン》たちにも、同じイギリス君主制の原理が適用された。嵐と冬の寒さを避けるため、彼らはケープコッドに向かい、そこに上陸して、独自の「メイフラワー誓約」を結び、入植地を建設してプリマスと名づけた。9年後、総督のウィリアム・ブラッドフォードに勅許状が出された。のちの1629年にはマサチューセッツ湾会社に勅許状が出され、この地や隣接する海洋に見込まれるすべての資源(まだ発見されてもいなかった金鉱や銀鉱も含む)が、イギリスならびにその君主の利益のため、実質的に獲得できることになった。「海から海までのメイン全域」と「東部の大西洋と西の海から西部の南の海まで」という言葉はわかりにくく、その領域から4800キロ以上離れた場所で書かれた書類にありがちな描写である。それでも、イギリス国王が大陸全体を手に入れたいと思っていたことは一目瞭然だ。一方で、この広大な土地の先住者についてはまったく触れられていない。

マサチューセッツ湾に押し寄せた入植者は、南北と西方に広がる郡区に振り分けられた。沿岸地域を耕作するために森林が伐採され、野生動物の生息地が減少した結果、先住民のナラガンセット族とワンパノアグ族は猟場を西に移動せざるをえなくなった。すでに居住者のいる領域への入植に疑問を抱く者はいなかった。そこへ現れたのがロジャー・ウィリアムズ(1603～83)である。ウィリアムズは、イギリス国教会は救いようがないほど腐敗していると信じる厳格な分離派として活動を開始した。彼は10代のころに、エリザベス朝イングランドのもっとも偉大な法学者エドワード・コークから手ほどきを受けていた。コークはウィリアムズの法学教育を金銭的にも支援していた。1631年、ウィリアムズはニューイングランドに移住し、さまざまな牧師職に就いたが、イギリス国教会への反感以前に、君主制に対しても嫌悪感を抱いていた。『プリマス入植地の歴史 *Of Plymouth Plantation*』を記したプリマスの総督、ウィリアム・ブラッドフォードは、彼がいうところの「教会とのあいだに論争を引き起こしたウィリアムズの奇妙な考え」に気づいていた。ひとつは、人々が宗教を自由に選ぶべきだという考えで、この意見はマサチューセッツの神権政治の指導者とはまったくそりが合わなかった。礼拝への出席、祈り、その他のキリスト教の儀式を強制することは許されず、教会と行政とは明確に分離されるべきだ、政府の役人は人々の肉体は管理しても精神を縛ってはならない、というのがウィリアムズの考えだったのだ。また、ウィリアムズがそれまでに学んできたことも、イギリス国王やニューイングランドの指導者たちや植民地の勅許状とは相容れなかった。コークのもとでの司法修習で、ウィリアムズは合法的な土地所有、つまり土地の正当な所有には連続した土地譲渡の記録が必要だと教わったが、プリマスとマサチューセッツ湾の入植地の勅許状は、アメリカ先住民からの土地の譲渡にもとづくものではない。ウィリアムズは１６３２年の論説で王の勅許状を厳しく非難し、土地を入植者に与えた王も入植者自身も、これらの土地を先住者から購入していないのだから法的な権利はないと主張した。「先住民族こそが真の所有者である」。ウィリアムズの論説は現存していない。彼が反乱と異端の疑いで裁判にかけられ有罪を宣告された際に焼かれたものと思われる。身柄の拘束を免れるため南に逃亡したウィリアムズは、先住民から合法的に土地を譲り受ける手配をし、ロードアイランドのプロヴィデンスに入植した。

その後の１世紀半のあいだに信仰の自由に関するロジャー・ウィリアムズの考えは広く受け入

れられるようになり、やがて権利宣言に取り入れられた。信教の自由、土地占有による先住民の権利の侵害、すべての人々の平等に関する彼の考えが、時代を大きく先取りしていたことは明らかだ。彼は「自由の予言者」、「アメリカの魂の創造者」とも形容されている。しかし土地所有権に関する彼の見解は、明確な法律にはならなかった。ヨーロッパ人はイングランド王が発した一連の勅許状にもとづいて、先住民がいても自分たちには入植の権利があると思い込み、大西洋岸に散らばる入植地に殺到した。教皇勅書や君主の勅許状のおおもとの前提は揺るがぬままだった。海岸地域の部族は追い出された。ヨーロッパ人が持ち込んだ天然痘で死なずにすんだアメリカ先住民は、アパラチア山脈を越えて部族の村に逃れたが、18世紀の入植者が山を越えて押し寄せたために、東海岸からの避難民の子孫も含めた部族全体がさらに西へと追いやられた。東部からの避難民の数はやがて西方の部族の人口を上回り、平原インディアンの文化はその重圧に押しつぶされた。ヨーロッパ人を新たな「選民」、その使命を征服とキリスト教化とする架空の話によって、アメリカ先住民はしだいに西へと追いやられ、歴史のごみ箱へと押し込められた。

13の植民地が連合してアメリカ合衆国となり、独立戦争（1776～83）が終結すると、新国家の体系的な拡大に注意が向けられた。1785年の公有地条例は、西部地域を測量して均一な碁盤目状の郡区にするよう求めるものだった。測量はオハイオ、ペンシルヴェニア、ヴァージニア（現在のウェストヴァージニア）の州境がオハイオ川の北岸で接する地点から開始された。1982年に設置された歴史銘板は、アメリカ先住民が何千年ものあいだ自由に行き来していた土地の幾何学的な占有がこの地点から始まったことを示している。南北アメリカを「発見」したヨーロッパ人に完全な占有権があるという架空の話にしたがって、西へと移動する入植者のために、土地が測量された。測量された土地は最終的に国の4分の3に達し、入植者に払い下げられ、それが合衆国政府の安定した収入源となった。政府に土地の所有権はないというロジャー・ウィリアムズの非難は忘れ去られた。

1803年、第3代大統領トマス・ジェファーソンがフランスから広大な土地（およそ215万2800平方キロ）を購入した際にも、それは忘れられていたか、もしくは完全に無視された。現在ルイジアナ買収として知られるこの土地は、ルイジアナ州からモンタナ州までの12州をまたがって北西に伸びている。権利についてはヨーロッパ中心主義の考え方が広く行き渡っていた。金を払ってアメリカ先住民から土地を買う者はいなかったが、ジェファーソンはフランス人がただで手に入れた土地を買うのに1500万ドルを支払っている。ジェファーソンがメリウェザー・ルイスとウィリアム・クラークにルイジアナ買収の主要水路であるミズーリ川流域を探検させ、その天然資源の規模を確認し、アメリカ政府の主権を主張し、入植者が西海岸に向かうための移住ルートを探した際にも、アメリカ先住民の土地の所有権が取りざたされることはなかった。道中、ルイスとクラークはアメリカ先住民を利用した（おそらく不当に搾取した）。彼らを未踏の荒れ野に案内した先住民の女性サカジャウェアもそのひとりだ。彼女の物語はルイスの探検記で描かれ、アンナ・リー・ウォルドの『サカジャウェア *Sacajawea*』（1979）でも膨大な参考文献とともに語られている。ルイジアナ買収以前にアメリカ先住民がすでに居住していたことは、ジェファーソンにとってたいした問題ではなかったが、ワシントンに持ち帰られた魅力的な工芸品は大事だったようで、ヴァージニア州にあるジェファーソンの邸宅、モンティチェロのロビーに今も展示されている。

こうしたヨーロッパの征服者と西洋の開拓者の侵略すべてに共通して、道徳的指針は彼らに有利な方向を示している。1843年の歴史書『メキシコの征服 *The Conquest of Mexico*』のなかで、ウィリアム・ヒッキング・プレスコットは、アステカ人などのインディオと、ヨーロッパの異端審問や北アフリカの征服でヨーロッパ人の餌食となったユダヤ人やムーア人をひとくくりにし、ローマ・カトリック教会、教皇の布告、「発見の原則」という偽りの優位性を用いて自分たちを正当化している。アメリカ先住民を貶《おとし》めることはコンキスタドールに英雄の役どころを与えるための修辞学的戦略として役立ち、デヴィッド・レヴィンが示しているように、歴史そのものを「ロマンティックな芸術」に仕立てあげるために有効だった。歴史上の征服者を文学的な言葉で描写すれば、歴史と冒険物語との区別はあいまいになる。ジェームズ・フェニモア・クーパーによる5巻本の冒険的な開拓者で、レザーストッキングという名でも知られるナッティ・バンポーの英雄物語に、それが如実に表れている。クーパーの『開拓者たち』『モヒカン族の最後』『大草原 *The Prairie*』『パスファインダー *The Pathfinder*』『鹿殺し *The Deerslayer*』は、ニューイングランドから中西部へのアメリカの拡大を主人公の人生と結びつけ、アメリカ先住民の土地の探検、横断、入植、占有を植民地のスーパーヒーローの勝利として描いている。

ヨーロッパ人、またその後のアメリカ人の権利は、15世紀の教皇の布告で明確にされてから一度も疑問視されることがなかった。合衆国が形成されるころまでには、探検、征服、改宗と続くこの発見にかかわる虚構の「物語」を土台に、征服者が250年にわたって強大な力を持ち続けることが確実になった。しかし利己的な物語はそれで終わりではなかった。アメリカ先住民に対するヨーロッパ人の確固たる優位性は、最終的にアメリカの法にまでおよぶことになったのである。1823年の有名なジョンソン対マッキントッシュ裁判では、最高裁判所裁判長ジョン・マーシャルが、連邦政府から得た土地の所有権はアメリカ先住民から得た土地の所有権よりも優先されるという判決を下した。彼の主張により、「発見の原則」はアメリカの法律の先例として揺るぎない地位を得ることになったのだ。

その半世紀前、ジョンソンはイリノイ州に土地を購入し、ピアンケショー・インディアンから土地の所有権を得ていた。申し立てによると、その後、ウィリアム・マッキントッシュが連邦政府から同じ土地の権利を取得した。ジョンソンの子どもたちは土地を相続し、子孫が土地を貸していたが、マッキントッシュがその土地を占拠し始めた。ジョンソン側の所有者たちは何十年も前からの所有権があるとして、マッキントッシュを立ち退かせようと告訴した。判決理由を書いたマーシャル裁判長は、連邦政府の所有権譲渡が優先されることを根拠に、原告の主張を退けた。ジョンソン対マッキントッシュ裁判は、マーシャルが述べた判決理由とともに、アメリカ史においてもっとも研究された法的判断のひとつとなっている。マーシャルによれば、アメリカ先住民は土地の売却、譲渡、あるいはその他の移転はできない。マッキントッシュの所有権がジョンソンの所有権を覆したのは、連邦政府とアメリカの入植者だけが土地の法的所有権を持っていたためである。その根拠ははるか昔にイギリス国王が発した勅許状だ。大陸の海岸に到着すると同時に、入植者たちは土地とその地の居住者に対する権利を手にすることができた。そのうえ、そうして得た権限と権利は、先住者の権利をすべて消滅させるものだった。マーシャルが判決の冒頭で述べた内容は、連邦政府の権力を保護するために歴史が脚色されたことがよくわかる例で、彼の「発見」という言葉にそれが集約されている。「この広大な大陸の発見にあたり、ヨーロッパの偉大な国々は、それぞれ手に入れられるだけのものを確保しようと躍起になった」。ヨーロッパ中心主義の欲深さに対するこの分析は正確で、教皇勅書までさかのぼって証明できる。「その広大な地域は、すべての野望と事業に十分な場所を提供した」。こちらも正しい。キャプテン・ジョン・スミスがニューイングランドに関する記述のなかでアメリカの資源の豊富さに初めて触れたときから、この大陸は、ビーバーを罠にかけ、リョコウバトを捕獲し、長角牛をとらえ、バイソン狩りでバッファロー・ビルと競争し、セコイアを伐採し、金を採掘するといったことに冒険者を誘い込んできた。「そして、その住民の気質と宗教は、ヨーロッパのすぐれた精神が彼ら［インディアン］にまさっているとみなしうるものだった」。この人を見下した発言からすでに370年が経過している。マーシャルが手掛けたこの裁判をもとに、以来、この論理はアメリカの法律で「発見の原則」と呼ばれるようになった。

絶対的な主権を与える「発見の原則」と、連邦政府の土地所有権が先住者の権利に優先するというそれに付随する原則は、10年後、衝撃的な形で示されることになった。アメリカ史上もっとも悪名高い権利の侵害のひとつ、インディアン移住法（1830）である。これは新たに大統領に選ばれたアンドリュー・ジャクソンが立案したものである。アメリカ先住民に対する彼の偏見は、すでにあらわになっていた。インディアンの立ち退きはジャクソン政権と関連づけられることが多いが、グロリア・ジャホダが示しているように、実際の立ち退きはそれより前の1813年からだいぶあとの1855年まで行われている。とりわけ大きな影響を受けたチェロキー族は1838年の冬に立ち退きの犠牲になった。彼らは1830年代初めにすでに立ち退かされていたマスコギー族、セミノール族、チカソー族、チョクトー族を含む「文明化5部族」のひとつである。総人口3万人を超えるこれらの部族は、おもにアメリカ南東部に居住していた。けれども、肥沃で気候も好ましいその土地を含めて、沿岸部のアメリカの入植者たちが耕作地をアパラチア山脈まで広げることを望んだ。1828年にジョージア州ダロネガ近くで金が発見されていた影響もあっただろう。チェロキー族はもともとノースカロライナ州南西部、テネシー州南東部、サウスカロライナ州、ジョージア州、アラバマ州近隣地域に住んでいた。60を超える村々に定住して農耕生活を営んでいた彼らは、18世紀のイギリスとの関係も友好的で、アメリカ式の農業と畜産もすでに取り入れていた。1810年ごろには、チェロキー族のシクウォイアがチェロキー語の文字体系作りに取り組み、それを子どもたちに教えたことで、1820年には識字レベルが入植者を上回っていたほどである。しかし、そうしたみごとな功績も、植民地のやり方への従順な同化も、政府の方針に影響を与えることはできなかった。チェロキー族は強制的に立ち退かされた。後年、シクウォイアは合衆国連邦議会議事堂の銅像や米国議会図書館のブロンズパネルなど12の記念碑でたたえられている。また、カリフォルニアのシエラ山脈に自生する世界最大の樹木が、彼の名をとってジャイアントセコイアと名づけられている。

南東部の州にはたくさんのアメリカ先住民が居住していたが、法的地位がなかったために入植者に土地を奪われた。1838年の強制移住では7000人の連邦および州の兵士が動員された。彼らは1万6543人のチェロキー族を集め、1200キロ以上も西にある「インディアン居留地」のオクラホマ州、カンザス州南部に移動させた。数百人は逃げてスモーキー山脈やスノーバード山脈に隠れ、密かにコミュニティーを作った。数十年のちにはそれが、ノースカロライナの山麓にあるチェロキーの町となった。西に強制移動させられた人々のうち、推定4000人が移動中に死亡した。他の部族の犠牲も同様だった。

ヨーロッパ人による土地の占有と文化の抑圧は、インディアン居留地の制定で頂点に達したといえるだろう。居留地はアメリカ先住民の最後の生き残りである難民たちのために確保された、大きな陸地のなかのきわめて小さな領域だった。けれども、もっとも衝撃的な瞬間は、19世紀の後半、1854年のシアトル族長の降伏だった——今でもワシントン州に彼の名を冠した街が残されている。1877年にはモンタナ州北部でジョセフ族長も敗北を認めた。それぞれがアメリカ先住民の文化全体の終焉を意味するものだった。

「発見の原則」は、アメリカ先住民の土地所有権に関する問題全般で、いまだに足かせとなっている。判例にもとづく法制度では、過去の判決が記録に残され、のちの裁判所の判決に影響を与える。ジョンソン対マッキントッシュ裁判の判決は、すべての国民、宗教、マイノリティが法的保護を平等に享受できるはずの世界で、なおも文化的偏見と自民族中心主義が消えていないことを示す驚くべき判例として残っている。アメリカ先住民は合衆国政府とローマ教皇庁の双方に

「発見の原則」を破棄するよう働きかけているが、今のところ成功していない。ローマ・カトリック教会は旧来の原則を覆さない方針だ。もとの原則が作られた際の教皇不謬《ふびゅう》性（教皇は神の特別な保護によって誤ることはありえないとする信条）に疑義をさしはさむことになるからである。ローマ教皇庁はたいてい重い腰をあげようとはせず、必要が明確に生じるまで判断を遅らせる選択をする。政策や伝統が誤りだったと認識されても、1世紀も経ってからの対応は珍しくない。かくして、誤りは時間の経過に飲み込まれ、その後忘れ去られることになる。

26 海上帝国ポルトガルの叙事詩

アフリカ西岸を南下する探検は数十年にわたって続けられた。１４８８年、ポルトガルの探検家バルトロメウ・ディアスが「嵐の岬」と呼ばれる南端のごつごつした岬を回ることに成功した。10年後の１４９８年5月20日、今度はヴァスコ・ダ・ガマがアフリカ大陸東岸を北上し、外洋を何百キロも渡って、インド西岸のゴアにヨーロッパ勢力の拠点を築いた。権力者による歴史の創作はここにも見られる。ジェフリー・ブルーによると、ディアスがインド洋に到着したとき、ポルトガル王マヌエル1世は「『エチオピア、アラビア、ペルシア、インドの征服と航海と通商の王』という大げさな称号をみずから考案した」という。ダ・ガマによる帝国支配の証言を経て、この称号は教皇グレゴリウス13世によって１５０２年に承認された。１４５５年の教皇勅書は、ポルトガルが発見したすべての土地に優先権を持つことを認めていたため、マヌエル1世の「支配権」はそれに続くすべてのアジアにもあてはまるとみなされたのだ。１５００年以降、毎年十数隻のカラベル船が探検に出発し、半数は戻ったが半数はインド洋にとどまって、世界初の海軍として組織的にイスラム勢力を蹴散らした。

帝国の目標を推進したひとり、アフォンソ・デ・アルブケルケは、アフリカ沿岸、ペルシア湾、インド東部地域の軍事作戦を成功させ、ポルトガル黄金時代のもっとも偉大な総督となった。1511年4月25日の午前2時、アルブケルケは、インド洋と太平洋間の貿易をほぼすべて支配していたマレー半島西岸にある港町、ムラカ（マラッカ）への攻撃を開始した。8月末、町は占領され、東南アジアにおけるポルトガルの拠点が築かれて、アジア沿岸の数千キロにおよぶ勢力図が改められることになった。彼は次いでさらに東への遠征を命じ、ジャワ海、スパイス諸島、ニューギニア、最終的にコーチシナにまでポルトガルの制海権を広げた。ポルトガル人と、彼らの探検を支持して勅書を発した教皇が、何世紀にもわたってイベリア半島を占領してきたイスラム教徒への憎しみに突き動かされていたのは間違いない。マリン・ニューイットはその個人的な感情について次のように言及している。ダ・ガマは「イスラムに心の底から不信感を抱いていたために、ほぼ最初からポルトガル人を暴力と残虐行為と征服にもとづく帝国建設へと導いた」。ダンデグ・ホワイトはポルトガルの行為を、「情け容赦ない海軍力の誇示」と形容している。ポルトガルはヨーロッパ初の海軍国となり、スペイン、オランダ、フランス、イギリスといった、のちの海上帝国のさきがけとなった。

ポルトガルの偉業に叙事詩としての側面を見いだしたのは作家、ルイス・ヴァス・デ・カモンイス（1524～80）である。詩人、劇作家、旅行家だった彼の最大の冒険は、東方への彼自身の旅だった。カモンイスがインドのゴアに到着した1554年には、海上帝国ポルトガルはピークを過ぎ、すでにゆっくりと衰退が始まっていた。ホワイトとは対照的に、ウィリアム・アトキンソンは、ポルトガルの栄光が「帝国に対する人々の考えを劇的に変化させた」と形容している。栄光は最初の半世紀だけだったが、ポルトガルはさらに200年間あがき続けた。国外へ向からポルトガル領東インドの貿易船について驚くべき記録がある。C・R・ボクサーによれば、1500～50年にかけて、大砲を搭載した当初のカラベル船451隻が半減し、その後半世紀のあいだにさらに半分になって、1800年には不名誉な終焉へと向かったという。カモンイスがアジアで17年を過ごしたころにはポルトガルを支配の頂点とする時代は過ぎ去っていたものの、アジア世界の生活環境や文化にどっぷり浸った彼の胸には、ポルトガルが成し遂げたものごとのすばらしさが深く刻まれた。

ポルトガルの海洋探検はダ・ガマがインドに到着する80年以上前に始まっていたにもかかわらず、カモンイスが『ウズ・ルジアダス』を執筆するまで、この帝国の拡大について取り上げた文学作品はなかった。同時代の唯一のライバルは、ジョアン・デ・バロス（1496～1570）が著した4巻の本『アジア史』かもしれない。正確さ、スタイル、称賛すべき文章が『アジア史』の特徴だが、どれほど文学的であっても、散文は英雄詩にはかなわない。ヘシオドスがホメロスに、リウィウスがウェルギリウスに、トマス・アクィナスがダンテにかなわなかったのと同じだ。多くの言語に翻訳され、英語でも散文と詩の両方がいくつか出版されているカモンイスの作品と比べると、デ・バロスの作品はポルトガルの骨董品のようである。チャールズ・ノーウェルは次のように述べている。「この作家（カモンイス）と作品の重要性は、いくら強調してもしすぎることはない。ダンテはイタリアにとって大きな意味を持つ。イギリスにとってのシェイクスピア、スペインにとってのセルバンテスも同様だ。しかし、この偉大な3人の作家たちでさえ、カモンイスがポルトガル史に与えたほどの影響を自国の歴史に与えてはいない」

カモンイスは『ウズ・ルジアダス』を語るなかで、歴史を芸術的な「物語《ナラティブ》」に変えた。タイトル（ウズ・ルジアダスは「ルースス の子孫たち」の意）は古代の神話からとられている。ルーススはギリシアの神バッカスの仲間で、ポルトガルの神話的な建国者として知られていた。つまり、ポルトガルも古典期の伝統をしっかりと継承していた——古代ローマ、カロリング朝、アーサー王伝説に見られるような、血統を証明する「物語」によく似た伝説の歴史が存在していた——ことになる。しかしながら、カモンイスの時代までに、ポルトガルではキリスト教神話が多大な影響力をおよぼすようになっていた。とりわけ人々の崇拝を集めていたのは、1506年にアルコバッサ王立修道院の文書保管庫から発見された13ページにわたる告白文書で、アフォンソ・エンリケ（アフォンソ1世）によって、それより400年ほど前に書かれたといわれている一人称の「物語」だった。告白では、オーリッケの戦い（1139）のさなか、アフォンソの前にキリストが現れ、敵のイスラム教徒に対する勝利を約束したという。いわく、その約束はまもなく、イベリアの大聖堂、サンティアゴ・デ・コンポステーラで崇められているキリストの使徒、聖ヤコブによってかなえられた。アルコバッサの修道士たちはこの伝説の一部を抜き出して、世に広め、ポルトガル人が神の新たな「選民」になったと思わせるほどの国民的信仰にまで高めた。大英博物館には全面に描かれた細密画10枚を含む彩色写本が展示されている。この告白を土台に、ポルトガルの王たちの血筋をさかのぼると聖書に登場するノアの孫トバルにたどりつくという怪しげな系図が創作された。『ウズ・ルジアダス』はこの神話の柱となる存在で、1581〜1640年にかけて11回版を重ねた。

古典とキリスト教の伝説をもとに創作された「力の物語《ナラティブ・オブ・パワー》」を背景に、カモンイスはポルトガルの優位性を示す壮大で新しい叙事詩の創作に着手した。15世紀には勇ましい冒険家がたくさんいた。彼らは数十年の苦闘の末、アフリカの海岸を南下し、1488年のディアスによる喜望峰到達を頂点に、南大西洋を制する道へとポルトガルを導いた。けれども、カモンイスが叙事詩の英雄として選んだのは、インドへの旅を完遂した航海士ヴァスコ・ダ・ガマだった。ホメロスの『オデュッセイア』やウェルギリウスの『アエネーイス』を国家的叙事詩の象徴的な形と考えれば、それ以外のスタイルはありえない。どちらも英雄が困難な旅を続け、最終的に新たな文明を創設する物語だ。「わたしは語る、戦いと、そして比類なき英雄たちを」と、カモンイスは始め、ウェルギリウスの『アエネーイス』の冒頭部「わたしは歌う、戦いと、そしてひとりの英雄を」(泉井久之助訳)をまねている。カモンイスはポルトガルのインド洋進出を、規模においてはポルトガルのほうがはるかに大きいとはいえ、トロイア人のイタリアへの移動に類似したものと考えた。第1の詩、第3連における彼の否定的な意見はほぼ軽蔑に近い。

狡猾なギリシア人についてこれ以上自慢することはない
トロイアのアエネーアスの苦難に満ちた長い旅も
アレクサンドロス大王やトラヤヌスの東洋征服についても同じことだ
わたしは名高いポルトガル人のことを歌おう

彼にはマルスもネプトゥヌスも頭《こうべ》を垂れる
古代のムーサたち（学問・芸術を司る9女神）が崇めたものはすべて捨てよ
より気高い栄誉の手本が現れたのだから

『オデュッセイア』や『アエネーイス』の舞台は地中海だったが、ポルトガルは大西洋とインド洋を征服することで彼らの座を奪い、地中海をヨーロッパの後進地域にしてしまった。もはや地中海は、中国、ペルシア湾、紅海から陸路でやってくるアジア貿易のルートではない。インド洋こそが帝国繁栄のためのより大きな活動の舞台だった。

カモンイスは第19連で英雄、部下、帆船についてわずか触れただけで、古代ギリシアやローマの神々が列席する会議に舞台を移す。そこにはルネサンス期の新たな視点による、当時最新だった宇宙の知識が示されている。神々はオリュンポス山の会議場に「天の川《ヴィア・ラクテア》を歩いてやってくる」のだ。これはホメロスやウェルギリウスが述べていない新たなルートである。会議で議長をつとめるユッピテルは、「すでに知っておろう／彼らを待ち受ける運命を／古代を思い起こさせる征服は／まるでシリア、ペルシア、ギリシア、ローマの再現だ」と述べる。ウェヌスとマルスはポルトガルの航海の支援に賛成の意を表明するが、発言者のなかでバッカスだけが反対する。会議が終了すると、神々は再び天の川を通って帰っていく。このオリュンポス山での会議には、『イリアス』、『オデュッセイア』、『アエネーイス』で描かれる同様の会議と同じ目的がある。宇宙という、より大きな視点でものごとをとらえ、地上の事象に働きかけて、神々が定めた運命として

「力の物語」にお墨つきを与えるのである。

この宇宙の枠組みが整ったところで、カモンイスは目的地への道半ばにある主人公へと話を移す。当時、執筆より10年前に、バルトロメウ・ディアスが喜望峰を回ってグレート・フィッシュ川まで航海していた。だが、カモンイスの物語において、ヴァスコ・ダ・ガマの英雄らしさは、ディアスの功績を繰り返したことではなく、ほかのだれも向かったことのない未知の海に漕ぎ出した点にある。よって、カモンイスは、ダ・ガマがアフリカ東岸に沿って北上するところから話を始める。島々のあいだを航行した彼は、じきにモザンビークに到達した。けれどもダ・ガマは、そこで最初の困難に直面する。イスラム教徒の裏切りだ。もっともそれは、ストーリーを通じてダ・ガマの敵役をこなす超自然な存在、神バッカスによってけしかけられたことになっている。

バッカスは、『イリアス』のアポロンの矢、『オデュッセイア』と『アエネーイス』のポセイドンの嵐、ウェヌスとアレクトの手を借りて、イタリアに向かうトロイア人の運命を妨害しようと手を尽くしたユーノの策と同じような、対立する存在である。違いは、そうした古典のなかの「できごと」がまったくの神話であるのに対し、カモンイスは文書で十分に裏づけられた事象を扱っている点だ。チャールズ・ノーウェルは次のように書いている。「カモンイスは、アフリカ人と敵対したダ・ガマの実際の体験にオリュンポスの神々を巧みに関与させ、さまざまな波乱が人知を超えた神々の介入によるものだと説明している」。歴史上の事実に超自然なできごとをからませると、捏造された権力は文学的な色合いを帯びる。しかしカモンイスの物語は単なる文学にとどまらない。『ウズ・ルジアダス』の文学的要素は、イスラエルの史詩や神聖ローマ帝国の勃興、ペルシアの『シャー・ナーメ』など、初期の「力の物語」ほぼすべてに見られるものと同じである。

カモンイスは「物語」を組み立てるにあたって、古典の叙事詩の場面を再加工して使っている。第2の詩では、ウェヌスが父親のユッピテルに近づき、色仕掛けで説得にかかる。女神によくある手口だ。「彼女はかつて／イダ山の森でパリスに見せたように／一糸まとわぬ姿を見せた」とカモンイスは書いている。ヴァスコ・ダ・ガマの成功を保証するよう父に迫る彼女は、誘惑者も同然だ。これが見事に成功して、「今にわかる／ギリシア人やローマ人よりはるかに優れた／ポルトガルの血を引く人々が／東洋全域で何を成し遂げるかは」とユッピテルにいわしめる。古典的なヒロイズムを背景に権威を作り出すそうしたパターンはその後も続く。ウェヌスは父に告げる。かつて、ナイル川とアフガニスタンから「戦利品を積んで」戻ったアントニウスは、アウグストゥスの軍に圧倒された。そのとき、海は砲火で煮えたぎっていたが、ポルトガルが海を渡ってヒンドゥー教徒やイスラム教徒に勝利する際には、はるか黄金半島（マレー半島と考えられている）まで、いちだんと大きな火が猛威を振るうだろう。さらに遠く「東洋の最果ての島々」まで進むうちに、あらゆる海路がポルトガルに従属することになる、とウェヌスは締めくくっている。

第3、4、5の詩で、カモンイスは回顧的叙述という手法を採っている。オデュッセウスがパイエケスで自分の冒険譚を語り、アエネーアスが女王ディードにトロイアの焼き討ちとその後の旅について語るという、ホメロスやウェルギリウスが用いたのと同じ手法だ。ダ・ガマはマリンディの王から問われるまま、ヨーロッパについて語り、ルーススによるポルトガルの建国神話、自分の時代のポルトガル王の複雑な歴史、ポルトガルからマリンディまでの彼自身の航海について回想する。彼らは出航し、インド洋を渡ってインドに向かうが、バッカスが引き起こす難事に悩まされる。バッカスは第6の詩で海神ネプトゥヌスの海中の宮殿に向かうが、これはオデュッセウスやアエネーアスの冥界への旅に似ている。もっとも、カモンイスは冥界への旅を英雄ではなく、神に行わせている。

カモンイスはルシタニア（のちのポルトガル）人の信仰心を惜しみなく称賛している。第7の詩ではみずから全知全能の語り手として彼らをほめちぎっており、明らかな詩的許容（詩の味わいを深めるための事実からの逸脱）が見られる。「あなたたちの地上の分け前は小さい。［中略］キリストの羊の囲いの割り当ても小さい」。ローマ教会に献身するポルトガルの立場から、ローマの信仰に抗議するドイツ、イングランド、フランス、イタリアを非難しているところも同様だ。このように物語を中断してまで論争するのは場違いに感じられる。ドイツ人はなおも「ペトロの後継者（教皇）に抵抗」しており、イングランド王ヘンリー8世はみずからを「古代のもっとも神聖な都（エルサレム）の王」とみなしていると、カモンイスは語る。フランスはシャルルマーニュとルイ9世が残した「称号と遺産」に恥じない行動をとることができずにいる、と。

ここで年表に注意を向ける必要がある。ヴァスコ・ダ・ガマがインドに到達したのは１４９８年だ。アルブケルケがマラッカを占領したのが１５１１年で、ポルトガルがスパイス諸島に到達したのはその翌年である。これらのできごとはみな宗教改革以前に起こった。つまり、カモンイスの他国批判は、数十年後の結果論で、彼の詩的許容は年代錯誤である。マルティン・ルターの「95か条の論題」は、1517年までヴィッテンベルク城の教会の門前に掲げられることはなかった。ヘンリー8世がローマと断絶したのは1534年だ。それにもかかわらず、こういった宗教改革の重要なできごとをもとに、カモンイスは他国を批判している。彼はまた、数百年にわたるそれまでのキリスト教ヨーロッパの失敗にも非難の矛先を向けている。「聖なる墳墓は／犬たちに占領された。／やつらはあなたがたの領域に一斉に侵入してきて［中略］キリストにしたがう者たちに戦いを挑んでいる」。芸術性が揺らぐことも顧みず、カモンイスはプロテスタントに対するカトリック信仰の優位性について議論する。「恐ろしい新発明である銃や大砲」について意見し、「それらをなぜビザンティウムやトルコの要塞への攻撃に使用しないのか」と疑問を呈して、何世紀にもわたってキリスト教ヨーロッパを恥辱にまみれさせた1453年のイスラム教徒によるコンスタンティノープル征服について語る。『アエネーイス』の作者ウェルギリウスは、歴史に関するこの手の批評を控えていたが、カモンイスの叙事詩は文化的告発の媒体になっている。彼の目的は、新たに見いだされた海上帝国ポルトガルの偉大さを強調することにあった。「ポルトガルというこの小さな国」はアフリカに「沿岸基地」を整備するまでになった。「アジアでは彼らの力に異議を唱える者はいない。［中略］そしてもし新たな世界が見つかれば、彼らはそこにも到達するだろう」

第8の詩ではインド沿岸で敵が弄《ろう》した策略や陰謀が描かれるが、第9と第10の詩ではダ・ガマの水夫たちが脱出に成功し、ウェヌスとクピド（アモル）の計らいにより「愛の島」で報われるという明るい雰囲気で叙事詩は終わる。このできごとはウェヌスとクピドが結託してアエネーアスとディードを恋愛関係に陥らせた一件や、『オデュッセイア』のカリュプソの誘惑を思い出させる。しかしながら、これらの古典叙事詩に登場する要素をさりげなくなぞるだけでなく、カモンイスは独自の創造も行っている。それがよくわかるのは第5の詩だ。そこではダ・ガマが『オデュッセイア』のキュクロプスやスキュラ、カリュブディスのようなじつに凶暴な怪物と対決する。その前兆はダ・ガマがアフリカ沿岸を往航するときの話に出てくる。怪物はまず暗雲として現れ、「夜空を完全に覆いつくした」。そのなかから「計り知れない何かが／闇のなかで形になり／異様に大きくなった」とダ・ガマは述べている。怪物はアダマストールと名乗った。アフリカの端にある「秘密の岬」、つまり「嵐の岬」の化身だという。カモンイスはこの怪物を古典神話に当てはめて、慣れ親しんだ土地を離れ、はるか遠い場所に追放されることを選んだ「いかついティタン、エンケラドス、アイガイオン、ブリアレオスといった巨人のひとり」としている。アダマストールにまつわる悲劇がここで語られる。彼は「海の王女」テティスを愛していたが、その美しい王女に対する想いは実を結ばず、彼女に裏切られ、最後には「嵐の岬」に姿を変えられてしまったのだった。

カモンイスが地理的な場所を擬人化したこと、そして、ダ・ガマの運命を決めたのが2000年前に世界を支配し、その後キリスト教の世界に組み込まれた神々だったことは、彼のみごとな筆力の表れだ。そこからは、影響力を失った多神教の神々がなおも、神の国から人間に力を貸す役割を果たしていることがわかる。第10の詩では、テテュスが地動説（まだコペルニクスやガリレオによって覆されていない）をもとに、ダ・ガマに宇宙の働きを説明する。カモンイスはそこに、キリスト教世界でも古代の神々が受け入れられるよう説明をくわえている。「至高の知恵〔中略〕無限の善」は神であるとしたうえで、テテュスはいう。「わたしとサトゥルヌス、ヤヌス、／ユッピテル、ユーノは、無知な人間が夢見る／架空の物語にすぎない。わたしたちにできるのはただ楽しい詩を作ることだけだ」。この自虐的な言葉は、ギリシアやローマの神々を引き合いにしてポルトガルという小国の力をたたえる驚くべき叙事詩を作り上げたカモンイス自身の功績とは正反対だ。

『ウズ・ルジアダス』はウェルギリウスの『アエネーイス』と比較するとわかりやすい。ウェルギリウスの叙事詩は、ローマとその英雄アエネーアスの両方を上手にほめあげている。それに比べると、カモンイスのヴァスコ・ダ・ガマは見栄えがしない。彼は有能な指導者で、話し上手で、ポルトガルの数十年にわたる東方到達計画を完遂した探検家として描かれているが、アエネーアスのような人間臭さが見られない。アエネーアスは父アンキセスと息子アスカニウスの両者を救い、カルタゴの女王ディードと恋愛関係に陥る。トゥルヌスとの戦いでは、火の神ウルカヌスがエトナ山の工房で作った盾で身を守り、戦士としても活躍する。それに比べると、ダ・ガマは叙事詩の英雄としては影が薄い。カモンイスの作品を翻訳したフランク・ピアースはこうまとめている。「ヴァスコ・ダ・ガマはかなり影が薄いが、それは作者がそう意図したからに違いない。実際、カモンイスの叙事詩の真の英雄はポルトガル、もっと厳密に言えばルーススの息子たちだからだ」。よって、『ウズ・ルジアダス』は捏造された権力の作品、つまりローマ人、カロリング朝の人々、イギリス人の地位とならぶよう、国家と文化全体を高めるために作られた「物語」だということになる。

ヴァスコ・ダ・ガマは一度だけインドに航海し、翌年リスボンに戻り、二度とアジアに冒険に出かけることはなかった。叙事詩『ウズ・ルジアダス』の英雄としての彼の役割は、歴史上のささいな役割とは釣り合いがとれない。カモンイスの作品の魅力は、主人公であるダ・ガマよりも、むしろ「大航海時代」やアジアの広大な未知の世界に対するカモンイス自身の洞察力にある。彼が叙事詩で扱った航海は、東アフリカ沿岸やインドへの海路の一部に限定されている。前世紀に行われたそのポルトガルの準備段階とインドを越えての進出という背景があってこそ、『ウズ・ルジアダス』は映えるのだ。

ポルトガル人がインドを越えて進出した話が魅力的であることは、今日のマレーシアのマラッカを見れば歴然としている。マラッカでは今も、繁栄したポルトガル系社会で、5世紀以上前にもたらされた言語と文化が守られている。そこには1511年の包囲攻撃の名残りはほとんどなく、アルブケルケの船から発射されたグラナイトの砲弾がときおり庭や道路の隙間にひょっこり出てくる程度だ。だが、マラヤ大学の書店に残されている『マラッカの征服 *The Conquest of Malacca*』の最後の貴重な1冊がアルブケルケの重要性を物語っている。これは1624年に出版されたフランシスコ・デ・サ・デ・メネセスによる叙事詩の翻訳書で、わたしがこの本を見つけたのは1988年だった。訳者のエドガー・ノールトンが1962年にマラヤ大学図書館の立ち入り制限されている書庫でポルトガル語の原書の貴重な写本を発見したという話を聞いていたため、そこへ行ってみたのである。黄ばんだページをめくり、古めかしいポルトガル語の節をいくつか書き写しながら、この第3版が出版されたリスボンから遠く離れたマラヤまでどうやってやってきたのかと感慨にふけった。今日、ポルトガルのオリジナルはほとんど知られておらず、忘れられたも同然で、最後に出版された1779年版もノールトンの1970年の翻訳版も、絶版になって久しい。

『ウズ・ルジアダス』が出版されてから『マラッカの征服』が出版されるまでの52年間に11編の叙事詩が書かれたと文献にはあるが、みなとっくの昔に忘れ去られてしまった。ノールトンは次のように述べている。「『マラッカの征服』は、ポルトガルの英雄叙事詩のなかでカモンイスの『ウズ・ルジアダス』に次ぐ優れた作品といわれることもある。［中略］前に発表された詩の続編だとも考えられる」。詩としてはペトラルカ、アリオスト、タッソーの影響が見られるが、内容は『ウズ・ルジアダス』によって橋渡しされた古典の叙事詩の影響が色濃い。『マラッカの征服』は学問の女神ムーサへの祈りから始まり、天使から神がかった支援も受ける。アルブケルケのペルシア湾での軍事行動やゴア征服についての回想談は『オデュッセイア』や『アエネーイス』や『ウズ・ルジアダス』の回想談を思わせる。アスモデウスが嵐でアルブケルケの進軍を遅らせ、凶暴な敵を差し向けるところは、『オデュッセイア』のポセイドンや、『アエネーイス』のユーノとの対立に酷似している。オデュッセウスやアエネーアスの冥界への旅と同じように、アスモデウスはマラッカで対抗勢力を結集させようと地獄へ降りて行く。聖書（続編または外典）に登場する地獄の7人の悪魔のひとり、アスモデウスが敵役として登場するのは、アルブケルケの任務が神に認められたものである証だ。ポルトガルが将来成功するという予言は、ローマはやがて偉大な国になると告げる『アエネーイス』の予言を想起させる。征服の目的は、マラッカを砲撃してポルトガルの旗を掲げることで達成される。道中繰り広げられる副次的な多くの恋物語は、『オデュッセイア』に登場するセイレンやカリュプソのエピソード、『アエネーイス』におけるディードとアエネーアスのロマンスに似ている。

カモンイス同様、デ・メネセスはウェルギリウスの影響を受けたことを、冒頭の「わたしは歌う、戦いと、そして偉大なる騎士を」という言葉で示している。けれども、彼の物語は、一貫してキリスト教という枠組みのなかで語られている。そこにあるのはおもにキリストの死、エルサレムの破滅、神の選択だ。アルブケルケを「ポルトガルのヘラクレス」と形容したり、キュテレイアとアドニスの愛にさりげなく触れたりする部分は、神聖な運命を積極的に表現するというよりは、むしろ装飾的な引喩である。天使ミカエルが「星明かりの空」の下に彼らを導き、「貪欲な土星の緩慢な球体［中略］残酷な火星［中略］心臓のように中心で支配する光輝く太陽、それから金星と水星、地球にもっとも近い月」を通り過ぎる。明らかに、ローマの神々は、コペルニクスとガリレオが新たに唱えた天動説にしたがって惑星に格下げされた。

ポルトガルのどちらの叙事詩も、文学という様式を通じて国家と帝国の捏造された権力を誇示し、古典やキリスト教の神話と引喩を利用して、大航海時代のポルトガルの偉業を称賛している。古典叙事詩の背景は結局、『マラッカの征服』でキリスト教の背景に置き換えられた。それは、征服をたたえる美辞麗句の背後に隠された目標や目的――探検に続いて、ポルトガル、スペイン、フランスに征服されたアジアと南北アメリカの土地で行われたイエズス会によるキリスト教化の取り組み――をわたしたちに思い出させる。征服とキリスト教化の結合は、アジアにおけるイスラム教徒の敗北とあいまって、デ・メネセスの詩の最後の節に明確に語られている。

敬虔な心を持つ比類なきアルブケルケは大勝利を収めた。彼はただちに聖堂を捧げようとした。暴君のような支配を続けていた悪魔からモスクを奪ってキリストに捧げて浄化し、マルス神の信仰に屈辱を与えた。彼は心からの感謝を捧げ、神聖な誓いを立てた。そして名誉の戦死を遂げた者たちを手厚く葬った。

神に捧げられた聖堂はマラッカの中心街にある聖ペトロ教会で、500年以上経った今もカトリック信徒のために開かれている名所である。

27 デガナウィダとイロコイ連邦

もしかすると、法典を作った人物のなかでもっとも知られていないのは、「イロコイ連邦」と「大いなる平和の法」の伝説の作成者、デガナウィダかもしれない。コロンブスが新大陸に上陸する前、合衆国北東部のアメリカ先住民の部族間には、「大いなる平和の法」にもとづくすばらしい民主主義制度があった。ヨーロッパをはじめとする世界各国が君主による専制政治下で苦しんでいた時代に、いくつかの部族がまとまって連邦を形成していたのである。部族の代表者を最終的に決定するのは女性だった。15世紀において、世界でもっとも進んだ政治体制だったことは間違いない。デガナウィダにまつわる伝説では、彼がひとりでその制度を作り上げたことになっている。その見解に沿って、人類学者ルイス・ヘンリー・モーガンは、連邦と法は「徐々に作られたのではなく［中略］法の制定に向けて続けられたひとりの人間の長年の努力が形になったもの」ではないかと述べた。この主張は立証が困難なうえ、一般的な法制度の発展のしかたにもそぐわない。それにもかかわらず、成立した年代についてさまざまな説が唱えられた。連邦の創設時期についての学者の意見は、14世紀後半から15世紀にかけてという説に収まった。ところが、連邦と法が英語の文書としてまとめられてまもなく、ウィリアム・キャンフィールドが１４５１年の日食と制定時期を結びつけた。インディアンの学者ポール・ウォレスも同意見だった。ディーン・R・スノーは証拠となる文献を調査した。バーバラ・A・マンとジェリー・L・フィールズは天文学的な関係を再調査した。結局、アメリカ先住民の学者によるその後の調査では、１４５０年ということで落ち着いている。しかしながら、「大いなる平和の法」の最初の文書版を作成した、オンタリオ州ブラントフォード近くにあるシックス・ネイションズ保留地の連邦評議会は、もっと早い１３９０年を提唱し、のちに制定５００年記念メダルを製作している。連邦と「大いなる平和の法」についてもっとも徹底した研究を続けてきたカヤネセン・ポール・ウィリアムズは、「客観的に証明できる連邦創設日はない。［中略］ヨーロッパとの接触する前から連邦が存在したということだけで［中略］十分だ」と結論づけている。

数十年前、ポール・ウォレスが単一の日付という概念を離れて、連邦の「構築にはもっと長く、つまり何十年、あるいは何世代もかかった」と主張した。内部証拠からは、進展に長期間を要したことがうかがえる。この多部族連合の手続き、関連儀式、法の価値を高める一群のシンボルには、きわめて奥深い文化的ルーツがある。いつ始まり、完成までどれほどの時間がかかったにせよ、ヨーロッパ人が最初に接触したときには、イロコイの5部族（セネカ、カユーガ、オノンダーガ、オナイダ、モホーク）の連合はしっかりした形をとり、のちに6番目の部族（タスカローラ）がくわわって、当時の他国の政府の何世紀も先を行っていた。連邦がどのように生まれたかは少なくとも４００年はわからないままだった。１９００年になって、その伝説的な誕生の物語がようやく明らかになり始めると、連邦を作ったひとりの英雄の姿が浮かび上がった――デガナウィダである。ギルガメシュやモーセや釈迦と同じように、何度も繰り返し語られるうちに物語が成長したに違いない。やがて、驚異的な力を持つ彼が、連邦と法をひとりで作り上げたことになった。デガナウィダの伝説は今も変わらず、イロコイ族にとって重要な「力の物語《ナラティブ・オブ・パワー》」であり、彼らは先祖代々の土地から遠く離れた12の居留地に散らばった今でも、この偉大なる創始者を崇敬している。

イロコイ連邦と「大いなる平和の法」の考証はアメリカの植民地時代に始まった。アメリカ先住民に関心を抱いた初期の作家のなかでも、キャドワラダー・コールデン（1678～1776）は、本格的な歴史研究に着手した最初の人物としてきわだった存在だ。彼は晩年の10年間に副総督を務めたニューヨーク州の先住民に関心を寄せていた。40年前にイロコイ連邦の最初の植民地代表を務めたことがきっかけとなって、彼は『インディアン5国の歴史 *The History of the Five Indian Nations*』（1727）を著した。その後、北部ではフランスと、南部ではイギリスとイロコイ族との通商摩擦が起こったため、コールデンは第2部（1747）を追加している。一連の動きはイロコイ族がイギリス側についてフランスと戦ったフレンチ・インディアン戦争（1754～63）の発端にもなった。イロコイ族の偉業についてのコールデンの認識は、著書の冒頭にある3ページの概要「5国の統治形態についての見解」に示されている。彼の執筆の動機は、イギリスと先住民の関係を円滑にするにあたって、イロコイ族の統治機関がどのような働きをしているかを、植民地の役人に知らせることにあった。

著書の序文で、コールデンは自分がアメリカ先住民にどれほど感銘を受けたかを明らかにしている。彼は「インディアンの才能」に触れ、「インディアンの雄弁さを正しく表す」べく、豊富に彼らの言葉を引用すると表明している。彼らは「会話のなかで多くの比喩を使い」、「その生き生きしたイメージによってわたしたちの感情を強く揺さぶる」とも述べている。こうした所見が先触れとなって、現在のわたしたちはホーデノショーニー（ロングハウスの民）のカイアネレコワ（大いなる平和の法）を、比類なき政治文書であるだけでなく、大きな文学的価値があるものと認識するにいたっている。コールデンは「大いなる平和の法」には触れていない。彼の時代には、この法は記憶と口承のなかにのみ存在していたからだ。文書化されたのは2世紀以上あとのことである。彼の認識は現地での観察から得たものだった。イロコイ族は5つの「国《ネイション》」からなり、それぞれが「3つの仲間の部族《トライブ》」で構成されていて、「カメ、クマ、オオカミといった紋章やシンボルを持っている」。「各国は絶対的な共和国」で、「サチェムつまり首長あるいは長老が治める。その権威と権力を支えているのは、彼らの知恵と高潔さに対する国内のほかの人々の評価である」。この制度では武力は用をなさない。「名誉と尊敬が一番の報酬で、恥と軽蔑が罰である」。制度は非常に民主的だった。もっともコールデンはその言葉を使ってはいない。「首長と族長は、一般に普通の人々よりも貧しい」。戦利品はみなに分配されるからだ。指導者の身勝手さは権威の失墜につながる。最後にコールデンはこう述べている。「すべての国にかかわる、重要な結果をもたらす案件は、各国の首長の総会で処理される。これらの会議は一般に、5国のほぼ中央に位置するオノンダーガで開かれる」

コールデンが『インディアン5国の歴史』を出版したころ、イロコイ族の「大いなる平和の法」は植民地の著名人に注目されるようになっていた。そのなかにはベンジャミン・フランクリン（1706〜90）、続いてトマス・ジェファーソンやジョージ・ワシントンがいた。植民地にとって、ニューイングランドの西部辺境を支配していたイロコイ族は、領土、通商、条約についてもっとも多く議論した相手だった。18世紀初頭には、イロコイ族の一部の族長が英語を習得していたため、条約を取り決めるためにイロコイ族の代表団がフィラデルフィアに協議に赴くことも多かった。植民地の公認印刷業者だったベンジャミン・フランクリンも出席し、植民地全体に広めるために交渉と決定事項の要約を印刷した。部族の意思決定の手順がしっかりしていたイロコイ族の族長たちは、議論の準備を万全に整えていた。一方の植民地の支配者たちは、事前に方針を統一しておくべきなのに、議論中に異なる見解を述べることもあったという。フランクリンは1744年にランカスターで開かれた条約会議に同席していたが、その際、イロコイ族の族長カナッサテゴが植民地の支配者たちをやんわりと非難した。「わたしたちの聡明な祖先は、5国間に団結と友好をもたらした。そうしてわたしたちは畏れ敬われるようになった。近隣の国にとってたいへん重要で、大きな権威を持つ存在となった。わたしたちは強大な連合である。あなたがたもわたしたちの聡明な祖先がとったものと同じ方法にしたがえば、同様の強さと力を得ることができるだろう」。その言い回しが正確なものか、それともフランクリンがいくらか手をくわえたのかはわからないが、独立宣言より30年ほど前に、フランクリンはばらばらの植民地が目指すべき方向をカナッサテゴから十分に学んでいたことになる。見たところ、フランクリンはイロコイ族の連邦制度を理解しようと、可能な限りの努力をしたようだ。
イギリスの政策が独立を決意した植民地の人々をいらだたせ、侮辱し、ときに痛めつけていた1750～60年代にかけては、さまざまな集会が開かれていた。1750年のオールバニの集会は不満が残るものだったようだ。ジェームズ・パーカーに宛てたフランクリンの手紙にもそれが表れている。

無知な野蛮人からなる6つの国があのような連合を結成でき、長年にわたり存続可能な方法でそれを遂行し、分裂する様子もないのに、10ないしは12のイギリスの植民地で同様の連合が実現困難だというのは妙なことだ。そうした連合は植民地にこそ必要で、利点もずっと多いはずである。

イロコイ族と植民地の著名な指導者たちとの関係は、ブルース・E・ヨハンセンによって詳細に研究されている。「大いなる平和の法」がベンジャミン・フランクリン、ジョージ・ワシントン、トマス・ジェファーソンに与えた影響を彼が整理分析したことで、この法がアメリカの政治制度の構築にどれほど影響を与えたかが認識されるようになった。合衆国憲法成立200周年を記念する議会決議第331号（1988年10月18日）では「イロコイ連合と他のインディアンのネイションが合衆国の成立と発展に貢献したこと」が認められている。
コールデンの『インディアン5国の歴史』は19世紀に入ってもなお、イロコイ連邦に関する重要な文書資料とみなされていたが、連合を作った伝説的な人物については、アメリカの入植者たちは名前しか知らなかった。けれども、連邦についてさらなる研究が進むと、コールデンのおおまかな見解が、ルイス・ヘンリー・モーガン（1818〜81）によって大きく拡大された。モーガンは有能な弁護士であるとともに独学で社会理論を学んだ人物で、1879年にアメリカ科学振興協会の会長を務めていた。彼がデガナウィダの話を耳にしていたとわかる一文がある。「ダ・ガ・ノ・ウェ・ダの名は連邦の創設者として、そしてホー・デ・ノショー・ニー［ロングハウスの人々］の最初の立法者として、伝承に残っている」。1867年には歴史家のフランシス・パークマンが、イロコイの伝統の影響を受けた言葉を用いて、デガナウィダは「地上に人間の姿で現れた天の存在で、イロコイ族に助言して対立を収拾し、防衛と攻撃の両面で連邦として団結させた」と言及している。

5国の分裂から1世紀を経て書かれたにもかかわらず、モーガンの『イロコイ連邦 *League of the Iroquois*』（1851）は今でも重要な文献として参照されている。これはニューヨーク州フィンガーレイク近郊のカユーガ族の土地だった場所にモーガン一族のルーツがあり、かつてモホーク族が居住していたスケネクタディのユニオンカレッジで彼が一般教養を学んだことと関係している。モーガンは司法修習でイロコイ連邦の構造に関心を抱き、それに打ち込んでいるうちに、「イロコイ教団」、「大イロコイ教団」、「新イロコイ連合」といった一連の研究団体の会員になった。各団体が先住民のスピリチュアルな存在を記憶にとどめようと試みていたため、彼は精神的な親近感を深く抱くようになった。明らかに彼はイロコイ連合を叙事詩的にとらえており、『イロコイ連邦』における彼の非常に文学的な描写からも、そのことが十分にうかがえる。彼の説明には、感嘆と熱意がありありと浮かび上がっている。

連邦の一般的な特徴をどこから精査しても、美しく、みごとな構造だといわざるをえない――インディアンの立法行為の勝利だ。［中略］平和そのものが、創設者たちが目指した究極の目的のひとつだった［中略］前進していく過程で彼らの帝国は拡大し、わが共和国の半分を彼らの連合で取り巻くまでになった。

モーガンは序盤の章で、イロコイ族がセントローレンス川の北にあったかつての故郷について記憶していること、その土地に関心を持ち続けていること、そしてアディロンダック山地北部の部族との対立が継続していることについて述べている。これらはみな、1609年のモホーク族との出会いに関するサミュエル・ド・シャンプランの図版入りの報告も含めたフランスの記録をもとに調査されている。モーガンの関心は次に政治構造へと移る。それは「個人から部族へ、部族から国へ、国から連邦そのものへと、彼らの民および社会のシステムを通して存続してきた一族のきずな」にもとづいており、「そのきずながひとつの共通する不滅の兄弟愛で彼らを結びつけていた」。モーガンは各国で任命されるサチェムと呼ばれる指導者たちについて、また、5つの国それぞれの体制が連邦の体制になめらかに引き継がれる方法についての研究に多くの時間を費やした。彼はイロコイの「国と連邦の関係は、アメリカの州と連邦国家の関係とほぼ同じである」

――まさしくアメリカがイロコイ連邦の影響を受けている証――と述べ、「サチェムの集まりであるホ・ヤル・ナ・ゴ・ワルという言葉の語源は、［中略］簡単にいえば『民の相談役』を意味するもので、支配者にふさわしい美しい称号だ」と述べている。注目すべきは、イロコイ族が「ひとりの人間に権力が集中する」のを避けたという点だ。モーガンは狩猟経済を社会進化における文明化以前の段階と考えていたため、このことに驚嘆している。同様にフランシス・パークマンはイロコイ族を「インディアンのなかのインディアン、まったくの未開人だが、洗練された先進的な未開人で、おそらく狩猟者という原始的な状態から脱することなく到達しうる最高の高みに達した例だろう［中略］彼らの組織と歴史は、彼らにもとから備わっている優位性を立証している」と述べている。ハーヴァード大学の歴史学教授が惜しみなく高評価を与えている。

「大いなる平和の法」が成文化したのはさらに半世紀後のことだったが、制定は1390年だったと推測されている。成文化への関心が、ホレイショ・ヘイルの著書『イロコイの儀式の書 *The Iroquois Book of Riids*』（1883）によって促されたことは間違いない。この本は当時まだ広くは理解されていなかったアメリカ先住民の精神性について概説している。イロコイ族の「オレンダ」（魂）についての考え方を研究したJ・B・N・ヒューイットが、オレンダは主要な「宗教定義」の構成要素だと示唆するまでには、さらに一世代を要した。

19世紀の終わりに、イロコイ連邦協議会が「大いなる平和の法」と代々口承されてきた歴史を英語で書き残すことを提案すると、イロコイ族の組織構造に関心が向けられるようになった。各部族の族長が口述したものを副族長のひとりが書き写し、タイプして完成した歴史書は、1900

年7月3日に承認された。気を利かせて新世紀が始まる年のアメリカ独立記念日までに仕事を完遂することを目指したのだろう。「大いなる平和の法」と「デガナウィダの伝説」の2つのタイプ原稿は、カナダ・オンタリオ州のシックス・ネイションズ保留地に預けられ、10年間そのままになっていたが、1910年に再び注目されるようになった。モーガンが巧みに要約し、パークマンがその実践を称賛したこの法は、注釈つきで1911年の「カナダ王立協会の活動および紀要」に発表された。その後まもなく、セネカ族のアーサー・C・パーカーとオノンダーガ族の族長セス・ニューハウスが、印刷された文書をもとに初めて完全な解説を行い、ニューヨーク州立博物館の公認考古学者であるパーカーが、「大いなる平和の法」を編集してニューヨーク州立大学から紀要184号（1916年4月1日）として発表した。

「大いなる平和の法」そのものは、すばらしい文書だ。これは1971年にニューヨーク州オンチオタにあるシックス・ネイションズ博物館のモホーク族芸術家ジョン・ファデンによる挿絵入りで再版され、新たな命を吹き込まれた。そこでは、族長たちがかぶるシカの枝角、平和を示す白い松《ホワイトパイン》、協議会で焚かれるかがり火と火の番人をつとめるオノンダーガ族、連合の力を象徴する結びつけられた5本の矢、ワンパムビーズ（貝殻で作ったビーズ）を通した5本の糸など、独特なシンボルを用いて抽象的な概念が描写されており、文学としても高く評価されている。創建期の法律文書である「大いなる平和の法」には、「ハンムラビ法典」、「アショーカ王の碑文」、ヘブライの「十戒」、「マグナ・カルタ」、「合衆国憲法」をもしのぐ文学的芸術性がある。

イロコイ連邦は18世紀にはよく知られるようになっていたが、デガナウィダの伝説は20世紀まで知られないまま、イロコイ族のあいだだけで語り継がれていた。イロコイ族のロングハウスで物語を口承するのは通常冬期で、植民地の人間がもっとも訪れにくい時期だった。1911年に発表されたものは今日ではほとんど知られていないが、かなり要約されたものが今でもときどき出されている。パーカーは著書『セネカ族の神話と伝説 *Seneca Myths and Folktales*』に「ロングハウスの起源」という要約版を収録した。マーゴット・エドモンズとエラ・C・クラークは、「デ・ガ・ナ・ウィ・ダとハイアワサ」という大筋を変えずに改作した短編を著した。この伝説はネルソン・グリーンが発表した異本で認知度が高まったが読まれた時期は短く、その後、チェロキー族のトマス・サンダースとナラガンセット族のウォルター・ピークが初めて文学作品として再版した。ポール・ウォレスは『イロコイ族の生活　平和の白い根 *The Iroquois Book of Life: White Roots of Peace*』（1946）で入念な学術研究を行い、物語を幅広く描き直している。こうして文書化されたさまざまな作品が登場したことで、この創設の伝説が、精神的な指導者や法規範の創始者をめぐるほかの物語と同じく、アメリカ先住民の「力の物語」であることがわかってきた。

伝説によると、イロコイ連邦の創設には芝居にでも出てきそうな3人の重要人物がかかわっている。哀れな裏切りの犠牲者ハヨンワサ（ハイアワサ）、邪悪な人食いのアドダルホ、そしてモホーク族の族長デガナウィダだ。デガナウィダはその誕生、生涯、功績、そして今日までイロコイ族のあいだで崇敬されてきた地位ゆえに、人知を超えた英雄として扱われ、彼の伝説は「大いなる平和の法」とともにアメリカ初の、そしておそらく唯一の叙事詩になったのだと、サンダースとピークは論じている。その伝説にならぶものは、レザーストッキングにまつわるジェームズ・

フェニモア・クーパーの5巻の小説、あるいはウォルト・ホイットマンの『ぼく自身の歌』くらいだろう。デガナウィダの物語について論じるとき、奇跡や、自然を超越した要素が列挙されるのは、現実的でもっともらしい伝記と、叙事詩に必ずともなわれるパターンとを切り離すことができないからだ。彼については、伝説以外の「一般的な話」は存在しない。『オデュッセイア』、『アエネーイス』、『ウズ・ルジアダス』で見てきたような叙事詩に共通するテーマを抜き出している学者の徹底的な最新の分析でも同じ結論が出ている。英雄は理不尽な障害に繰り返し直面し、崇高な力でそれを乗り越える。そして彼には家族が持つ一体感を多部族へと拡大していくという確固たる理想がある。そうしたテーマから生まれたのが「大いなる平和の法」だった。

伝説によると、デガナウィダは「美しい湖の北」(「輝く水の湖」と呼ばれるオンタリオ湖)、クインティ湾近くのヒューロン・インディアンの町カ・ハ・ナ・イェンで生まれた。北部に故国があったとするイロコイ族の伝承は歴史に裏づけられているため、デガナウィダの出生地にまつわる言い伝えはその初期の伝承の名残だと思われる。ヒューロン族とイロコイ族が犬猿の仲だったのは、イロコイ族がヒューロン族の領土を「ねじれた舌の土地」と呼んでいたことからも明らかだ。デガナウィダの母親は奇跡によって身ごもる。誕生を待つあいだ、彼女は夢で、赤ん坊をデガナウィダと名づけるよう告げられる。「ふたつの川がひとつになる」という意味を持つその名は、彼がのちに達成することになる部族連合の暗示だ。赤ん坊はやがて「火打石の民」(モホーク族)の地、それから「多くの丘のある国」(イロコイ族)を訪れ、そこで「大いなる平和の樹」を育てることになるという。これまで見てきたように、予知夢はモーセから釈迦やイエスにいたるまで、創始者の伝説によく登場する。

奇跡はさらに続く。母親は父親の名をいうことができない。自分は処女だというのである。それを聞いた祖母は「大いなる厄災」を恐れる。サンダース・ピーク版では、赤ん坊を溺れさせるべきだと祖母に助言された母親は、氷に開けた穴から赤ん坊を2度落としてみるが、失敗に終わる。翌朝になると赤ん坊が母親の懐に戻ってきているのだ。これらはどう見ても架空のできごとで、歴史的事実はひとつとして抜き出せない。彼の生涯を描こうとすると、ダンカン・スコットがやったように、明らかに架空のできごとを伝記の代わりに繰り返すしかない。さまざまな宗教の教祖の特徴とまったく同じである。赤ん坊を溺れさせる3度目の試み（今回は祖母が行った）も失敗に終わり、ふたりは赤ん坊がやがて偉大な人物になると認めるにいたる。

伝説は20世紀まで文書化されていなかったため、影響や出典は特定できない。17世紀にはイエズス会がこの地域に入っていたため、奇跡の誕生の物語に宣教師の影響がなかったとはいえないが、赤ん坊を溺れさせようとする話はまったく固有のものである。旅立ちに際して、デガナウィダが白い石で作ったカヌーでオンタリオ湖を渡るところも奇跡として描かれているが、ほかの文化に類似したエピソードはないように思われる。また、彼が不死身であることをモホーク族に示すエピソードも独特だ。彼はみずから進んで大木に登り、それが切り倒されて、モホーク族は彼が峡谷に落ちるところを見る。ところが、彼は無傷で生き延び、その先の超人的な地位を揺るぎないものにした。しかしながら、デガナウィダはその後、伝説が高尚な力の物語であることを決定づける、圧倒的な技を披露することになる。

伝説にはほかにも何人かの登場人物のサイドストーリーが含まれる。連邦の成立以前、イロコイ族は内部で抗争を続け、互いの居住地を襲っていた。サンダースとピークは次のように語っている。

激しい嫉妬と流血への欲望。［中略］いたるところに命の危険があり、いたるところに死の悲しみがあった。身を挺した男たちはぼろぼろになり、女たちは火打石で傷つき、いたるところに嘆きがあった。他国との不和、兄弟国との不和、姉妹町との不和、家族間あるいは一族間の不和のせいで、すべての戦士は人目をはばかり、好んで人殺しをする者たちになった。

ここで描かれている内容は、分析的というよりは文学的だ。混沌とした状況は南の湿原の葦に隠された場所に住む「邪悪な男」に象徴されている。その詳細からは、文明化されたイロコイ族がどのようなものを原始的な生活と見ていたかがわかる。男の体は曲がり、頭髪はからまり、「身をよじる生きた蛇で体を飾る」ところは、まるでギリシア神話のメデューサだ。さらに、男は生肉と人肉を食らう。このひどく不快な登場人物、アドダルホは、他者を殺す術を使える魔法使いである。彼は人間が文明化された法規範を確立する前の未開人の状態を象徴しており、彼がイロコイ族を支配するということは、世界が不安、危険、暴力に満ちるということだった。

アドダルホと対をなすのが、オノンダーガ族の族長ハヨンワサで、ロングフェローの詩『ハイアワサの歌』に登場する空想にふけりがちな頼りないヒーローと同名だが、詩の主人公には勇ましさのかけらもなく、神聖な歴史から逸脱するとして、イロコイ族のだれもがこの詩をひどく嫌っている。伝説では、ハヨンワサは思ったことをずけずけいうが純真な人物で、邪悪なアドダルホに立ち向かい、彼を文明人に変えようとする。ハヨンワサは仲間に協力を求めるが、3度征伐に失敗する。そのとき「ある偉大な夢想家」が登場し、モホーク族のなかにもうひとり指導者がいる、その指導者とハヨンワサが手を取り合えば邪悪な野蛮人を倒すことができるだろうと断言する（ここではデガナウィダと名指しはされない）。問題はハヨンワサに7人の娘がいたことだった。娘たちをとても愛していた彼は、家を離れようとしない。だが、それではモホーク族の指導者を探し出す旅の実現は絶望的だ。そこで、村人たちは名高いシャーマンのオシノを雇い、ハヨンワサの娘たちが次々に死ぬよう仕向けた。ハヨンワサの家族全員を死なせ、すべてのしがらみを断って、彼が心置きなくモホークの英雄を探しに行けるようにしたのである。

ハヨンワサはひどく嘆き悲しんだ。彼はひとり森にこもり、「森の放浪者となって」、別の村に移ろうと決めた。そうして彼の孤独な眠れない夜が始まる。彼の長い旅は、永遠の命を探しに出るギルガメシュ、故国イタケに戻ろうとするオデュッセウス、追放されたトロイア人のために新たな国を建設しようと海を渡るアエネーアス、さらわれた王妃シーターを探してダンダカの広大な森に分け入るラーマの旅に似ている。いずれも大きな喪失を経験したあとに、よりよい何か――故郷、故国、充足感――を求める旅だ。こうしてハヨンワサの孤独な探究は、叙事詩の枠組みにはめ込まれた。彼は、なんとかして人々が置かれた状況をもとに戻す方法を探しながら、暗い森のダンテのように涙の谷（現世の苦難）をさまよう人間性の象徴である。彼は旅路の果てにモホーク族の国に到着する。ハヨンワサの身にふりかかった不幸を知ったデガナウィダは、彼の悲しみを和らげようとする。デガナウィダがビーズの糸の儀式を行い、祈りの言葉を口にすると、ハヨンワサの悲しみは取り除かれ、彼の心は晴れた。こうして英雄にふさわしい新たな側面があらわになった。デガナウィダはシャーマンの力をもつヒーラーでもあるのだ。

デガナウィダとハヨンワサはともにイロコイの部族が連合するための計画を立てた。ワンパムビーズは「大いなる法」の記録と各部分の覚書になった。部族の族長が着けるシカの枝角は、その地位を示す紋章だ。平和の歌が作られた。それからオナイダ族に使者が送られ、1年後、彼らも連邦への参加に同意する。このように時間がかかるのは、部族が十分な時間をとって熟慮するまではけっして決定は行わないという、古くからのアメリカ先住民の慣わしによるものだ。イロコイ族にとってしばしばこれは、すべての部族が中央の集会場所である「協議の焚火」に再集合するまで1年待たなければならないことを意味した。その1年後、オノンダーガ族が参加し、火の番人になった。さらに1年後にはカユーガ族が参加し、セネカ族は2年後だった。5年をかけて連合を達成した彼らは、次の段階、つまり「アドダルホを探し出す」ことを決意する。アドダルホは人間の暗く、暴力的かつ好戦的な側面を象徴しているように思われる。平和を築くためには、彼を制しなければならない。

邪悪な魔法使いをおとなしくさせるために、彼らはまず、変身して近づくことにした。戦士たちは鳥に姿を変えようと相談する。サギとツルが候補に挙がる。それからハチドリ、ハクツルやカラスと、人間の物語であるにもかかわらず、超自然的な力が次々に登場する。だが、それらの変身はどれも問題ありとみなされて却下される。鳥では追い返されてしまう、というわけだ。結局シカとクマに変身することになったが、任務は失敗する。原始的な本能と野蛮な行動を制することがいかに難しいかがそこに象徴されている。人肉を食らう敵に近づいておとなしくさせるには、もっと強力な方法を考えなければならない。やがて、戦士たちがデガナウィダの「平和の歌」を歌いながらアドダルホの炉端に歩いて行くことで、アドダルホを鎮めることに成功する。幾人もの戦士が歌ったが、彼らは間違えてしまった。最後にデガナウィダが完璧に歌うと、アドダルホの心はまっすぐになり、体は癒されて、彼を鎮めることができた。「平和の歌」は力の歌だ。

このドラマティックな「物語」の最終章は、連邦の創設である。女たちが選んだ族長が進み出る。彼らは頭に鹿角のかぶりものを置かれ、新たな名を授けられて承認される。「それからデガナウィダが、『大いなる平和』を築くためにハヨンワサと策定したすべての規則を復唱した。その後、5国すべてが集まった協議会でも、彼はそれを繰り返し、連邦が成立した」

「大いなる平和の法」の目的が争う部族に平和をもたらすことだとすれば、目的は達成されたように見える。実現した体制が幸運にもうまくいったおかげだ。4世紀にわたって口承され、この物語以外に内容を裏づける文書記録がないデガナウィダの伝説は、いにしえの教祖の「物語」に似ている。物語の最古の文字記録ですら、起源となった話とはあまりにかけ離れていて、歴史とその想像豊かに拡大された部分とを切り離すことができない。トマス・ヘンリーがデガナウィダを「荒れ野の救世主」と呼んだこともなんら不思議ではない。救世主はみな歴史というより神話に近く、自然を超えた次元の英雄でもなければ、この言葉をあてはめることなどできないと思われるくらいだからだ。

ためらいがちなスタート、尻込み、試行錯誤、そして挫折を繰り返しながら、おそらく数十年を要した連合体の出現は、豊かな想像力、奇跡の力、スピリチュアルな癒し、歌によって改心させる力、すぐれたレトリックを持つ英雄による意欲的な法制定という物語にまとめ上げられた。ここまで探究してきた一連の宗教創始者や立法者（ハンムラビ、モーセ、釈迦、義の教師、ムハンマド）のなかでも、デガナウィダの物語は人間社会の重要な側面、人間の普遍的特質を示すものである。指導者や社会が重要なことを成し遂げれば、そこが祝賀の中心になる。「力の物語」とは、その達成を祝うものだ。信仰は祝うという伝統を通してその功績を永続的なものにする。

28

ニューイングランド、清教徒たちのカナン

＊本節のイタリック体と太字（大文字）の言葉はすべて、筆者が引用した原典のとおり。強調のためにイタリック体と大文字を散在させたコットン・マザーの手法である。

1620年9月、約70人の分離派を乗せたメイフラワー号がイングランド南部から新世界に向けて出港した。彼らはヴァージニアの沿岸部に植民地を建設する勅許を携えていた。イギリス君主も入植者も、彼らがそこに定住する資格があると決めてかかっていた。これまで見てきたように、この思い込みは、南ヨーロッパのローマ・カトリック国から北の初期のプロテスタント国にまで広がる「発見の原則」に支えられていた。愚かにも9月に急ぎイングランドを出発した移民たちは厳しい気候にさらされることになった。11月、彼らがはるか北方に到着すると、ヴァージニア沿岸の上陸予定地には冬の嵐が吹き荒れており、しかも歴史家サミュエル・エリオット・モリソンが指摘しているように、持ってきた勅許はすでに失効していた。もし沿岸のアメリカ先住

民の部族が土地の占領と所有権とは同じものだと理解していたなら、イギリスで発行されたすべての勅許を無効としただろう。だが、所有権という概念はヨーロッパのもので、先住民にはそれに相当するものがなかった。

現在のケープコッド岬を数日間調べてまわったあと、これら分離派の人々はメイフラワー誓約を結んで自分たちの「市民政治体」を結成し、新世界初の恒久的なイギリス植民地を設立すべく上陸した。植民地は出発したイギリスの港にちなんでプリマスと名づけられた。10年後、定住勅許を持った清教徒たちの第一団を乗せたアラベラ号が北のマサチューセッツ湾に到着した。その後も続々と人々が上陸し、1641年までには移民が4万人を超えて、それから数十年のあいだにマサチューセッツ州東部のほぼ全域に居住区が作られた。こうした植民地化は15〜19世紀のヨーロッパ人によるアフリカ、アジア、南アメリカ、オーストラリアのそれと同じだったが、彼ら分離派と清教徒は自分たちを美化する一種独特な「物語《ナラティブ》」を作り上げ、それが残りの17世紀を通して飛躍的に発展することになった。その中心となる概念によって、彼ら入植者は、聖書の時代より絶えて久しい「神に導かれた英雄」の地位にのぼりつめたのである。

彼らがイギリスを出た動機は複数あるが、大半は宗教闘争からの逃避である。ドイツではマルティン・ルター、スイスではフルドリッヒ・ツヴィングリ、フランスではジャン・カルヴァン、スコットランドではジョン・ノックスなど、ヨーロッパ各地で、著名なプロテスタントが本格的な宗教改革に着手して、教皇権の正当性、聖人の増加にほのめかされる偶像崇拝、聖母マリア崇拝、ヨーロッパの大聖堂の過剰な装飾、典礼のあれこれについてローマ・カトリック教会に異議を唱えていた。ヘンリー8世によるイギリスの宗教改革は表面的でしかなく、中途半端だった。エドモンド・S・モーガンはヘンリーについてこう言及している。「個人としても教会としても清浄への熱意に乏しく、教皇不在の教会を維持する努力をしたくらいで、それ以外は何も変えず、プロテスタントでもなかった」

ヘンリーの非プロテスタント改革は王位と世継ぎにかかわる個人的な問題に端を発していた。24年にわたるキャサリン・オブ・アラゴンとの男児なき結婚生活のあと、ヘンリーは妃と王女メアリー（1516生）をキンボルトン城に追放する。教皇から離婚の承認を得られなかった彼は、国王至上法（1534）を通過させてみずからイギリス国教会の首長を宣言し、キャサリンとの離婚を画策して、アン・ブーリンと結婚してエリザベスをもうけた。ヘンリーの改革は神学的に不十分で、要所要所にローマ・カトリック教会の要素が多く残っていたため、メアリーの死後エリザベスが王位に就くとプロテスタントの少数派が声を上げるようになった。その会衆派教会の信仰の土台となったのは階層による支配の否定である。目標は彼らが軽蔑的に「ポーパリー（popery）」と呼ぶカトリック信仰の遺物が残るイギリス国教会を「清浄化する」ことだった。ゆえに彼らは清教徒と名乗った。しかし、父親から国教会首長の役割を受け継いだエリザベスはカトリック教会を容認する道を選び、国教会の変革を最小限にとどめた。あとから見れば賢明な選択である。45年にわたる女王の長い治世のあいだに宗教的対立はほとんど起きなかった。

イギリス国教会に満足できない一部の者は去り、分離派と呼ばれるようになった。けれども、清教徒はなんとしても改革を進める決意だった。彼らはジャン・カルヴァンの『キリスト教綱要』の厳密な神学に賛同し、自分たちを真の改革者と称した。必要なら国を出る覚悟もあった。1603年に非寛容で権威主義のジェームズ1世が即位したことがきっかけとなり、いくつかの分離派集団がオランダに移った。1607年にイギリスを出たスクルービー会派もそのひとつで、彼らはレイデンに分離派教会を設立した。

独裁的な宗教の新たな圧力に対抗するためには強力な神学的意見が必要だった。会衆派が持つ民主主義の意味を「深く哲学的に会得していた」とペリー・ミラーにいわしめたジョン・ロビンソンが、イギリス国教会と決別する根拠を示した。1610年の400ページにおよぶ論文『イギリス国教会から分離する理由 *A Justification of Separation from the Church of England*』で、ロビンソンは順序立ててそれを説明している。彼はイギリスの状況を批評し、「さて、成功している改革派教会とわれわれとの違いについてだが〔中略〕、〔大陸の〕改革派教会とイングランドの改革されていない教会のあいだに、どれほどの差があることか」と書いた。「正当に設立された教会、あるいは真の教会」から離れることは「好ましくない」としながらも、イギリス国教会の不正は目に余ると彼は考えた。清教徒は分離しなければならない。

主とその正しい裁きをおそれ、同胞に対する義務感から心を痛め、キリストの血で贖《あがな》われた自由が尊いと思う者はみな、不義の鎖と反キリストの絆を断ち切り、バビロンを出て、主の健やかなる道に足を置き、キリストが高い代償を払って贖った光と自由のなかを歩もうではないか。

旧約聖書がもとになっているバビロンというイメージは、バビロン捕囚の苦難とそれに続くエルサレム神殿の破壊（紀元前586）を思い起こさせる。ロビンソンはそこに、ヨハネの黙示録にある反キリストを追加してローマ人による迫害も含めている。ロビンソンの熱心な「出バビロン」の勧めは、清教徒が国を出て、ヨーロッパにあった好ましくない宗教的影響すべてから遠く離れて移住するきっかけとなった。スクルービー会派のレイデンでの宗教生活と礼拝は理想に届かなかった。彼らが選んだ道は新世界への勅許申請だった。ジェームズ王は喜んでそれを与えた。ヴァージニア憲章はすでに大西洋岸の広範囲の所有権を主張しているが、もうひとつくらいならイギリス人入植地を作る余地はある。そうして清教徒たちは、この移住を聖書の出エジプト記になぞらえ、新世界という「荒れ野へと船出」した。

プリマスのメイフラワー号入植者から生まれた清教徒の「物語」は、聖書で育まれた寄せ集めの方法論が手本になっていた。まずはミドラシュと呼ばれるヘブライ人の創作方法で、古いできごとを新しいできごとに反映させるパターン化だ。続いて登場するのがその新約聖書版ともいえる予型論で、パウロの手紙に出てくる予型と対型の概念にもとづくものである。信頼できる史料の編纂に照らせば、聖書では新たなできごとが古いできごとをまねて創作されているのだが、その順序を逆に解釈して、予型は預言、対型は預言の実現とみなされがちだった。プロテスタントの改革者たちが聖書をまぎれもない「神の言葉」という地位に高めたために、清教徒たちは、ミドラシュや予型論のパターンを含めて聖書の「物語」はすべて史実だと信じた。また、予型／対型、預言／実現という考え方を聖書後の時代へと拡張する下地は、初期キリスト教時代の教父たちによってすでに作られていた。トーマス・デイヴィスが記しているように、その考え方がその後の歴史の解釈法として定着し、フィロン、オリゲネス、アウグスティヌス、ヒエロニムスといった神学者によって擁護され、ウィリアム・ティンダル、マルティン・ルター、ジャン・カルヴァンによって宗教改革時代にも受け継がれていたのである。

　分離派がプリマスに上陸した10年後、ウィリアム・ブラッドフォード総督がみずからの管理下にあった人々の歴史の編纂に取りかかり、預言と実現を含め、絶え間なく神の意志が示される物語として形を整えた。その著作『プリマス・プランテーション、１６２０〜１６４７ *Of Plymouth Plantation, 1620-1647*』は分離派の移住と定住の歴史書だが、それについて記している文献はほかにはほとんどない。『殉教者列伝』を書いたジョン・フォックスに似た言葉遣いで、ブラッドフォードは「わが高貴なるイングランドの福音の光から初めて抜け出した」ことに触れ、祖国は「カトリック《ポーパリー》の暗黒がキリスト教世界を覆いつくしたあと、主が光を与えた最初の国々のひとつ」であると続けている。ヨーロッパでは１５１７年にはすでにヴィッテンベルクでマルティン・ルターの『95か条の論題』が発表されており、「光から初めて抜け出した」というブラッドフォードの主張には違和感を覚えるが、分離派が先に起こった教会改革すべてを軽視し、自分たちこそが最初の真のカトリック《ポーパリー》の征服者だと自負していたことを思えば納得がいく。物語の排他性は、悪魔《サタン》はすべての非道な行為を「聖徒」に向けたが、当然のことながら「福音の主たる真理に対してそのような手段で打ち勝つことはできなかった」という主張にも表れている。ブラッドフォードによると、サタンの武器は「元始のキリスト教徒に用いられた古代の策略」、つまり「異教徒の皇帝たちによる残虐で野蛮な迫害」だ（おそらくローマ人によるキリスト教徒迫害を指す）。しかしこれらが失敗に終わり、サタンは「過ち、異端、驚くべき不和〔中略〕苦い論争〔中略〕ひどい混乱〔中略〕不埒な儀式〔中略〕無益な規範や法令の種をまき始めた」。清教徒を新たな「選民」とする「物語」も、これほど巧妙に作り上げられた「物語」の前では霞んで見える。ここで語られているのは、きわめて邪悪で、清教徒の神の国を滅しかねない敵対勢力だ。

こうして、清教徒の架空の物語は、福音の光と、サタンの邪悪で破壊的なもくろみのあいだの壮大な対決の様相を呈した。サタンの策略は、ローマ・カトリック教会のみならず、イギリス国教会が維持していた誤った礼拝にもおよんでいた。改革後の国教会に、中世から引き継いだ過剰な儀式や装飾の多くが残っていたことの表れである。この戦いの英雄は「反キリストの結束のくびきを振り落とし、主の自由な民として（主との契約によって）教会に入った」者たちだとブラッドフォードは明言する。「契約」は含みのある言葉で、ヘブライ人を彼の選民と定めたアブラハムのヤハウェとの契約を思い起こさせる。ブラッドフォードはこうして、新世界のプリマスに新たな「選民」を定める「物語」の指針を作った。かつてオランダで成就しようとしたその理想は、教会や教義や信条の堕落が始まる前の、最古のキリスト教徒の善良さに戻ることだった。

神と神の道に対する人々（ともにあるかぎり）の真の敬虔さ、謙虚な熱意、燃えさかる愛、そしてひたむきさや互いへの誠実な慈しみの心があったからこそ、彼らはその地位と資質にふさわしく、のちのいかなる教会も成しえなかった、手本とすべき元始の教会の様式に近づいたのである。

ブラッドフォードが総督時代を通して彼の歴史書に記したように、清教徒は神に与えられた、不滅とも思われる「力の物語《ナラティブ・オブ・パワー》」を手にしていた。事実というより作り話であることがよくわかるのは、彼の民が「手本とすべき元始の教会の様式」にしたがって生きていたという主張である。この様式が何であるかはいまだにわからない。新約聖書には実質的に何の手がかりもない。新世界の巡礼者が「元始の教会」の暮らしをしているとブラッドフォードがいくら信じようと、それは彼の時代の宗教的フィクションであって、キリスト紀元から最初の数世紀に起源があるのではない。

ブラッドフォードは書いている。彼の民は「世界の果てにキリスト王国の福音を普及、促進するための十分な土台、あるいは少なくともそれにつながる道を作るという［中略］大いなる希望と内なる熱情を」抱いていた。「たとえ、自分たちがかくも偉大な仕事を成し遂げるための踏み台にすぎないのだとしてもだ」。「偉大な仕事」とは先住民を首尾よくキリスト教化することかもしれないし、自分たちの清浄化された教会が先例となって、やがてヨーロッパに広がり、より完全な改革を鼓舞することかもしれない。ブラッドフォードが描いたヴィジョンは神の王国を築こうとする空想物語だが、彼の歴史書にあるさまざまな逸話からもわかるように、そのヴィジョンは詳細ではなく大きな枠組みで人を感化する類いのものだった。大西洋を渡る航海の途中で、彼は

「神の摂理が働いた特別な例」の最初のひとつを書き記している。乗客を責め立てて罵倒し、船外に放り出すと脅した高慢な若者が当然の報いを受けた。「神は喜ばれた。航海が半分ほど進んだかというころ、若者がひどい病気にかかって悲惨な最期を遂げ、結局は自分が海に投げ込まれた最初の人間となった」。当然の報いと主張する話の例にもれず確固とした証拠はないが、「物語」というものはけっして客観的ではなく、たいていは主観的な思い込みだ。次のページでブラッドフォードは、明らかに乗客に好かれていたもうひとりの若者の話を書いている。彼は偶然、船外に投げ出された。「神は喜ばれた。若者が帆のロープをつかんだのだ」。若者は引き上げられて助かった。のちに新世界に上陸してから、彼はさらにひとつ「神の特別な摂理」を取り上げている。うち捨てられた先住民の家を見つけるとそこにトウモロコシと豆があり、翌年に蒔く種が手に入ったのである。

失敗に終わった神の摂理は彼の話には登場しない。たとえば、神の導きにより彼らがタイミング悪く9月にイギリスを出て11月に到着したという話がそうだ。この時期は自分たちの種を蒔いて育てるには遅すぎ、冬に適したシェルターを建てるにも遅すぎた。この神の失敗は「はなはだ悲しく嘆かわしい」できごとにつながる。冬を越すあいだ、「おもに1月と2月に仲間の半数が死亡した。真冬だというのにろくな家も生活必需品もなく、長い船旅と劣悪な居住環境による壊血病などの病気が彼らを襲った」。摂理は必ずしも清教徒たちに都合よく働かないが、都合さえよければ矛盾するできごとの説明にさえ登場する。たとえば、新天地では多くの清教徒が命を落としたが、ウィリアム・ブリュースターやマイルズ・スタンディッシュといった有力者が世話をしたとなると、彼らを褒めたたえるために摂理が持ち出される。「これほどの災難においてさえ、神がこの者たちを支えたために、彼らはまったく病に冒されず不具にもならなかった」。都合の悪い証拠を排除できる使い勝手のよい話の枠組みは、創作された「物語」ならではの強みである。

ブラッドフォードには年代記作家として、また歴史家として天賦の才があり、たいていは、宗教的パターンを歪曲することなく装飾的に用いていた。けれども１６４４年に「不道徳な行いが増加した」とき、彼はその説明に再度サタンを登場させている。ブラッドフォードが明らかに驚き、いささか軽率にもサタンのせいだと信じ込んだのは、不道徳な行いが「たくさん目撃されたうえに「知られるところとなって厳しく罰せられた」からだった。しかしそれでも「とりわけ酒に酔う、また不潔にするという［中略］さまざまな不道徳な罪はなくならなかった」。さらに不道徳なことに「未婚」や「ときに既婚」の「男女のふしだら」、挙げ句の果てには「同性愛や男色」までが横行していた。ブラッドフォードは説明を求めて、「悪魔は、この地のキリスト教会と福音に、より大きな悪意を抱いているのかもしれない」と記している。この「かもしれない」という言葉は、ブラッドフォードが説く宗教上の概念が確固たるものでないことの表れだ。彼はいう。「したがってわたしは、ほかの人が考えているように、こうした未開人の国ではキリスト教国よりもサタンの力が強いというよりむしろ、単に悪意が強いのだと考えたい」。人は感情的に納得できる話を採用するものだ。

のちにブラッドフォードにもわかることだが、新しいエルサレムの実現は問題が多く、先行きが見通せず、実際、成し遂げられることはなかった。それがはっきりしたのは１６４４年、プリマスを出て別の場所に定住するべきか否かが論じられたときだった。その地が「狭く、不毛だったことを理由に」すでに多くの人が去っていた。耕作に適した土地は乏しく、内陸部は岩石質で、「人々の気持ちや意見もばらばらだった」。「自分たちが豊かになるため」に移動したがる人もいたとブラッドフォードは顔をしかめる。彼としては最初の教会をそのままプリマスに置きたかった。だが幾人かは出て行った。「そうしてこの哀れな教会は捨てられる。古代の年老いた母親が子どもたちに捨てられたように。［中略］そうして多くの者を豊かにした教会は貧しくなる」。事実、この記述はプリマスの未来をいい当てている。当初の展望は実現しなかったのだ。当時もその後もこの居住区から名士が誕生することはなく、ボストンから南に64キロのマサチューセッツ州沿岸に昔の姿のまま残されている村という今以上の発展を遂げることもなかった。

イギリスでは1625年にチャールズ1世が即位してから、清教徒への嫌がらせと非寛容がジェームズ1世の時代より悪化した。そのため、多くの清教徒が、新世界に渡ったメイフラワー号の巡礼者に続こうとした。イギリス国教会が内部から改革される日を夢見て長年待ち続けた人々にとっては、断腸の思いだったろう。けれども、そのころすでに理想がかなう見込みはかなり薄くなっていた。ジョン・コットンが人々を鼓舞しようとサウサンプトンで行った説教が清教徒の計画の重大転機となった。題して『プランテーションへの神の約束 *Gods Promise to His Plantation*』（1630）である。「キリスト教徒の読者たちへ」と原稿は始まる。「敬虔なキリスト教徒ならば［中略］神の栄光と共通の善を目標に据えたこの試みに賛同しないわけにはいかない」。プロテスタントの礼拝に続いて、彼はそれにうってつけの聖書の言葉を持ち出した。「わたしの民イスラエルにはひとつの所を定め、彼らをそこに植え付ける。民はそこに住み着いて、もはや、おののくことはなく、昔のように不正を行う者に圧迫されることもない」（サム下7章10節）。たとえその土地に他者が住み着いていても「余裕は十分ある」。コットンは続ける。その根拠は「エデンの園でアダムとその子孫に与えられた壮大な憲章だ。創世記1章28節にはこうある。産めよ、増えよ、地に満ちて地を従わせよ。〔中略〕あちらこちらの国に人々を住まわせることは全世界における神の正当な権利だ」。ゆえに、イスラエル人はカナン人から約束の地を取り上げた。

コットンの説教は清教徒に対して前向きに新世界移住を勧めるものだったが、ジョン・ウィンスロップの1630年の説教『キリスト教　愛のモデル *A model of Christian Charity*』は不吉なトーンを帯びている。ウィンスロップは新世界に移住した清教徒の未来像として、もっとも有名なシンボルのひとつで、マタイによる福音書5章1節にもとづく「山の上にある町」を持ち出した。これは聖書における新しいエルサレムと、アウグスティヌスがいうところの「神の国」の両方を意味する。だが、ウィンスロップは警告も発している。「これから始まる取り組みにおいて、もしわれわれが神に背き、神が現在の救いの手を引くようなことになれば、世界中から注目され、物笑いの種にされるだろう」。サクヴァン・バーコヴィッチが分類しているように、アラベラ号のデッキで第一団の移住者に向けた発せられたこの歯に衣着せぬ警告は「エレミヤ的」だ。エレミヤは典型的な聖書の預言者で、イスラエル人の不正と不忠を糾弾した。コットンとウィンスロップの移住の勧めにおける重要なポイントは、清教徒とその新世界への冒険を、「選ばれた民」に向けられた神の特別な摂理という壮大な「物語」のなかに徹底的に組み入れていることだ。このように現在の事実が過去の物語の枠組み内で再パターン化されると、歴史は作り話に変わる。

マサチューセッツ湾から清教徒が上陸した40年後にマサチューセッツ、ロクスベリーの牧師サミュエル・ダンフォースが行った説教『荒れ野への旅 *Errand into the wilderness*』は、清教徒の契約と布教の物語のひな型となった。ダンフォースの説教には洗礼者ヨハネの話がある。そこでは、何を見に荒れ野へ行ったのかとイエスが群衆に尋ねるが、「群衆の熱意が薄れている」とダンフォースはいう。重要な質問だが、人々の動機はさまざまで、何を見たのかよくわからなかったに違いない。「何の目的でイスラエルの子どもたちはエジプトの町や家を出て荒れ野へ向かったのか」。崇高な信仰の目的を持っていたはずなのに、彼らは「かくも早く荒れ野への旅を忘れてしまった」。人々はまもなく黄金の子牛を作って偽りの神を崇拝し、そのために40年のあいだ苦しみながら荒れ野をさまようことになる。新しい巡礼者の「物語」を組み立てるにあたって、ダンフォースは巧妙に、出エジプトのみならず600年後にバビロニアから解放された際のイスラエルの民の巡礼の失敗も指摘した。「何の目的でキュロス王によって解放された子どもたちは、バビロンの街にみずから建てた家を去って［中略］ユダヤとエルサレムに戻ったのか。もはやそこは荒れ野となっていたのに」。彼らもやはり崇高な信仰上の目的を持っていたが、ソロモンの神殿の再建を40年も遅らせた(これはシナイの荒れ野で送った40年という数字の再現である)。こうした聖書の「物語」が、ダンフォースの主題、つまり「われわれが荒れ野への旅をまったく忘れてないかどうか」を強調するための骨組みとなっている。

ダンフォースの『荒れ野への旅』もまたエレミヤ的だが、辛辣で手厳しい。しかしここでは、ペリー・ミラーのいう「ヨーロッパの文化をアメリカの空っぽの荒れ野へ持ち込んだ壮大な物語」に目を向けたい。この持ち込まれた文化は、17世紀のほとんどで分離派と清教徒が熟知するよう求められていた、聖書にある似たような先例にもとづいていた。予型論を通して遠い未来まで引き延ばされる預言を含め、彼らは聖書に示されている内容が史実であると信じて疑わなかった。そのため、そこから生まれた「物語」は計り知れないほど大きな社会、道徳、信仰の力を携えていた。けれども実際には、北アメリカの「荒れ野」と、洗礼者ヨハネが暮らした砂漠やシナイまたはユダヤの荒れ野とは似ても似つかない。清教徒の「物語」は比喩と類推の上に成り立っている。語り手であるコットン、ウィンスロップ、ダンフォースといった神学者たちは、その「物語」を、新世界の沿岸部における神意による歴史以外のなにものでもないと考えていた。だが実際には、この物語は想像上のフィクションであり、正しいのは似ているということだけだ。さらに、先に述べたように、清教徒の移住の「物語」と比較されている聖書の記述（アブラハムはウルから、イスラエルの民はエジプトから）はそれ自体が、今や歴史的に根拠がないと考えられている。まったく偽りのない聖書の再現として描かれる清教徒の物語は、聖書が真実であるという前提の上に成り立っている。

すでに見てきたように『プリマス・プランテーション』には、不確かながらサタンがニューイングランドで不道徳な行いを引き起こしていると書いてあった。それを記したブラッドフォード総督の時代から半世紀近くが過ぎた1692年、セーラムで魔術が疑われる事件が起きた。この事件は、20世紀の研究によって、さまざまな自然主義あるいは客観主義による説明がなされて大いに論争を呼んだが、アーサー・ミラーが戯曲『るつぼ』（1953）を書き、それが映画化されたことで、何百万人もの視聴者のあいだでは多かれ少なかれ問題は解決した――十代の少女たちの芝居だったのだ。けれども17世紀末には、サタンが清教徒の植民地に災いをもたらそうとしているという話は、魔術騒ぎの明確な説明になった。今でも信じられないこの事件が起こったのは、セーラム村の牧師サミュエル・パリスが、子どもの洗礼には両親の少なくとも一方が教会員でなければならないという厳しい制限を持ち込もうとして論争になっていたさなかだった。その制限によって、教会に属さない4分の3の住民が社会の周辺に追いやられてしまった。1692年1月3日の扇動的な説教で、パリスは村の非教会員を「邪悪で堕落した者たち」とこき下ろし、「教会の仇敵《きゅうてき》」は悪魔であり、「すべてを堕落させるのが悪魔の主目的である」と続けた。

セーラムで起きた事件が、心理学的に完全に解明されることはおそらくないのかもしれない。真実は今もわからないままだ。数日のうちに、パリスの9歳の娘ベティとその従姉で11歳か12歳のアビゲイル・ウィリアムズが相次いで病気になった。のちにジョン・ヘイルがふたりの振る舞いについて述べているように、それは普通の病気ではなかった。「数週間後」、医者（おそらくウィリアム・ブリッグス）が診察し、少女たちは『悪魔の手』に落ちた」と診断された。事件から2年後、パリスは、少女たちの病気は「痛みをともなう戒め、屈辱を与える摂理」だと思ったと打ち明けている。清教徒の反応としては十分予想できる考え方である。したがって祈りと断食で症状の改善を乞うのが筋だった。けれども、清教徒の礼拝の水面下には古代や中世の迷信が積み重なっていることを忘れてはならない。パリスは王道である悔い改めの祈りに勤《いそ》しんだが、地元の教会員メアリー・シブリーは民間療法を試そうと、ライ麦粉と少女たちの尿を使って灰のなかで魔女のケーキを焼き、飼い犬に食べさせた。そうすれば取り憑いている魔女の正体が明らかになると信じていたのだ（もっとも、そうした民間伝承の起源の解明は今となっては不可能である）。パリスは激怒してシブリーを非難し、彼女の行動を中世のキリスト教徒になぞらえて説明すると、その儀式によって「悪魔が呼び出された」と主張し、彼女の行動は「悪魔のそれだ」と述べた。こうして、ニューイングランドにおけるサタンの恐るべき活動を中心に、その後数か月にわたって創作物語が展開されていった。

告発が急増した。女たちが逮捕され、投獄され、裁判にかけられた。当時の魔女裁判の詳細はよく知られており、容易に集めることができる。裁判記録が公表されたのに続いて、多くの分厚い研究書も出版されている。結局、9か月のあいだに150人以上が、魔術を使ったと告発されて投獄された。ほとんどが女性だった。マサチューセッツ総督のフィップスは裁判を支持していたが、メアリー・ベス・ノートンによれば、秋までには彼とその妻までもが「魔女を判定する1692年のいくつかの基準を満たす」とみなされた。妻のほうは実際に魔術を使った罪で告発されてもいる。最終的にはそれが決め手となって、フィップスが裁判を取りやめて法廷を解散した。続く数か月のあいだに、裁判を待っていた女性たちが釈放された。多くの女性が自白を撤回し、恐怖心から自白したとの供述書に署名した。魔術を使ったことを否定すれば死刑に処せられ、自白すれば命だけは助かったからだ。そのような状況下で自白はごく当たり前になっていた。日を追うごとに、裁判そのものが見世物のようにもなっていた。それでも、事件の終結までに32件の裁判が開かれた。うち11件は執行猶予または無罪放免の判決だった。21件は有罪判決で死刑が宣告された。20人の女性が絞首刑、自白を拒んだ男性ひとりが圧死刑になった。

1692年に法廷が解散する前、コットン・マザーがセーラム事件についての彼の分析を本にした。それは、ニューイングランドにおけるサタンの活動を描いたもっとも有名な空想物語として今も残っている。その『見えざる世界の驚異 *The Wonders of the Invisible World*』には裁判の概要が多数含まれ、ほとんどの例で、番号をふった一覧表の形で告発の詳細が示されている。彼は冒頭で物語全体について語っている。「ニューイングランドの住民は、かつて悪魔の領地だった場所に入植した神の民である。彼らがこの地で、聖なるイエスに誓った、地上のほぼすべての場所を神のものにするというにしえの約束を果たしているのを見て、悪魔がひどく動揺したことは想像にかたくない」。マザーは「悪魔の領地」と「いにしえの約束」をあたかも事実であるかのように語っているが、不注意にも「想像にかたくない」と述べて、これが想像上の話で、それまでの作家の話をもとに頭に浮かんだ物語であることをさらけ出している。「ここに福音の銀のラッパが喜びに満ちた音を奏でる」とき、悪魔は「この哀れなプランテーションを崩壊させようと」あらゆる手段を使い、まさに忌まわしいできごとの「洪水」が蛇の口から降り注ぐ。どの部分もみな創作で、中世やそれ以前の神話から引っ張ってきたまったくの作り話である。プランテーションは神が植えたぶどうの木のごとく、「根づき、大地に広がった」。この話はヨハネによる福音書からの引用である。だが根こそぎにしようとするサタンのすべての努力は「水泡に帰した。［中略］それゆえ悪魔はわれわれに対して次のはかりごとをめぐらせている」。今この地に氾濫している魔術の波は悪魔の最新の攻撃であり、まさに（「信頼できるキリスト教徒」によると）40年以上前に「この国への**魔術による**恐ろしい**策略**を予告した」、「悪人」によって予言されたものである。「そして**魔術**の種がまかれる。適切に発見されなければ花開き、この国のすべての教会を崩壊させるだろう」。過剰な視覚的比喩表現、大文字とイタリック体を駆使した活字組みはいやでも目につく。ここでマザーは「悪魔の軍団」がまさに「超自然的な」できごとをこのニューイングランド居住区にもたらしていると主張して、自分の「物語」と同様に明らかに捏造された以前の「物語」を無批判に流用していることをさらけ出している。物語の上に物語を積み重ねるマザーの手法は、旧世界から新世界に迷信を持ち込んだ清教徒の象徴といえよう。

裁判を実施した判事たちを含む当時の人々と同様、マザーは、逮捕者が「悪魔が見せた契約書に署名し、われわれの土地に魔法をかけて滅ぼそうとする忌まわしいもくろみを実行した」と告白したことに、露ほども疑念を抱かなかった。「魔法との遭遇」と題された、『見えざる世界の驚異』の23ページにおよぶ序章には、中世ヨーロッパの魔術がこれでもかと載せられており、どれも信心深い清教徒の不安をあおる内容だった。マザーがいうには、ニューイングランドの人々はいずれ勝利するとはいえ、ぎりぎりまで追い詰められる。今挑んでいる戦いは途方もない規模なのだ。敵を、世界の創造以来、神の業を覆そうとしている超自然的な力と見立てることで、マザーは清教徒の戦いの物語を宇宙規模に引き上げた。もっとも彼が、神にしたがう者が勝利すると考えていたことは疑いようもない。「われわれがうまく乗り切れば、じきに平穏な時代が訪れ、地獄のハゲワシどもはわれらの足で踏みつぶされるだろう」

善対悪、神対サタン、ときに「特別な摂理」に導かれる勝利の「物語」は、ヨブ記の第一章で神がそうした論争に同意して以来、聖書の信仰のいたるところに見られる。清教徒の時代では、クリストファー・マーロウの『フォースタス博士』（1604）、マイケル・ウィグルスワースの『最後の審判の日 *Days of Doom*』（1662）、ジョン・ミルトンの『失楽園』がよく知られている。マザーが代表作『アメリカにおけるキリストの大いなる御業 *Magnalia Christi Americana*』を出版した1702年までに、彼の前世紀のヴィジョンは一大叙事詩に発展していた。序章はウェルギリウス調の韻律で始まる。「わたしは記す、**キリスト教の信仰**と、その驚異を。**堕落した**ヨーロッパから、アメリカという異教の地へ広がったその信仰を」。これらの言葉は『アエネーイス』の冒頭、「わたしは歌う、戦いと、そしてひとりの英雄を。神の定める宿命のままにトロイアの岸辺を逃れて、イタリアのラーウィーニウムの海辺にたどりついた英雄を」（泉井久之助訳、部分）からの拝借だ。ウェルギリウスの叙事詩では神々がラティウムに移され、かたやマザーの記述では真のキリスト教がニューイングランドに移る。ウェルギリウス、そしてその前にはホメロスが、学問の女神ムーサの加護を求めたように、また清教徒だったジョン・ミルトンが『失楽園』の冒頭で聖霊に呼びかけたように、マザーは「キリスト教の聖作家に助けられる」ことを期待する。彼が伝えようとするものは「重要なものごと、〔中略〕**改革**が進んでいることで知られる福音派教会で公言され、成し遂げられた〔中略〕すばらしいできごと、〔中略〕高潔な、模範とすべき対象」といった完全な成功だ。彼は自分ではまったく気づかないうちに、みずからのストーリーを語りたいという衝動が、歴史を記したいという願望と同等かそれ以上に強いことを暴露してしまっている。なぜなら「読者は［中略］ふと気づいたときには期待以上に［中略］楽しんでいることだろう」と述べているからだ。「歴史に忠実」といいながら娯楽性も主張しているということは、マザーは歴史とフィクションをほとんど区別していないことになる。実際、彼のいう歴史とは明らかに清教徒の強い力と宿命を強調するよう設計して組み立てた「物語」だ。新世界を「アメリカの砂漠」と描写するのは、アメリカと聖書の「物語」に出てくるさまざまな「荒れ野」の、予型論的比較の一歩手前である。実際のアメリカは砂漠などではまったくなく、大西洋からミシシッピ川にいたるまでほぼ途切れることなく続く森林地だった。

マザーの『アメリカにおけるキリストの大いなる御業』はある程度まで予型論にもとづいているともいえる。彼はおじサミュエル・マザーが著した『旧約聖書の人物と予型についての解説 *Figures and Types of the Old Testament Opened and Explained*』（１６８３）から多大な影響を受けた。しかしながら、17世紀末にニューイングランドと古代イスラエルを無条件に結びつけたところで、もはや説得力はない。そこでマザーはニューイングランドを厳密に対型として提示するのはやめ、控えめに寓意的に示すことにした。それが顕著に表れているのが、マザーが記した17世紀の著名な清教徒のたくさんの伝記である。「プリマス植民地を率いた」ウィリアム・ブラッドフォードの伝記には、「荒れ野の人民の指導者たるや、モーセであらねばならない」とある。用法は予型論というより類推だが、旧約聖書の立法者の再来であることは明白だ。「アメリカの荒れ野に選民の一団を連れてくるという高尚なる計画」を実行したジョン・ウィンスロップは、アラベラ号の船上において満場一致で「モーセに選ばれた」。詩人アン・ブラッドストリートの夫として有名なサイモン・ブラッドストリートは、エステル記に登場するエステルのいとこ、モルデカイにたとえられた。コネティカット植民地総督エドワード・ホプキンスは「植民地のソロモン王」だ。ニューヘイヴン植民地総督テオフィラス・イーストンは、その名前からマザーに、ルカによる福音書と使徒言行録の献呈相手であるテオフィロにたとえられたが、この類推はテオフィロスという言葉が持つ「神に愛されし者」という意味に限定されるようである。古典文学に傾倒していたマザーは類推を相互に参照していた。のちにコネティカットとニューヘイヴンの総督となった、息子のほうのジョン・ウィンスロップは「キリスト教徒のヘルメス」だ。ニューイングランドの生身の人間とギリシアの神を結びつけたマザーは、異教の神々を、完全な神というより模範的な人間と考えていたらしい。

どちらかというと無名の家柄で、若くして亡くなったマサチューセッツ総督ウィリアム・フィップスに対しては、マザーは異なるアプローチをとっている。彼には作家としての素質があり、「詐欺まがいの降霊術抜きでも死んだ先祖の霊を呼び出せそうな哲学者」になぞらえることができる。「死者の復活はわれわれの信条の条項と同じくらい正しく、すばらしいものになるだろう」

マザーの話は自己賛美を隠しきれていない。彼は聖書との類推のなかでヤコブやヨシュアが作った「石の記念碑」に言及しているが、とりわけサムエルがギルガルの南に置いたもっとも壮大な石は、サムエルと「神の民」が天から授かったもので、「助けの石を意味するエベン・エゼルの名」を与えられていると述べている。マザーはそれを「エベン・エゼルがなによりふさわしいボストンの中心地、人々が天から多大な助けをもたらされた場所に移す」つもりだと語る。『アメリカにおけるキリストの大いなる御業』のなかで、マザーはボストンの人々のあいだに「**エベン・エゼル**を建てる」ことを望んでいるのである。こうした遠回しな類推に、歴史に忠実であることを装ったこの空想フィクション作家の真意が見て取れる。

過去のできごとの再現とされるいかなる記述も、歴史の構造より隠喩のパターンを前面に出した創造性豊かなフィクションにすぎない。過去のできごと自体が創作物語なら、再現された歴史は事実から2倍遠ざかる。人間の行為を、兵が比喩表現でしかない軍事征服として書き直せば、それは現実ではなく想像世界の話になる。人知を超えた霊的な存在に率いられた架空の軍は、実際の空間ではなく「物語」の空間を占拠する。征服した王国、築かれた王国は実在するものではなくそっくりな偽物で、本物の帝国ではなく伝説だ。新たなカナンとして描かれるニューイングランドの植民地は想像の王国以外のどこにも存在しない作り話である。早くからこれに気づいた作家がいる。その作家、トーマス・モートンの『ニューイングランド・カナン *New England Canaan*』は風刺、嘲り、ユーモアに満ちている。メリー・マウントのお祭り騒ぎをうまく描いたモートンの描写は、のちにナサニエル・ホーソーンによって『メリー・マウントの五月柱 *The Maypole of Merry Mount*』（1832）として書き改められている。

18世紀に入って数十年のあいだ、清教主義《ピューリタニズム》は活気をなくしていたが、1740年代に大覚醒（アメリカ植民地に広まった信仰復興運動）が起こった。ジョナサン・エドワーズの3つの著作はみごとなまでに両極端な特徴を示している。『信仰告白録 *Personal Narrative*』は啓示的で、ほとんど神秘的な聖伝だ。「わたしの神への感覚は徐々に高まり、どんどん鋭くなって、内なる甘美さが増した。あらゆるものの様相が変わった。ほぼすべてのものが穏やかでうっとりするような雰囲気を持ち、まるで神々しい輝きを放っているかのようだった」。数多くの文化に存在する個人の霊感を書いたものと同様、エドワーズの覚醒は、世の習いとは一線を画す実体のない個人の力を見せつけている。不運なことにエドワーズが生きているあいだに彼の見解が影響力を持つことはなかった。出版が1765年、彼の死から7年後だったのだ。しかしながら、彼の1733年の説教「聖なる超自然の光A Divine and Supernatural Light」で語り直された言葉が、翌年に信者の要望で出版されている。

もうひとつの極は、1741年のもっとも有名な説教『怒れる神の御手の中にある罪人』だ。彼の教区民をひどく動揺させたことで知られるこの著作は、コットン・マザーの悪魔めいた「物語」にあふれていた表現の延長線上にある、中世の地獄とそこに落ちることとの恐ろしいイメージを復活させた。エドワーズの描写では、人々はぽっかり開いた地獄の口の上に渡された脆《もろ》い床の上で生きる存在である。その危うい ふたの安定性は神の手にゆだねられている。神は「邪悪な人間を地獄に放り出す〔中略〕力にはこと欠かない」。彼らはみな「地獄に投げ込まれて当然だ」。なぜなら「すでに地獄へ行くと断罪された」からであり、「地獄の責め苦として表現されている、神の激しい怒りの対象である」ためだ。その根底にある論理は、人はみずからを救済する力を持たず、すべてが神の手中にあるというカルヴァン主義が説く原理の究極の形である。説教は激しい調子で進む。「悪魔は今にも彼らに襲いかかろうとしている」。「邪悪な人間を保護するものはない〔中略〕。キリストを拒み続けながら地獄を逃れようとするもくろみは〔中略〕一瞬たりとも彼らを地獄から守りはしない。〔中略〕この猛々しさと全能の神の怒りに苦しむのはさぞ恐ろしいことだろう」

ニューイングランドにもたらされた「力の物語」は社会的なものだった。その特徴は、地上に神の国を建てるべく運命づけられ、意を決したコミュニティーの強さだった。1世紀後、新しい選民を鼓舞した「物語」はぐらつき、信仰心の薄い何千もの移民によって希釈され、経済の転換によって脇に追いやられ、君主に無視され、いまだ解明できないセーラムにおける悪魔出現の記憶によってばらばらに崩壊した。ジョナサン・エドワーズは物語の闇の部分を復活させ、神と悪魔の戦いの場を植民地社会から個人の魂に移した。現代の観点からすれば、『怒れる神の御手の中にある罪人』はホラー・フィクションの秀作だ。聖書と神学のもっとも恐ろしい「物語」を復活させ、そのすべての顕示で、個人に対する恐ろしい闇の力の物語をつくり上げている。

これらの説教がもたらした直接的な影響はといえば、エドワーズの破門である。彼は余生の20年を僻地の教区で、みずからを有名にした神学作品を執筆して過ごした。そうするあいだにも、個人の魂の危険を描く彼の「物語」は、ベンジャミン・フランクリンの現実的な理神論、『プーア・リチャードの暦』の実用的な知恵、その1758年の暦の冒頭に登場するフィクション『富に至る道』にあっけなく取って代わられた。これらは、世俗的、経済的、政治的で、植民地時代の過去とは決定的に異なる、新しく作り上げられた「力の物語」の前触れであった。「荒れ野における神の選民」という清教徒の物語は、その終焉にもかかわらず、ヨーロッパ・キリスト教的な精神的権力の虚構として機能し、それはまもなく進歩という啓蒙主義の教義とそれに続くアメリカのテーマへと変化していった。たとえば、ジョン・オサリヴァンの『明白な運命 *Manifest Destiny*』、マックス・ヴェーバーが定義したプロテスタントの倫理に関する著作、R・H・トーニーが描いたアメリカ資本主義、バーナード・デ・ヴォートがたどった『帝国の推移 *Course of Empire*』(1952)。これらはアメリカを理解するうえで重大かつ基本的なものだが、どれひとつとして「物語」の土台から切り離すことはできない。実際、土台こそがその解釈の力の大部分を担っているのだから。

29 マルクス主義の無階級社会

18世紀に起きた過去との哲学的な決別に続いて、民主主義、功利主義、超絶主義、自然主義、実用主義といったさまざまな革新的イデオロギーが出現した。これらの哲学の観念とともに誕生したのが産業革命である。製造は家内工業から新しい環境へと移った。工場だ。工場は地域の人々を雇用した。工場で働こうと田舎から都会へ移住してきた労働者もいた。結果として経済がどうなったかを解明するさまざまな試みがなされたが、もっとも影響力があったのがドイツ人カール・マルクス（1818～83）とその知的パートナーであるフリードリヒ・エンゲルス（1820～95）、そしてロシア人政治家かつ革命家のウラジーミル・レーニン（1870～1924）である。

マルクスとエンゲルスのおもな著作は『共産党宣言』と、分厚い3巻からなる『資本論』で、後者の第2巻と第3巻はマルクスの死後、エンゲルスが未完の遺稿やメモから仕上げたものである。第二次世界大戦後の冷戦時代にはソヴィエト連邦がマルクス主義の基本原理の後継者とみなされたこともあったが、現実には世界のどの政治システムもマルクスの掲げた理想に届かず、彼の時代のどの社会も彼の分析のきっかけになった道徳観念を体現しなかった。そうこうするうちに1991年のソ連の崩壊によって、マルクス主義にもとづく分析の重要性が薄れた。マルクス主義の原理のもとに新しい社会を築くことが、不可能でなくともどれほど難しいかを歴史が証明する一方で、マルクスとレーニンによる資本主義経済の分析が西洋思想のなかでもっとも油断できないもののひとつであることに変わりはない。

マルクスとエンゲルスは「ブルジョアジー（資本家階級）」と「プロレタリアート（労働者階級）」という用語を一般社会に浸透させた。もっともそれらは複雑な社会構造を単純化する時代遅れの言葉である。彼らの用法ではブルジョアジーは個人資産を持ち生産手段を管理する者、かたやプロレタリアートは生産を実行する労働者である。これらがふたつの大きな社会階級（これもまた単純化）を作り上げていて、少数派のブルジョアジーが大多数派のプロレタリアートを搾取している。このふたつの対立が資本主義制度の根底にある「階級闘争」だ。プロレタリアートは重労働によって「商品」を生産する（『資本論』第1巻の主題）。労働の対価として賃金が支払われるが、生み出した商品価値の全額ではない。労働の「余剰価値」はブルジョアジーの懐に溜まる。彼らは商品を売ってこの余剰価値を現金に換え、個人資産を築くのだ。マルクスにとってこれは資本主義固有の道徳的な茶番であり、彼が排除したいと望んだ不平等だった。

『共産党宣言』は完全な分析にはいたらなかった。同書の目的は論争を仕掛けること、すなわち行動喚起である。「支配階級よ、共産主義革命のまえにおののくがいい。プロレタリアは、革命において くさりのほか失うべきものをもたない。かれらが獲得するものは世界である」（大内兵衛、向坂逸郎訳）。マルクスとエンゲルスはともに、残りの年月を、『共産党宣言』を正当化するような論理的基盤を築くことに費やした。エンゲルスの著書『空想から科学へ』では、階級闘争という経済基盤が過去をひもとくカギである。「原始時代を除いて、過去の歴史はすべて階級闘争の歴史だった［中略］相容れない社会階級はつねに、生産と交換の様式、ひと言でいうなら時代の経済状況の産物である」。エンゲルスはそこからさらに科学的な分析を進めていくが、19世紀でいう「科学」が唯物論の婉曲表現であることは心に留めておくべきだろう。そのため、マルクス主義は科学主義のひとつの形とみなされ、現実の多くの次元を物質に還元していると非難されることにもなった。無理もない。彼らは「真の土台をなしているのはつねに社会の経済構造であり、それをもとに、それぞれの歴史的時期の司法と政治の諸制度、ならびに宗教、哲学、その他の概念の全上部構造についてすべて説明できる」と述べている。

マルクスとエンゲルスの合わせて50冊にもなる膨大な著作には、19世紀の資本主義を理解するにあたって今でも掘り下げる価値のある解説が含まれている。批判の中心はブルジョアジーに権力を集中させる体制だ。ブルジョアジーは所有権を管理するだけでなく、警察、軍隊、法廷、法律を使って労働者を管理して自分たちの優位性を守る。『共産党宣言』の基本は、革命によって、ブルジョアジーの力を消滅させるか、もしくはすべての人に富と権力を行き渡らせることのできる共産主義のなかでのみ存在させることは可能であり、またそうすべきだとする信念である。マルクスがいうには、いつの時代にも革命を必要とする状況は存在してきた。『共産党宣言』の最初のページにはこうある。「今日までのあらゆる社会の歴史は、階級闘争の歴史である」。そしてそれらは「自由民と奴隷、都市貴族と平民、領主と農奴、ギルドの親方と職人、要するに圧政者と非圧政者」(以上、大内兵衛、向坂逸郎訳)という表すことができる。これらの例は古典期あるいはそれ以前の文明に始まり、古代ローマの帝国主義、中世の封建制、初期の製造業経済へと続いてきた歴史を示している。ブルジョアジーとプロレタリアートは単に対立階級のもっとも新しい形にすぎなかった。

マルクス主義は概して歴史を哲学的に組み立てたものとみなされるが、「物語《ナラティブ》」的な局面をあわせ持っている。構成がストーリーに似ているのだ。対立する派閥間で繰り返される闘争はドラマの中心となる要素と同じだ。哲学者のリチャード・W・ミラーは文学的な言葉でマルクス主義の「物語」に言及し、「登場人物」を「産業界のプロレタリアート」(工員)、「ルンペン・プロレタリアート」(社会の最下層に位置し、労働意欲を失った浮浪者的無生産者)、「プチブルジョア」(わずかな生産手段を私有する者で、自作農や商店主、弁護士や医師、芸術家や俳優も含む)などと呼んだ。さらに配役を豊かにするために、彼はこの「大河小説」に「パリっ子風労働者階級〔中略〕お針子、建設労働者、その他の機械を使わない労働者」をくわえている。政治学者のテレンス・ボールは「弁証的ドラマとしての歴史」というマルクス主義の歴史見解を指して、「さしあたってマルクスを政治経済学者ではなく劇作家として考えよう」と語っている。ボールいわく、それは、いうほど突飛な考え方ではない。マルクスは気に入った劇作家の作品、とりわけシェイクスピアや古代アテナイのアイスキュロスの作品を、毎年のように新たに読んだり読み返したりしていたからだ。マルクスの歴史劇では、「資本家とプロレタリアートは、知らないうちに結末もわからずに筋書きに巻き込まれたキャラクター」で、ストーリーは「ヘーゲルによる主人と奴隷の弁証法に似ており〔中略〕主人が資本家に、奴隷が労働者に置き換わっただけだ」。S・S・プロワーは『カール・マルクスと世界文学 *Karl Marx and World Literature*』（1978）で、マルクス主義が持つ力を文学的「物語」の観点から考察している。マーク・G・スペンサーは『資本論』の第1巻について次のように述べている。

これは、想像の産物として読むべきだ。ヴィクトリア朝のメロドラマ、主人公がみずから生み出した怪物（「頭のてっぺんからつま先まで汚れ、すべての毛穴から血をにじませてこの世に誕生した資本」）を奴隷にして滅ぼす壮大なゴシック小説、あるいはジョナサン・スウィフトが『ガリバー旅行記』で描いたフウイヌム国のように、すべての光景は心をなごませるが、人間だけが悪質という風刺的な理想郷かもしれない。

マルクス主義から見た歴史は経済の抑圧者が権力を握る「物語」で、古代のウル、バビロン、アテナイの奴隷所有者からイギリス、ヴィクトリア朝の資本家まで、抑圧者が姿を変えて繰り返し現れる。この「物語」は、対立と解決というヘーゲルの弁証法に則って組み立てられている。つまり、あるものごととそれと対立するものごとがある場合に、それを解決するためには、対立するものごとと新しい何かを統合することが必要だとする考え方だ。ヘーゲルが『精神現象学』（1807）で示している弁証法のプロセスでは、心や精神というものは必然的に自然や物質と対立するが、弁証法を通じて（論じることによって）自然や物質が心や精神と同化すると、3番目の現実、すなわちより好ましい状況を導き出すことができる。この対立の解決はしばしば、テーゼ（正）、アンチテーゼ（反）、ジンテーゼ（合）という言葉に要約されて歴史の進化を形作ってきたが、ゲオルク・リヒトハイムが指摘しているように、その簡素化した方式をヘーゲル弁証法の三本柱として普及させたのはマルクスの信奉者たちだった。マルクスはヘーゲルがいうところの「対立するものごと」を採用したが、発想を逆転させて、まず自然や物質が存在し、心や精神は物質の進化の産物であると仮定した。エンゲルスがいうように、この歴史の発展の解釈はダーウィンの生物学的進化の概念に似ている。マルクスの歴史論の逆進は、彼が歴史のプロセスを物質に還元していることを意味している。彼の唯物論は機械論的また決定論的であり、歴史に作用する物質以外の力を無視しているとして、さまざまな哲学的観点から批判や拒絶の対象にされてきた。その批判についての検討はここでは行わない。重要なことは、時間の経過とともに生じるものごとの積み重ねが、もしかぎられた方法（ここでは唯物論）と哲学的構造（ここでは弁証法）だけで形作られたものであるなら、それは歴史でも事実でもなく、パターン化されたストーリーにほかならないということである。唯物論の仮定と弁証法の筋書きに合わせて、意図的にものごとが集められているだけだ。

しかしながら、マルクスの「物語」は、奴隷制、封建制、そして19世紀の資本主義という、経済闘争の観点からかいつまんだ、ごく一部の歴史上のできごとをとらえているにすぎない。資本主義は必ず崩壊するとマルクスは考えた。ブルジョアジーの懐を潤すために次々に商品を製造しても、貧しいプロレタリアートには消費できない。不十分な賃金は余剰の蓄積につながる。つまり経済は失敗に終わると予測される。それが彼のストーリーの要だった。だが、ストーリーには必ず始まりと終わりの章がある。第1章は共産主義を特徴とする原始的な社会で、奴隷制より前に存在していたと仮定された。最終章は社会主義経済を予見する。そこではブルジョアジーとプロレタリアートの階級闘争がなくなり、プロレタリアート社会主義が成熟した共産主義に置き換わっている。

成熟したマルクス主義の歴史は3つの「力の物語《ナラティブ・オブ・パワー》」を提示している。まず原始共産制の段階で作用する力、次に奴隷制、封建制、資本主義の段階で働く力、そして3つ目が未来のどこかに出現する力である。原始共産制時代のおもな説明は注目に値するが、エンゲルスの『家族・私有財産・国家の起源』（1884）をもとにした人類学的な推論にすぎない。エンゲルスのその著作は、ルイス・ヘンリー・モーガンから多大な影響を受けていた。モーガンは『イロコイ同盟 *League of the Iroquois*』（1851）、『古代社会』などの研究でよく知られており、エンゲルスは後者の概要をマルクスの文書のなかに見つけている。要するに、原始共産制の段階とは農耕以前の状態だ。それは人類の進歩の過程の、気が遠くなるほど長い非定住型の狩猟採集生活の段階であり、現在では、およそ1万2000年前まで人間社会の大半を占めていたことがわかっている。エンゲルスはそれを、氏族または部族のリーダーが出現する前の、所有権以前の時代と特徴づけた。彼いわく、家族の構造は彼の時代では理想的だと考えられている家父長制とはまったく違い、結果として平等社会で、女性は男性と対等の立場にあった。

モーガンが解き明かしたイロコイ族の母系社会のいくつかの特徴は、原始共産制というマルクスとエンゲルスの概念のモデルになった。ふたりはさらに、文明の初期に見られる女性の抑圧は、私有財産の発達、父権への移行、主人と奴隷という階級構造とともに出現したに違いないという考えも、そこから導き出した。よく知られるこの説明は、ろくに実地調査もせずに理論を打ち立てていた人類学の誤信にむしばまれている。1881年、シンシナティで開かれたアメリカ科学振興協会の会合では、ホレイショ・ヘイルが論文を発表し、イロコイ連邦の創設者は「石器時代の立法者」だと主張した。デガナウィダを歴史上の人物と誤認したことはともかく、17世紀に発見された非ヨーロッパ社会を「石器時代」社会と決めつけたのは人類学として致命的である。マルクスのイロコイ族に対する理解は歴史的根拠のない興味深い「物語」にしかならないが、それでも知られざる過去を語る際の手ごろな比喩になった。

マルクスもエンゲルスも、資本主義時代の弁証法的な対立が終われば出現するはずだった社会を一から定義してはいない。厳密な歴史、経済、哲学の分析には本来いくつかのパラメータが必要だが、物語の比喩がもたらしがちな理論と現実のずれが原因で、彼らは原始共産制（「石器時代」のイロコイ族の母系社会）の特徴をもとに、想定される未来の共産主義像を描かざるをえなくなったのだ。未来では、女性が平等を享受し、私有財産（生産手段の管理）は消滅し、公平な民主主義社会が誕生する。予言にも似たその「物語」では、ブルジョアジーの権力とその膨大な資本の蓄積は消え失せる。そこでは、利益と資本にもとづく経済ではなく計画経済、私有財産ではなく共有財産、政治的民主主義ではなくコンセンサス、そして社会への貢献度に見合った報酬を特徴とする、近代社会に類を見ない幻の力をだれもが手に入れることになる。

マルクスが生きたのは、理想主義的な思考と実験的ユートピア・コミュニティーの時代だった。当時、そうしたコミュニティーは、インディアナ州のニュー・ハーモニー（1825〜29）、オハイオ州のオバーリン・コロニー（1833〜43）、マサチューセッツ州のブルックファーム（1841〜46）、ニューヨーク州のオネイダ・コミュニティー（1848〜80）など、数多く存在した。ヘンリー・デヴィッド・ソローは、自身の暮らしを描いた『森の生活 ウォールデン』で資本主義に暗影を投じ、大きな家や山のような所有物にこだわることを嘲笑した。19世紀は、エティエンヌ・カベの『イカリア旅行記 *Travels in Icaria*』、サミュエル・バトラーの『エレホン』、エドワード・ベラミーの『顧みれば』、ウィリアム・モリスの『ユートピアだより』など、ユートピア文学が急増した時代でもあった。急速な工業化や、悪徳資本家がもたらす経済の不平等など、ヨーロッパの文明社会に問題が山積していた当時、マルクス主義の理想的な未来が広く人々の心に訴えかけたのは当然だったのかもしれない。とはいえ、革命行動という手段は一部の人にしか受け入れられなかった。改革主義と修正主義のアプローチは、特にドイツ以外で擁護された。フランスの首相を11期（1909〜26）務めたアリスティード・ブリアンと1920〜24年まで首相だったアレクサンドル・ミルランはどちらも社会主義者で、リベラル派のブルジョアジー政治家や連立内閣と協力して働き、労働条件を改善した。ドイツ人社会主義者エドゥアルト・ベルンシュタインはイギリスに亡命していたときの影響で、イギリスの労働条件を改善するためには、社会主義者が先進的な考えを持つブルジョアジーの党派と協力すべきだと提唱した。ジョージ・

バーナード・ショーやH・G・ウェルズといった知識人を擁するイギリスの社会主義団体、フェビアン協会は、革命的アプローチから方向転換して議会での活動を選び、劣悪な労働環境を改善した。イギリスの労働党の発足は彼らの主張に端を発している。

フランスとイギリスの社会主義者がそうした一般的な進化を遂げたマルクス主義を好んだのとは対照的に、ロシアではより大胆なイデオロギーが育まれた。1890年代にマルクス主義に転じたウラジーミル・レーニンの手で、マルクス主義の「物語」が革命による改革の青写真となったのだ。マルクスは活発に活動していた時期の大半をイギリスで過ごしたため、『イングランドにおける労働者階級の状態 *The Condition of the Working Class in England*』（1844）を見ればわかるように、マルクス主義理論の土台はほぼイギリス資本主義である。この資本主義はまた、『資本論』でさらに精査されてもいる。資本主義を超える発展は、必ず産業に従事するプロレタリアートの革命から生じると確信していたウラジーミル・レーニンは、『ロシアにおける資本主義の発達 *The Development of Capitalism in Russia*』（1899）で、資本主義への批判を祖国に適用した。レーニンはマルクスやエンゲルスと同じく唯物論者だったが、「資本主義による労働の社会化」の効果を強く意識していた。まれに、「人々の精神構造の変化や〔中略〕生産者の性格そのものの重要な変化」として、資本主義の非物質的影響について語ることもあった。

革命家としてのレーニンの役割は著書『なにをなすべきか?』で明確にされている。人民、党、出版物、改革を目的とした1890年代からの問題行動の数々を記したこの著作はきわめて具体的で、レーニンの理論的スタンスをほぼ封印している。とはいえ、いきなり率先して革命を起こそうというのでもない。「組織として団結する党だけが〔中略〕われわれの時代の革命勢力の先陣となりうる。〔中略〕われわれの自覚、やる気、エネルギーを高めるにあたって、多くのたゆまぬ努力が必要だ」。「プロレタリアートに早急に必要なもの」のひとつは、「全面的な政治教育〔中略〕、労働者の政治訓練であり〔中略〕労働者階級の革命家もプロの革命家にならなければならない」。実際に起きた革命はこの理想とはかけ離れていた。レーニンの言葉は現実の歴史ではなく、理性と知性の理想の「物語」だった。１８９０年代の政治不穏に関する彼の結論がそれを裏づけている。理想と現実の乖離《かいり》にもかかわらず、レーニンは次のような世界を望んでいた。「未来の世界では〔中略〕闘志あふれるマルクス主義者が団結し、人間の持てる力をすべて振り絞って、危機的な状況からロシアに社会民主主義を興し〔中略〕もっとも革命的な階級の本物の先駆者になると〔中略〕われわれは固く信じる」。未来の予言というものはけっして希望に満ちた物語以上のものにはなれない。

　続いて起こった革命はレーニンが抱いていた構想を裏切った。「血の日曜日」（１９０５年１月９日）の反体制派虐殺に始まった一連のできごとは、逮捕、国外追放、亡命につながった。１９０７年にフィンランドからバルト海の島へ氷を渡って逃れたときには、ほとんど命を落としそうになった。続く10年をパリとスイスで過ごしながら、レーニンは『帝国主義論』（１９１６）と、マルクス主義を徹底的に分析した『国家と革命』（１９１７）を書き上げた。レーニンはマルクスにならって、国家というものは、階級間の不和が和解できないところに存在すると主張し、実際、相容れない階級の対立こそが国家の土台であり、国家は武装兵、刑務所、労働者階級の搾取によって秩序を保っていると述べた。

ここで彼はさらに進化した理想の「物語」を持ち出した。エンゲルスの思想を引き合いに出して彼はいう。かつては国家などない社会が存在していた。私有財産と階級区分が作られると同時に国家が誕生した。そしてそれらの敵対関係を資本主義が助長した。やがて国家は「古代の遺物として、糸車や青銅の斧とならんで博物館入りするだろう」。つまり、あっけなく「消滅する」というのだ。クリストマンの言葉を借りれば、「抜け目のない、実利一点ばりの革命の策士だったレーニンが、突如としてユートピア的展望を提示した。彼の予想では［中略］人々は変わり［中略］、警察、法廷、法律などはすべて必要なくなる。政府機関全体が存在しなくなる」というのである。未来は中身がなく、白紙状態で、まだ何も記されていない。つまりドラマや物語にはうってつけの舞台だ。

レーニンがまだ亡命中だった1917年2月27日、本格的な革命が勃発した。それは、第一次世界大戦がもたらした混乱、労働者の大規模なデモやストライキ、そしてあくまでも反乱を抑え込もうとする皇帝ニコライ2世によって事態が悪化していたときのことだった。混乱は続き、4日後にニコライが退位、君主制は廃止され、ロマノフ一家は全員追放されて16か月後に処刑された。この暴力の勃発は、革命は理性的に進めるべきというレーニンの理想的な見解にも、覇権をめぐって争う資本主義国の産物と彼が見なす大きな戦いにも見合わないものだった。

1917年4月に亡命先から戻ったレーニンは、独自のマルクス主義を当時の政治状況に合わせて構成した論文『四月テーゼ *April Thesis*』を発行した。君主制が終わり、権力は労働者階級の代表、マルクスのいうプロレタリアートであるボリシェヴィキ派の手に委ねられた。1917年10月に革命が完了したあと、レーニンはロシア人民委員会議長となった。資本主義は倒れ、社会主義が成立し、1922年にソヴィエト社会主義共和国連邦が誕生した。一見すると理想が現実になったようだが、あとから振り返ってみると、レーニンのユートピア「物語」は達成されていなかった。プロレタリアートによる独裁政権は続いていた。そして国家は消滅しなかった。

レーニンの後継者ヨシフ・スターリンのもとで、マルクスとレーニンの「物語」はソ連の表向きのイデオロギーとなった。けれども、そこで繰り広げられたものごとは、レーニンが示したユートピアの理想像とは似ても似つかなかった。資本主義固有の搾取の構造は、ソ連はもとより遠い国外でも存続し、ドイツの金融危機や1920年代の株価大暴落で助長された。一部の地域では、マルクス主義の資本主義批判と必ず訪れるといわれた終焉の物語が勢いを得て、1930年代のアメリカではかなりの数の知識人がそれを支持していた。ウィリアム・J・ボッセンブルックは次のように述べている。「プロレタリアートが必ず勝利するという見解こそが、マルクス主義が西側世界の労働者階級の目に魅力的に映った要因だ。マルクス主義者にとって社会主義の地上の楽園は約束されたものであり、キリスト教の伝統における神の国と同じである」。近代の物語を欠点だらけの昔の「物語」と比較しているところが意味深い。

ソ連とその指導者たちが見誤ったのは資本主義が持つ強靱さである。レーニンはプロレタリアートを楽観視していた。彼に見えていなかったのは、じきに支配政党の特権のあいだに出現することになった権力の腐敗である。ヨシフ・スターリンがその草分けで、彼の矯正目的の労働収容所や粛清によって何千もの人が死んだ。一方でスターリンもその後継者たちも、広大な領土に広がる社会全体を統括する政府の複雑さを理解していなかった。第二次世界大戦（１９３９～45）で猛烈なドイツの軍事力にひどく痛めつけられたロシアの指導者たちは、新たな「力の物語」を取り入れた。世界支配の夢に溺れ、東欧のほぼ全域を自国の影響下におき、10か月にわたって西ベルリンを封鎖して（１９４７～48）、アメリカの核の力に急いで対抗しようとするという誤った行動に出たのである。ソ連のパラノイアについては、ジョージ・F・ケナンがトルーマン大統領に宛てた『長文電報 *Long Telegram*』（１９４６）に描かれている。そこにあるのは、全世界に影響力を広げながらも、国内では、マルクス主義物語が表向きに約束したことを本質的に達成し損ねた巨大政党の姿だ。陸、海、宇宙でアメリカの勢力と張り合おうとした冷戦経済政策はやがて経済崩落につながり、１９９１年の連邦の解体と崩壊へと続いていく。レーニンとスターリン、両者のソ連の物語は歴史のなかに消えてしまった。

　歴史の弁証法的発展という筋書きを軸にした「力の物語」は、ヨーロッパの外で独自に命をつないだ。１９３６年、中国の奥深くで、革命家の毛沢東《もうたくとう》が、与党中国国民党に対抗する勢力を集め始めた。毛沢東と共産党が国民党を倒して権力を握る勝因となった「長征」（毛沢東の軍が１９３４年から３６年にかけて国民党軍と交戦しながら１万２５００キロを歩いた大移動）は、エドガー・スノーの『中国の赤い星』で詳しく語られている。毛沢東の権力掌握は支配階級に対する人民の運動だった。マルクス主義の用語でいえば、支配ブルジョアジーに対するプロレタリアート革命である。１９３０～40年代にアメリカが20億ドルを投じて軍事と経済の両面から支援した国民党政府は１９４７年に毛沢東に敗北し、国財のほとんどを持って台湾に逃れた。継承者たちは現在もそこでアメリカの軍事力の傘に守られながら、面目を保っている。

エドガー・スノーとジョン・ガンサーの記述からは、毛沢東が知的にすぐれていたこと、国外に出たことがないにもかかわらず世界情勢に詳しかったこと、そして広く哲学書を読んでいたことがよくわかる。毛沢東の書物では、スノーが「輝かしい哲学論文」のひとつと呼ぶ『矛盾論』（1937年8月）がもっともよく知られているが、当初は、毛沢東を崇める物語によって彼が事実上神格化されていた時期の中国内でしか称賛されていなかった。それがのちに英訳され、『哲学の四つの論文 *Four Essays in Philosophy*』（1968）の一篇となって、いくつかの似たような淡黄色の小冊子のひとつとして西側で配布された。北京外文出版社がプロパガンダの目的で、深遠で説得力のある哲学として非共産圏に差し出したのである。実際、『矛盾論』は過大評価されている。繰り返しが多く学者気取りで、飾り立てすぎ、マルクスの「弁証法」の代わりに、これでもかというほど「矛盾」が出てくる。ほぼ全体が抽象的で、矛盾の上っ面をなぞった例ばかりだ。「生がなければ死はなく、死がなければ生はない。上がなければ下はなく、下がなければ上はない。不幸がなければ幸福はない。［中略］対立するものはみなそうだ」。毛沢東の言葉が示すように、表面的な語彙としてはこれらは互いに対立している。けれども、これらは相互につながり、浸透し、依存することで、ひとつのものを形作っている。要するに、彼のエッセイは対立するものの調和、すなわち2400年前に老子が書いた『道徳経』の「道」における「陰」と「陽」をならべ立てているだけだ。

『矛盾論』で使われている新しい用語は、見せかけでうわべだけの新しい哲学思想、つまり毛沢東が賛美した規律を表している。けれども、「マルクス主義」について述べた箇所には隠された政治的動機が見て取れる。「ブルジョアジーがなければプロレタリアートはなく、プロレタリアートがなければブルジョアジーはない」。対立するものがひとつになると断言しているのだ。この論文は、国民党に対するみずからの革命を哲学的に正当化するための薄っぺらな試みだった。「革命という手段で、かつて支配されていたプロレタリアートは支配する側に転じた。〔中略〕社会主義のもとで、農民の私有制は社会主義農業の公有制に変わった。これはすでにソ連で起こったことで、これから世界各地で起こるだろう」。最後の言葉が、これがレーニンの「物語」と同種の未来のユートピア「物語」であることを暴露している。

プロレタリアートの独裁、つまり人民の独裁を強化することは、事実上、独裁を廃止してさらに上の段階へ進む準備である。そのとき国家のすべての制度は排除される。共産党を打ち立て築き上げることは事実上、共産党をはじめすべての政党を排除する状況を整えることだ。

これぞまさにマルクスが描いた未来の国、対立するものが統合されて人類がついに原始共産制に戻った状態である。

アーサー・A・コーエンが『中国季刊 *The China Quarterly*』（１９６４）で面白い学術的批判を展開している。『矛盾論』が書かれたのが１９３７年ではなく１９５０年代初めだという証拠を提出したのだ。『矛盾論』をはじめに1930年代のものとされる論文は、不思議なことに1940年代の毛沢東『選集』のどの版にも見当たらず、あとになってから公表されたものである。つまり、本人あるいは共産党が毛沢東をマルクス、エンゲルス、レーニンの精神を受け継いだ初の政治理論家にまつり上げようとして、ヨシフ・スターリンが「矛盾」の概念を登場させた論文『弁証法的唯物論と史的唯物論 *Dialectical and Historical Materialism*』（1938年9月）より前に、これらの作品が書かれたことにしたのかもしれない。したがって、毛沢東の『矛盾論』の1937年8月という日付は、彼こそがその概念を組み立てた思想家であることを示して、長征と中国革命はその独自の哲学理論にもとづいたものであることを証明しようとする、見え透いた試みのように見える。すなわち、歴史の修正主義者がすでに完了した革命を正当化しようとして作り上げたプロローグなのである。これは、修正主義の歴史がそれ自体、しばしば史実に反する「物語」であることを思い起こさせる。

毛沢東とスターリンのどちらが先にマルクスの「弁証法」を「矛盾」とすげ替えたのであっても、彼らの解決――つまり統合あるいはジンテーゼ――から予想される結果は、歴史というより先を見据えた「物語」のように感じられる。ソ連は筋書きを修正しないストーリーを、いや、むしろ冷戦というわき筋を取り入れたストーリーを追うことを選んで経済を悪化させた。1991年のソ連崩壊は経済の崩壊であり、経済理論の失敗の証明だった。一方で毛沢東の死後、共産主義中国はより実用的かつ現実的な道をたどり、経済の特定の領域で資本主義の資金展開を許して、共産圏外の国との共同事業を立ち上げた。彼らが当初、イギリスの租借《そしゃく》期間が終了した

1997年以降の資本主義香港に対して不干渉政策をとったのとは対照的に、ソ連は東欧諸国を抑圧して事実上ソ連の崩壊を早めた。中国では逆に、毛沢東の理想郷「物語」の限界と失敗を、その後の指導者たちが認めている。毛沢東崇拝はあっさり葬られ、中国は資本主義事業に打ち込む分野を含めた混成経済政策を採用し、締めつけの多い前時代のイデオロギーとは一線を画すことになった。

30 アドルフ・ヒトラー――アーリア人とユダヤ人の物語

＊ 本節のイタリック体はみなヒトラーによるもの。彼は『わが闘争』で強調にイタリック体を用いており、本節の引用部分でもそれを維持する。ゲーリングの言葉の引用部分についても同様。

王たちの権力と優位性を正当化する古代の「物語《ナラティブ》」は作り話とでっちあげだらけだった。はるか昔には、正確な歴史の情報が手に入ることがめったになく、事実とフィクションの境界はあいまいだった。裏づけとなる証拠がない「物語」が力を築き上げ、維持し、投影する手段になることは仕方がないとしても、近代の権力物語にはより正確な分析と評価が必要だ。近年になって、表面上は見分けがつきにくい「物語」が誕生して、ときに世界中に影響をおよぼしている。現代のイデオロギーは、たくさんの人の支持を得やすい科学的な分析結果を装っているため、一見しただけではわからないことが多く、客観的な分析をさらに難しくしている。けれども、そこで示されている科学はたいていい疑似科学で、事実とされる内容は個人的な意見とさほど変わらない。

それでも、結果として誕生する「物語」は人々の意識に深く浸透して、現実として誤解される。

20世紀において、ドイツのナチズムほど衝撃的な結果をもたらした運動はほかにない。世界大戦を引き起こしたその動きは3つの大陸と3つの大洋に広がり、3000万人の命を奪ったばかりか、ヨーロッパで600万人のユダヤ人が計画的に殺害された。アドルフ・ヒトラー(1889〜1945)は人類史上最悪の残虐行為をもたらした人物として記憶されている。ホロコーストの惨事は広く知られている。ヨーロッパでは人類の記憶から消されてしまわないよう、強制収容所や絶滅収容所が保存されているほか、世界各地に150を超えるホロコースト記念碑、博物館、研究所などが創設されている。

ヒトラーはひとりでそれを達成したのではない。またひとりで達成することは不可能だった。ヨーロッパでもっとも教養や見識があった人々が彼に協力したのだ。ドイツ人やユダヤ人をどれほど科学的あるいは社会的に分析しても、何万人もの人々がひとつの民族全体を絶滅させようとした動機は説明できない。けれども、ヒトラーは多数のドイツ人を動員することに成功して、死の収容所を作り、ユダヤ人を探し出しては数千人単位で収容し、組織的に彼らの家を略奪して、貴重な芸術作品を含む資産を没収し、金歯を抜いて、アウシュヴィッツやベルゲン・ベルゼンをはじめとする数十の収容所へ移送し、拘束しているあいだは人間ではないかのように扱って、一度に数百人ずつ処刑し、巨大な集団墓地へ強制的に遺体を埋めた。

なぜそのようなことができたのだろう? 異常心理学という分野が確立している現在では、ヒトラーは人間以下の怪物とみなされ、狂人という口語的なレッテルを貼られて終わることが多い。確かに彼には狂信的な傾向があったが、彼の強さはカリスマ性とバランスを欠いた頭脳だった。国家に対するとてつもなく大きいプライドと、病的ともいえる性格を組み合わせると、第一次世界大戦の敗北でドイツが味わった国家の屈辱は、彼にとってとりわけ大きな痛手だっただろう。ルース・ヘニグによれば、ドイツに課せられた賠償金は「戦後の主要な戦いの場」となった。過度な罰だったために、それがアドルフ・ヒトラーと第二次世界大戦の主要な動機になったのである（第一次世界大戦の賠償金の支払いは1988年まで終わらなかった）。敗戦のショックと巨額の負担に苦しんでいたドイツには、国家の偉大さを再定義し、都合のよいスケープゴートになって新たな未来を描いてくれるような、新しい指導者を受け入れる土台ができあがっていた。

ヒトラーの『わが闘争』は、大戦間の時代を描く決定的なドイツの作品になった。ロバート・ペインはいう。「これはわれわれの時代の重要な本のひとつで［中略］マキャヴェッリの『君主論』を良書とするのと同じ意味で良書である。『テリビリタ』というルネサンス時代の言葉には、見事なまでの大胆さ、とてつもない傲慢さ、良心の完全な欠如、有無をいわさずにすべての障害を乗り越えようとする恐ろしいまでの決意がほのめかされているが、この本にはそのすべてがある」。ウィンストン・チャーチルはその本が政治的に重要であることを見抜いていた。「やがて彼［ヒトラー］が権力を握ったとき、連合国の政治と軍事の支配者がもっとも慎重に研究すべき本はそれをおいてほかになかった」。何世紀にもわたってユダヤ人を蔑み、彼らの人間性を奪ってきた物語は、20世紀になってもヨーロッパに残っていた。ヒトラーはその偏見を受け継ぎ、ユダヤ人と彼らがドイツに与える有害な影響について彼らを侮辱するような筋書きを作って偏見を強めた。彼はさらに、自分たち――いわゆるアーリア人――についての「物語」もつけくわえた。そして、それらを合わせて、人々に必ず実現しなければならないと思わせるようなストーリーを作り上げたのだ。それが、ユダヤ民族の絶滅、「最終的解決」として知られるようになった計画だった。『わが闘争』を読むと、ヒトラーが才能ある人物だとわかる。ほぼすべてのページに問題がある内容についてではなく、いまだに多くの人に幅広く読まれては危険だと感じさせるほどの表現力において、という意味だ。大陸ヨーロッパにおけるこの本の著作権はバイエルン州財務省が持っており、どのような長さであっても同書からの引用や再版はたいてい拒否される。ヨーロッパのいくつかの国では販売先が学者だけに制限されている。そうした方針が掲げられる理由は、本が新たな世代の過激派や人種差別主義者をあおりかねないということもひとつだが、ホロコーストに対する激しい嫌悪感がまだ残っていることのほうが大きい。エイブラハム・フォックスマンによれば、その本は「不快感やあと味の悪さを引き起こし、あからさまな邪悪さを覆い隠して、意識から遠ざけたいという願望を生む」のだ。残念なことに、懸念は現実のものになった。第二次世界大戦後に起きた反ユダヤ主義のネオナチ運動は暴力的な人種差別を広めた。反ユダヤ主義は世界中の多くの場所に残っている。

フォックスマンによれば、『わが闘争』を歴史の基準にあてはめると、同書はこれといって啓発的ではなく、ヒトラーが権力の座にのぼりつめるようすを描写するもので、「自分自身を好意的に描こうとする著者のおもしろくもない試み」ばかりだという。ヒトラーが同書を「歴史的事実を故意に省略したり、創作したり、曲解したりするプロパガンダ」にしてしまったために、同書は「歴史のデータとしては信頼できず」、「偽り、省略、半分だけの真実」ばかりになってしまったと彼はいう。ヒトラーが歴史家になり切れなかったのは、高等教育を受けていなかったためかもしれない。フォックスマンの見解は妥当だが、『わが闘争』が持つ重要な事実を避けている。それは、この本が、事実や歴史的真実には左右されないテクニックを通して、みごとなまでの説得力を生み出しているということだ。ヒトラーはおそるべき物語の語り手《ストーリーテラー》だったのである。

『わが闘争』の大部分を占めているのはヒトラーによるアーリア人の「物語」で、彼は30代半ばだったころに2年を費やしてそれを書き上げた。彼を政治活動へと駆り立てたのは、第一次世界大戦の体験だった。確固たる信念と若さならではの理想主義によって、彼はドイツの敗戦に対する独自の解釈を書き、それがやがて何百万というドイツ人を動かして、20年も経たないうちに次の戦争を支持させた。ヒトラーの理由づけはまったくの曲解である。彼によれば、ドイツ人は、ドイツの崩壊の原因は敗戦であるというユダヤ人のうその犠牲になった。「否」そして「否」だと彼はいう。ドイツが第一次世界大戦で敗北した本当の理由は国内の「病状と〔中略〕倫理的、道徳的中毒」だったと彼は断言した。

第11章「民族と人種」でヒトラーはこう記している。「どの人種あるいは諸人種が人間の文化の最初のにない手であったのか〔中略〕について争うことはむだな企てである」。あたかも彼が、人類の文化はヨーロッパ以外に存在していた古代の多くの民族にルーツがあることを知っているかのような発言だが、疑わしい。『わが闘争』は、彼が人類史とヨーロッパ以外の文明についてまったく無知だったことを示しているからだ。ヒトラーの極端なヨーロッパ中心の見方をすれば、

「アーリア人」だけが「文化の創始者」だった。これほどまでに貧弱な知識にもとづく歴史の解釈はめったにないが、物語的な表現という彼の強みがそれにまさっている。彼のばかげた普遍化によれば「われわれが今日、人類文化について、つまり芸術、科学および技術の成果について目の前に見いだすものは、ほとんど、もっぱらアーリア人種の創造的所産である」。そこへ想像力と象徴を巧みに用いて彼はこうつけくわえる。「アーリア人種は、その輝く額からは、いかなる時代にもつねに天才の神的なひらめきがとび出し、そしてまた認識として、沈黙する神秘の夜に灯をともし、人間にこの地上の他の生物の支配者となる道を登らせたところのあの火をつねに新たに燃え立たせた人類のプロメテウスである」。読者はおそらく、彼の言葉の比喩の力に圧倒されて、歴史が歪められていることに気づかない。屈辱的な第一次世界大戦の敗戦と重い補償金という罰を背負って生きていたドイツ人にとって、これは、歴史の運命を語るいかなるストーリーよりも自分たちを奮い立たせてくれる「力の物語《ナラティブ・オブ・パワー》」だった。

アーリア人とは白人のヨーロッパ人を指すヒトラーの用語だが、『わが闘争』で何度も繰り返されているように、彼はドイツ人以外のヨーロッパ人は自分の話に都合がよいときを除いて文化的にあまり重要ではないとみなしている。彼はアーリア人とほかの人種の交配を徹底的に非難している。「より高等なものと、より下等なもの」とが混ざり合う「このような結合は、[中略]自然の意志に反する」。「前者の徹底的な勝利」を確実にするために、交配は絶対に避けなければならない。ヒトラーによればそれが顕著に表れている例は、住民が、彼がいうところの「ゲルマン的要素からなり立っている北アメリカ」(ここでは、ゲルマン民族の子孫であり、アメリカの創始者であるイギリス人をあえて含めている）で、彼らは、アフリカの奴隷やもしかすると先住民族の子孫も意味すると思われる「劣等な有色民族とはほとんど混血したことのない」人々だという。1926年当時の描写としては、これは比較的正確だった。それとは対照的に、彼の架空の分析によれば、中南米は「幾度となく広い範囲にわたって原住民と混血」していた。ヒトラーはアメリカによる世界支配を賛美しながら「人種混血の影響をきわめて明白に認識させ〔中略〕アメリカ大陸の、人種的に純粋で、混血されることなくすんだゲルマン人は、その大陸の支配者にまでなった。かれらは、自分もまた血の冒瀆の犠牲となって倒れないかぎり、支配者であり続けるだろう」と述べている。

こうした発言からは、ヒトラーが、さまざまな力が相互に影響をおよぼしながら歴史を動かすという複雑な状況を深く理解することなく、人種の系統に基づく「物語」を組み立てたとわかる。それでも、その「物語」が国民全体を魅了したというのだから、みずからを美化する彼の表現には、読者が国にとって都合のよすぎる話だと見抜けないほど説得力があったことになる。アーリア人支配のカギとなる他人種の搾取を正当化できるという点で、この物語は都合がよかった。実際、ヒトラーの「物語」では、アーリア人以外に重要な文化はない。「アーリア人種がより劣った民族と遭遇してかれらを征服し、自分の意思に服従させた場所に、最初の文化が生じたのは少しも偶然なことではない」。ヒトラーの時代にはすでによく知られていたシュメール、エジプト、ギリシア、南アジア、中国、日本の「最初の文化」を都合よく無視する一方で、ヒトラーはほかの人種の人々がアーリア人に利用されるようすに関心を抱いている。

より劣等な人間のこのような利用の可能性がなければ、アーリア人種は、けっして、かれらの後代の文化に向かう第一歩を踏み出すことができなかったに違いない。そのことはアーリア人種が慣らすのを心得ていた個々の有用な動物の助けがなくては、今日、まさにこの動物を徐々に必要とさせなくなった技術にかれらが到達しえなかっただろうこととときっちり同じである。

何千年も前に、少数民族の文化を奴隷(動物)として重労働に利用したのは西アジアのユダヤ人であり、ほかにも多くの奴隷がカンボジアのアンコールの寺院や中国の万里の長城を建てさせられたのだということを、ヒトラーは都合よく無視している。

アーリア人の優位性とならんで、ヒトラーは「物語」を使って不安をかき立ててもいる。第一次世界大戦の敗戦の影響下で暮らしていたドイツ人は、砕け散ったプライドと、ドイツの栄光が失われるという不安に苦しめられていた。ヒトラーの警告は世界の終わりを示しているかのようだった。「ヨーロッパ大陸では、人間的な文化や文明は、アーリア人種の存在と不可分に結びついている。アーリア人種が滅亡し、あるいは没落したならば、この地球上は、ふたたび文化なき暗黒なヴェールにおおわれた時代に沈むにちがいない」

ヒトラーによるイタリック体の強調は、ペン先から激しい憎しみがほとばしり出るかのように、戦いを挑んでいるしるしだ。「われわれが闘争すべき目的は、わが人種、わが民族の存立と増殖の確保、民族の子らの扶養、血の純潔の維持、祖国の自由と独立であり、またわが民族が万物の創造主から委託された使命を達成するまで、生育することができることを目的としている」。神聖な運命より強力なアピール方法はない。使命を達成するためには、高等なアーリア人は、キリスト教会のように「望んでもいないし、わかりもしない黒人に」重荷を負わせるというような劣等な人種に重きを置く慣行は慎むべきだ。ドイツ人は「病弱で自分自身もまた他の世間の人々にも、ただ不幸と苦しみをもたらすにすぎない子供を生む」ようなことはすべきではない。ヒトラーは草稿で、自分が取るべき政策に下線を引いていたが、刊行されたときにはそれがイタリック体で示された。ドイツのアーリア人は「人種を一般的生活の中心点に置かねばならない」、また「人種の純粋保持のために配慮しなければならない」。国家はそのために、「健全であるものだけが、子供を生む」ことを徹底させなければならない。それはつまり「明らかに病気をもつものや、悪質の遺伝のある者として考えられねばならず」、それはつまり「明らかに病気をもつものや、悪質の遺伝のあるものや、さらに負担となるものは、生殖不能と宣告」すべきである。なぜならそれは「犯罪であり、［中略］恥辱で」であるからだ。彼の執拗な論調は、その後、アーリア人の未来において何の役割も果たさないとみなされた人々を強制収容するという基本理論を作った。

ヒトラーはドイツと競合する文化がアジアでくすぶっていることに気づいていた。日本の領土拡張政策の傾向は日清戦争（１８９４〜95）と日露戦争（１９０４〜05）の勝利に見て取れた。そこにあったのは、ヒトラーが称賛せずにいられない軍事力による支配だった。文化としては、日本にはきわめて古い非軍事的な歴史があった。数十年前にジョン・ガンサーが詳しく述べているように、6世紀に中国が「大きな文化の発展と〔中略〕文明と呼ばれるものの最初のきざしを日本にもたらした」。だが、ヒトラーは日本の歴史、固有の文化、そして中国の陶芸、絵画、詩、茶を飲む習慣、養蚕、石庭、いにしえの孔子の哲学、さらにインドを起源とする洗練された仏教文化など、日本に恩恵をもたらした幅広いアジアの文化的要素については知らなかったようである。ひょっとすると聞いたことくらいはあったかもしれないが、軍とは関係のない文化に意味はないと考えていた。彼が本当は日本をどのように理解していたのかは知る由もないが、アーリア人の「物語」を強化すべく、日本の姿を描いている。彼はアジアの文化の起源について次のように語っている。「数十年もへぬ中に、東部アジアの全部の国が、その基礎は結局、われわれの場合と同様なヘレニズム精神とゲルマンの技術であるような文化を〔中略〕身につけるだろう。日本は多くの人々がそう思っているように、自分の文化にヨーロッパの技術をつけ加えたのではなく、ヨーロッパの科学と技術が日本の特性によって装飾されたのだ」。「アーリア人の影響がそれ以上日本に及ぼされなくなった」なら、日本の「現在の文化は硬直し、七十年前にアーリア文化の大波によって破られた眠りに再び落ちてゆくだろう」。この70年前の大波というのは、1860年にドイツ帝国の前身であるプロイセンの大使が初めて日本を訪問したことを指していると思われる。この文化的接触の話は、それに先立つ300年ものあいだ、ポルトガル、スペイン、オランダ、イギリスが日本に影響をおよぼし、それより前にはイエズス会のフランシスコ・ザビエル（1506〜52）がキリスト教を広め、それが現在まで続いていることを都合よく無視している。紀元数百年という初期のころから続いている日本の王朝の強大な力や、それよりも長く続いていた中国の文明や文化は、ヒトラーの知識や教養の範囲外だった。

ヒトラーが描く疲弊した英雄アーリア人の引き立て役は、彼が現実社会とみなす「物語」のなかの悪魔的存在、ユダヤ人だった。「アーリア人種に、もっとも激しい対照的な立場をとっているのはユダヤ人である」。偏見を事実とみなす主観的なものの見方にとらわれていたヒトラーは、聖書の時代から続いていたヨーロッパの反ユダヤ主義に陥った。イエスは、ローマ人の手で伝統的なローマのやり方、つまり十字架にかけられて、処刑された。ところが、1世紀の終わりごろ、ユダヤ人の最高法院《サンヘドリン》に姿を見せたイエスが処刑されるにあたってわざわざローマ人に引き渡される話は信じがたいとして、ローマのキリスト教徒が、イエスを処刑するという決断をユダヤ人によるものとみなして自分たちローマ人の罪を晴らした。ローマ帝国の支配下では、ローマの責任を和らげることは政治的に都合がよかった。その結果、キリスト教はローマ人に受け入れられたが、ユダヤ人は新約聖書のなかでさえ最悪の立場に追い込まれた。ヨハネの手紙だけに出てくる「反キリスト」という言葉は、イエスがキリスト（クリストス）であることを認めない者たちを意味する。つまり新しい宗教であるキリスト教に改宗しなかったユダヤ教徒全員だ。憎しみの感情は続き、ユダヤ人はまもなく「キリスト殺し」と描写されるようになった。ダニエル・ジョナ・ゴールドハーゲンによれば、コンスタンティノープルの大司教でのちに聖人になったヨハネス・クリュソストモス（347〜407）が初期のキリスト教徒の反ユダヤ主義を定義している。「キリスト殺しが集まるところでは、十字架が嘲笑され、神が冒瀆され、父が無視され、子が侮辱され、聖霊が拒絶される」。ユダヤ人に対する偏見、憎悪、非難は長く受け継がれてきたものだったのだ。

　ユダヤ人は、まずは地中海沿岸地域で国を持たない難民として、その後はどこへ行っても彼ら以外の人々に降りかかった不幸の原因として、繰り返し中傷され、苦痛を受けた。ヨーロッパ史を通して、反ユダヤ主義は続き、衰えることはなかった。１３４８年に起きたペストの大流行ではユダヤ人がスケープゴートとして、拷問され、自白を強要され、処刑された。勇敢な抵抗がプロテスタントに愛され、「95か条の論題」で知られている16世紀のドイツの神学者マルティン・ルターは、実際には反ユダヤ主義の信奉者だった。「ユダヤ人というこのいまいましい、疎まれている人種をどうすべきか？［中略］彼らがうそをつき、神を冒瀆し、のろっていることはわかっている。［中略］彼らの礼拝堂、シナゴーグには火をかけるべきだろう。［中略］彼らの家々も同じように破壊すべきである」。ローマ・カトリック教会の宗教改革はユダヤ人の宗教の破壊とセットになっていた。「祈禱書とタルムード（口伝律法と注釈からなる聖典）を没収しなければならない。［中略］これ以上教えを説いた場合には死を迎えることになると、ラビの活動を禁じなければならない」。ルターはユダヤ人から自由を奪うことを推奨した。「ユダヤ人には通行証と通行権を絶対に与えてはならない。［中略］男でも女でも、若くて力のあるユダヤ人には唐棹、斧、鍬、鋤、糸巻きを与えて、アダムの子どもたちが命じられたように、額に汗して働かせるのだ」。これはそれまでのもっとも激しいユダヤ人非難だが、ヒトラーはマルティン・ルターを「偉大なる改革者」と絶賛した。

　ヒトラーにとって、ドイツ国内のユダヤ人はアーリア人の優位性にとって最大の脅威だった。ユダヤ人に関していえば、ヒトラーはおそらく排除主義からスタートしたのだろう。もっとも、排除主義といってもさまざまな考えがあった。たとえば、彼らの存在は認めるが、権力を制限し、政治参加を禁じ、社会との関わりを抑制するのもひとつの考えだが、それより厳しい対策として、ユダヤ人の恒久的な隔離による移動制限や、ゲルマン人による完全支配なども考えられた。実際、ルターが示したものは排除主義の計画だったといえる。しかしながら、31歳になるころまでに、ヒトラーの考え方はさらに過激になった。その年、彼は「なぜわれわれはユダヤ人を排斥するのか?」と題された演説を行い、ユダヤ人を「国家に対する犯罪者」と表現したうえで、投獄したところでいつかは必ず出てくるが、「けっして開けられないかんぬきがひとつある――それは死だ」と述べた。自分の主張を明確にするべく、彼はそれこそが「ユダヤ人問題」を解決する方法で、「解決するためには、徹底的に行わなければならない」とつけくわえた。徹底的とはすなわち、ユダヤ人の根絶である。文化の手段である国家は文明にとって絶対に必要なものだが、国を持たないユダヤ人はどこへ行っても既存国家をねらう動物であるかのように扱われていた。

ヒトラーは現在でいうところの陰謀論のえじきになった。ヒトラーの目には、ドイツの社会経済構造の弱体化をもくろんでいるユダヤ人主導の秘密の国際勢力「世界のユダヤ人」が存在すると映った。信頼できる分析の代わりに、ヒトラーは思いつきにすぎないストーリーを作った。「この世界にユダヤ人だけがいるのなら、かれらは泥や汚物に息がつまりながらも、憎しみに満ち満ちた闘争の中で相互にペテンにかけよう、根こそぎにしようと努めるに違いない。［中略］ユダヤ人はどのような文化形成力ももっていない」。国を持たないユダヤ人は「典型的な寄生虫であり続ける。つまり悪性なバチルスと同じように、好ましい母体が引き寄せられさえすればますます広がってゆく寄生動物なのである」。アーリア人こそが支配者の人種であり、血の純潔を保たなければならないという彼の理論では、ユダヤ人の行動はまさに正反対の忌むべきものだった。

このただならぬ「物語」は知識を授けるというより感情をかき立てるためのものだった。実際それは、持続的な形の認知的虐待だった。ユダヤ人の危険は「血の毒化」であり「何十万のわが民族は、わが民族の毒化を盲目的にみのがしているが、だがそれはユダヤ人によって今日計画的に追及されているのである。これら黒い髪の民族寄食者は、われわれのウブな、若い娘を計画的に凌辱《りょうじょく》し、こうしてこの世でもはやかけがえのないものを破壊しているのである」。逆に、ずる賢いユダヤ人は自分たちの血が汚染されるようなことがあってはならないと知っている。彼らは「しばしば自分の娘を勢力家のキリスト教徒の妻にすることはあるが、しかし自分の男系の子供は原則としてつねに純粋に保つ。かれらは他人種の血をだめにするが、自分自身のは保護する。男子のユダヤ人は、ほとんど女子のキリスト教徒と結婚しないが、男子のキリスト教徒は女子のユダヤ人と結婚する」。ドイツ人にとっての大きな危険は「ユダヤ化」だ。

『わが闘争』を読めばだれでも、ユダヤ人に対するヒトラーの激しい嫌悪は、この本を熟読しないかぎり理解はもとより想像すらできないだろうという、ジョン・ガンサーの言葉に同意せずにはいられないだろう。ガンサーがそう語ったのは、ホロコーストの全容が明らかになるより何年も前だった。ヒトラーの人種差別的な侮辱は『わが闘争』の多くのページを占めている。その後ナチスがユダヤ人に対して取った行動の歴史はかなりの分量にのぼり、ニュルンベルク裁判でまとめられた膨大な記録の注釈となっている。ヒトラーは、１９３９～40年のポーランドと西ヨーロッパに対する電撃戦《ブリッツクリーク》の時期に、今こそユダヤ人の根絶に着手すべきだと思い立ったようである。日記で有名な13歳のアンネ・フランクはオランダで、ドイツに残っていた親族はすでに「ヒトラーの反ユダヤ法の影響をまともに受けて」、おじふたりは1938年に逃げのびたと記している。1941年までには、ヒトラーに近いナチスの高官は「最終的解決の総統命令」を熟知しており、ヨーロッパ中で実行に移されつつあった。数か月の準備期間を経て、1942年、アンネ・フランクの家族は身を隠し、2年にわたって発見と拘束を逃れた。

ヒトラー本人が記した「最終的解決」の資料は見つかっていない。ヒムラーやハイドリヒにはおそらく、ゲーリングにはまちがいなく口頭で伝えたのだろう。第三帝国に関する膨大な記録で知られるウィリアム・シャイラーによれば、ゲーリングは1941年7月31日に指示を出した。そこでは、重要な言葉に下線が引かれている。彼はまず「ユダヤ人問題の完全な解決」について触れ、それから「ユダヤ人問題の最終的解決に向けた処刑方法を［中略］示す草案を可能なかぎり早急に提出せよ」と命じている。

大戦中、ヨーロッパのできごとを追っていた歴史学者たちは、何が起きているのかを完全には把握していなかった。ヒトラーを追い詰めていった連合軍が死の収容所に遭遇し、それをフィルムに収めてようやく実態が明らかになったのである。その後押収されたナチスのフィルムは、ユダヤ人根絶のあらゆる局面を映し出していた。ニュルンベルク裁判ではさらなる記録が明らかにされた。詳細については、ゲラルト・ライトリンガーの著書『最終的解決 *The Final Solution*』（1953）に、「1939〜45年にヨーロッパのユダヤ人を根絶しようとした試み」の徹底的な記録が残されている。

６００万のユダヤ人の組織的な根絶は物語が実行に移されたもので、その土台となる章はすでに多くのドイツ人に知られ、明らかに支持されていた。１９３３年にヒトラーが首相に選出されると、ドイツ政府は定期的に『わが闘争』を大量購入した。１９３０年代に結婚した新婚夫婦に1冊ずつ、合計６００万冊が贈呈された。理論的には読者が１２００万人いたということになるが、それだけではない。この本はドイツ人の必読書だと考えられていた。ヒトラーの目覚ましい軍事力増強と変化を巻き起こすかのような表現力が相まって、『わが闘争』はまもなく実現するアーリア人の快挙を約束する計画書ともいえる役割を担うようになった。１９４０年までに、ドイツがいくつかの隣国を占領すると、読者の目には本は預言で、それが実現されているかのように映った。ドイツの領土は3倍になり、ヨーロッパ全土、またその先にも無制限に広がっていく運命にあるように見えた。ヒトラーがアーリア人の特権だと力説していた「生存圏《レーベンスラウム》」の拡張が実現していた。鼻持ちならない競争相手（フランス人）や劣等な民族（ユダヤ人とスラヴ人）がドイツの支配下に入りつつあった。完全な根絶という意味でのユダヤ人排斥は計画の一部だった。何万人ものドイツ人がみずから野蛮人となって自己満足に浸っていた。

創作された力の物語の効果のなかでも、服従した人々の完全支配にともなう個人また集団のうぬぼれを軽視してはいけない。それはまちがいなく、シュメール、エジプト、ヘブライ、ギリシア、ローマといった、奴隷を所有していた時代にもあった。ウィリアム・ニコルズによれば、最終的解決には、奴隷の監督、収容所の看守、そして死刑執行人になる従順で意欲的なドイツ人と東欧人が必要だった。ユダヤ人の捜索、拘束、移送、収容、処刑はドイツとドイツ人の残忍な力を強化し、彼らをダニエル・ジョナ・ゴールドハーゲンがいうところの「ヒトラーの思いのままに動く実行者」に変えた。くわえて、ヒトラーは古い物語を持ち出して、収容したユダヤ人に適用し、強制労働所に見せかけた収容所で無理やり働かせた。歴史学者や経済学者が述べているように、そうした労働がもたらす生産性と利益は最低限でしかなく、仮設小屋や作業場を建てたところでたいした価値はない。目的は別のところにあった。ヨーロッパでは古くから、ユダヤ人は働かない、働こうとしない、働けない、ほかの人の労働に依存して生きているという話が信じられていたと、ゴールドハーゲンは指摘している。ラウル・ヒルバーグが述べているように、マルティン・ルターは「彼らはわれわれが額に汗して働いて得た金で、金儲けをして所有物を手に入れ、そのあいだも自分はオーブンの裏にのんびり座って、むだ話をして、梨を焼いて、食べ、飲み、われわれの稼いだ金でゆったりと暮らしている」と主張した。

この偏見は何世紀にもわたって幾度となく繰り返し語られていた。ヒトラーの主張にはいくつもの先例があったのである。ユダヤ人の強制労働は、何世紀もの怠惰と寄生への罰だった。けれども、ドイツの支配下での強制労働は、ドイツ人にとっての支配、優位性、道徳的正義の物語を作るという役割も担っていた。奴隷の監督者の心の奥底にある動機を分析しているゴールドハーゲンによれば、ユダヤ人に労働を強制するということは、「ドイツ人によるユダヤ人の扱いに何度も見て取れるように、ユダヤ人を完全な支配下に置きたいという精神的な欲求を満たした」のである。建設的な成果が得られないにもかかわらず強制労働収容所が普及したことがその証拠だ。

つまり、強制労働はおもに、奴隷を監督する人々が優越に浸るための精神的また感情的な拷問として機能していたことになる。強制労働所の管理者も、死の収容所の管理者と同じように、「物語」の枠組みのなかで暮らしていた。組織立ってユダヤ人を非人間的に扱うことで、ヒトラーが示すアーリア人のイデオロギーに参加していたのである。

ヒトラーが党首を務めていたあいだずっと、そこには彼個人の「力の物語」が存在していた。演説のほとんどでは、彼は謙虚さを装いながら、自分は権力を振りかざしていないかのように見せていた。1932年、ヒトラーは次のように語っている。

いつの日か、わたしの遺書を見るときには、わたしの墓石にはわたしの名、アドルフ・ヒトラー以外に何も記さなくてよいと書いてあることがわかるだろう。わたしの称号はわたしが決める。［中略］だれにも頼まない。授かるつもりもない。［中略］称号がなんだというのだ。帝国の首相という言葉がわたしにとってどのような意味を持つというのか？

しかしながら、ときには傲慢さと厚かましさが顔を出す。1936年に皮肉にもニュルンベルクで行われた党の演説で、彼はいった。

あるとき諸君にひとりの人間の声が聞こえた。その声は心の奥まで響いた。その声が諸君を目覚めさせた。諸君はその声にしたがった。くる年もくる年も諸君は声を追い求めた。［中略］聞こえたのは声だけだったが、それを追いかけた。ここにわれらが集うとき、ここへといざなった運命を感じずにはいられない。だれもがみなわたしが見えるわけではない。わたしも諸君すべてが見えるわけではない。それでもわたしは諸君を感じ、諸君はわたしを感じる！

自己顕示欲の強い言葉遣いには、ヒトラーがひけらかさずにはいられなくなった自己評価が直接表れている。「預言者であるわたしは諸君に告げる。第三帝国は誕生してからまだまもない。これから何世紀もかけて成長するだろう。［中略］われらの国民の新たな世代が何年にもわたって旗を受け継ぐのだ。ドイツは蘇った！　国民は生まれ変わった！」

預言者！　みずからが創作したユダヤ人の凶行に基づく反ユダヤ主義の物語と国民の士気を高めるアーリア人の運命にまつわる預言の根底にあるのは、ヒトラー個人の、自分がいかに重要であるかを語る自己愛のストーリーだ。およそ７００ページにのぼる『わが闘争』で解き明かされるものは事実に基づく伝記でもなければ、第三帝国における彼の独裁的な命令の話でもない。それは、自分で自分をかり立てるような、説得力のある内面の物語で、歴史における自分の位置づけを想像しているあいだにときおり現れる一瞬のひらめきだった。そうして、自分が、真実だと考えられるものごとを語っていることを強調するために下線が引かれた。「わたしは［中略］全能の造物主の精神において行動すべきだと思う。同時にわたしはユダヤ人を防ぎ、主の御業のために戦うのだ」。１９３７年、預言者また救世主としての彼の個人的な物語は電波に乗り、ドイツのすべてのラジオ局で、彼を「ドイツ国民に対する神の啓示」、彼らの「救い主」とする、特別な祈りが捧げられた。

＊　本節では『わが闘争』（平野一郎、将積茂訳）より引用した。

エピローグ

物語の衝突

王や架空の英雄が持つ神の力は、王国や帝国が衰えたり、征服されたりすると勢いを失う。シュメールの王の神聖化やローマ皇帝の神格化は、それを支える文化の衰退とともに姿を消した。エジプトのファラオの神性は、紀元前30年のクレオパトラの死とともに終わりを迎えた。ギリシアやヘブライの古代の王たちが持っていた神聖な地位にまつわる史料はほとんど、あるいはまったくない。日本の『古事記』、ペルシアの『シャー・ナーメ』、エチオピアの『ケブラ・ナガスト』、そしてマレーの『スジャラ・ムラユ』における支配者の話は神話や伝説から始まり、その後のできごとはあまりに粉飾されていて、文学の色づけの下に史実を見つけることは難しい。神聖な力はもはや王家にはなく、神を起源とする神話の守護も失った。中国の皇帝支配は、最後の皇帝溥儀《ふぎ》が孫文《そんぶん》による共和革命によって退位させられた１９１２年に終わり、ロシア皇帝の支配は、１９１８年にロマノフ朝最後の皇帝ニコライ2世とその家族が処刑されて幕を閉じて、いずれも何世紀も前に作られた君主の「物語《ナラティブ》」に終止符が打たれた。宗教の教祖は例外で、時間と歴史による風化を超越している。彼らの崇高さは信者にとって確かな歴史であるため、たいていの場合、心に訴える力が事実に基づく調査を阻んでいる。

近代の「物語」は消滅するか、覆される傾向にあった。過去数世紀には、3つの社会の「物語」が歴史の変化に打ち負かされて廃れていった。自分たちを「選ばれた人々」、新世界を「約束の地」とみなしたアメリカの清教徒の解釈は、啓蒙運動の時代に、ガリレオとハーシェルの天文学、ハットンとライエルの地質学、宗教を中心からはずすアメリカの権利章典とそれに関連する民主主義の形成の犠牲となって頓挫した。マルクスやエンゲルスの未来像を求めた19世紀の「物語」は、階級のない社会を築くという約束を果たせず、20世紀になって敵対する資本主義経済制度に圧倒された。アドルフ・ヒトラーの独裁的な権力欲や、ナチズムやファシズムの反ユダヤ主義の「物語」は、世界中を巻き込んだ軍事連合と高度な産業戦に敗れた。

神の力に感化された君主制は事実上消滅したが、純粋に象徴としての君主は残っている。それでも、なかでも長く続いているふたつの君主制は現在、論争の危険にさらされている。数千年も続いてきた日本の天皇は、第二次世界大戦の和平調停で自分は神ではないと認めさせられた。けれども、神に選ばれた者としての儀式や、神である過去の天皇を祀る神社への参拝は、1989年に即位した明仁天皇、2019年の徳仁天皇の神格化行事でも行われた。いずれも、天皇に神性があるということにもはや心を奪われることがなくなった、宗教とは無関係の社会から発せられた国民の反対に直面した。

ヘンリー8世が16世紀に国教会を制定して以来、イギリスの君主は「信仰の擁護者」という称号を維持し続けてきた。1950年代、女王エリザベス2世は、妹のマーガレット王女と、離婚歴のあるピーター・タウンゼンドの結婚に反対する教会を支持して、その役割を果たした。けれども、それが最後だった。エドワード8世が1937年に王位を放棄してからというもの、イギリス王室はゆっくりと勢いを失いつつある。2005年に離婚歴のあるカミラ・パーカー・ボウルズと結婚したチャールズ（当時皇太子）や、2018年にやはり離婚歴のあるメーガン・マークルと結婚したヘンリー王子には、異議申し立ては行われなかった。近年は、八方から人目にさらされ、見世物のようになってしまった君主制は「こっけいなほど時代遅れな制度」と評されている。

君主制が200年かけてゆっくりと退場していくなかで、開放された人々は今、すべてを含むひとつの未来計画、全人類が暮らすことのできるひとつの「物語」を望んでいる。1942年、大西洋の秘密の会合でウィンストン・チャーチルとルーズヴェルト大統領がナチズム敗北後の世界政策について合意したとき、グローバルな民族自決のための基礎が築かれた。その大西洋憲章の主要な目的は、「すべての国が自分たちの領土で安心して暮らすことができ、すべての人々がすべての場所で恐怖や貧困に怯えることなく人生をまっとうできる平和」だった。この理想主義的な抱負の表明にさいして、イギリスとアメリカは「広範かつ恒久的な全体の安全保障体制の構築をもって」それを実行することとした。抑えのきかない帝国主義があまりに衝撃的だったため、これが20世紀末まで世界の目標になった。3年後、国連憲章はこの主要な目的を「国際の平和および安全の維持」と定義した。51か国がためらいなく署名した。平和はもっとも重要な目標だった。エメリー・リーヴスはただちに、『平和の解剖』を刊行した。これは「アメリカ人に宛てた公開状」ともいうべきもので、アルベルト・アインシュタイン、トーマス・マン、クリストファー・モーリー、カール・ヴァン・ドーレンをはじめとする十数人の著名人が署名していた。リーヴスが定義した平和とは、国家主義の対立という当時優勢だった構造を超越した先にあるものだった。

世界をひとつにする「物語」の構築が達成できそうに思われたその10年のあいだに、小学校から大学院まで、戦後世代の心と想像力を開放するための新たな教育モデルを通して物語が強化された。1943年に設立された委員会は、鮮やかな赤色の表紙で「自由社会における一般教育」と題された報告書を作成した。それはまもなく「ハーヴァード・レッドブック」として知られるようになった。世界に共通する民主主義と個人の自由は、人文学、科学、社会科学のバランスが取れた教育で達成できるはずだった。このモデルはすぐに全米の教育課程の基礎になった。国連憲章とレッドブックがほぼ同時に発表されたことで、自由な民主主義思想と暮らしの勝利が約束された新たな物語が誕生したかに見えた。翌年の1946年、マリア・モンテッソーリは『新しい世界のための教育』、続いて『教育と平和 *Education and Peace*』(1949)を書き、教育とは「人の精神の発達であり、個人としての価値を高めるものである」と説いた。子どもたちに注目した彼女は「子どもにはみずから発達する能力があり、そこに人類の成長の可能性を示す明らかな証拠が示されている」と述べている。

戦争が終わり、アメリカが「世界に干渉」するようになって、民主主義国家は勝ち誇った空気に包まれた。核の傘の下で、個人資産が増え、早くも1920年代に経済の「福音書」とみなされていた消費者主義が一気に高まり、理想の夢がかなったかのように見えた。豊かさに支えられた個人の自由、宗教から切り離された教育、そして民主主義による平等の理想が、ヨーロッパ、北アメリカ、オーストラリア、また新たに開放された世界各地の国家で確立された。けれども、経済に基づく「精神の発展」が古いイデオロギーの過ちを繰り返していることに気づいていた人はほとんどいなかった。1940～50年代には家と車の所有率が急上昇し、景気がにわかによくなって、人々はキャンピングカーで旅をした。ジョン・ケネス・ガルブレイスは著書『ゆたかな社会』でその時代を、また『新しい産業国家』でその物質的基盤を定義している。資本主義への不満を示す社会主義者の弱いつぶやきはトリクルダウン経済理論（富める者が富めば、貧しい者にも自然に富が浸透するという理論）の甘い言葉にかき消され、戦後の日本と文化革命後の中国が消費者と生産者の両方で貢献した。1960年代にはテレビが登場し、アメリカの映画が世界各地で上映されるようになって、郊外型のライフスタイルがすべての人の理想になった。牧場スタイルの分譲開発、豪華な内装、マスタングやカマロといった自動車、有名デザイナーの服、そしていわゆる「緑色革命」は、アメリカとヨーロッパの生活の象徴であり、より豊かな未来が約束されていた。

けれども、第二次世界大戦後、ソヴィエト連邦の野心的な政策によって、それに対抗するストーリーが形成され、1980年代の終わりごろまで広く普及した。その結果生じた、世界を二分する共産主義対資本主義の構図は、ソ連の野望を分析したジョージ・ケナンの長い電報によく表れている。ケナンによれば、ソ連は自分たちの支配の形にこだわる精神病的な大国で危険な存在だった。冷戦、キューバにミサイルを配備しようとするソ連の企み、万が一の事態になれば双方が破壊されることが確実な軍拡競争を通じて、それが証明された。

1991年に起きたソ連の突然の崩壊は、冷戦の二極体制に終止符を打ったかのように見えた。ベルリンの壁の破壊と分断されたドイツの統一はまさにその象徴だった。大きな希望と幸福の時代の到来だった。核戦争の可能性は消え、豊かな国々は、世界はとうとう全人類にとっての平和と繁栄の時代に突入する、全世界の平和という国連の理想が達成されると信じた。関連するできごとをよりよい未来のための戦いととらえた有名な論考で、フランシス・フクヤマは、自由民主主義は政治の理想でありそれを達成すればもう何もない、すなわちそこが「歴史の終わり」だと述べた。それは、その先に「物語」の必要がない終点だった。

この単純化された見解は長く続かなかった。ソ連との関係を断ち、1964年までに原爆の開発と実験を進めていた中国が、まもなく力を誇示するようになった。台湾や、1997年に100年続いたイギリスの支配から解放された香港に対する中国の攻撃に関する懸念は、中国という予測不能な力の台頭を決定づけた。ひとつの世界という理想は消えた。2010年までに世界有数の製造国となった中国は、新たな脅威として、アメリカのリーダーシップを脅かしている。

そうするあいだにも、ニューヨークの世界貿易センタービルが航空機テロで破壊された事件によって、数十年にわたって都合よく無視されていた中東の急進的なテロリストのイデオロギーが浮き彫りになった。1950〜60年代、共産主義を抑え込むという政策のもと、アメリカは朝鮮半島とヴェトナムの戦争に引きずり込まれた。最近では、アフガニスタンで9・11テロ事件の犯人を追い、イラクが保有しているとされる大量破壊兵器を根絶するために、さらにふたつの戦争にかかわった。ある程度の成功は収めたものの、その政策決定は、将来の歴史家が整理するにあたって何十年もかかりそうな疑わしいものだった。ロバート・マクナマラ元国防長官がヴェトナム戦争は誤りだったと認めるまでには四半世紀の年月を要している。

中国や中東における急激な力の台頭は、新たな侵略文化が動き出した証である。ウラジーミル・プーチン大統領のもとで、ロシアが昔のソ連のような大国になろうとしていることは明らかだ。それによって世界は四代文化の戦場に変わろうとしている。ただし、今回は領土の侵略というよりむしろ、きわめてイデオロギー的な「物語」の衝突である。

紛争、失敗と成功、行き詰まりの時代が四大勢力を特徴づけている。ロシアはアフガニスタンで失敗し、10年（１９７９〜89）の紛争のあと、ソ連の崩壊によって南アジアに拠点を築くという野望を捨てた。それでも、２０１４年には計略を用いてクリミアを併合し、何年にもわたってウクライナを攻撃し続けている。同じような失敗と成功は中国にも見られる。アメリカの保護下で事実上独立国家として機能している台湾を取り戻そうとする野望では行き詰まっている。その代わり、南シナ海に軍事力を投入して、領有権で争っている南沙諸島の珊瑚礁に大量のコンクリートを注ぎ込み、滑走路と地対空ミサイル基地を建設している。

イスラエルは過去何十年ものあいだ、国連によってパレスティナに割り当てられた領土を「植民地化」し続け、地域一帯の感情を逆撫でしている。そのあいだにも、西アジアでは、残虐性、テロリズム、信者以外の処刑、そして新たなカリフとイスラム共同体を宣言する運動が起こり、過激派組織ＩＳとして知られるようになった。全米経済研究所の報告書によれば、２０１５年12月までに、85か国から3万人の戦闘員がＩＳに加入した。ＳＮＳを通して提示された「力の物語《ナラティブ・オブ・パワー》」があまりにも効果的だったために、中東に起源を持つ若者だけでなく、それ以外の民族や宗教からも多くの若者が惹きつけられた。まもなくその「物語」は幻想だとわかったが、新たな革命物語、イスラム文明の確実な勝利、そして終末世界の最後の決戦「ハルマゲドン」――１５１６年にその地で起きた戦いに結びつけられているあいまいな預言に基づいて、シリアのダービクで戦うことになるといわれる最終戦争――が持つパワーが明らかになった。人類は預言の「物語」の影響を受け続けている。ここへきて、朝鮮半島やヴェトナムの共産主義を封じ込めてきたアメリカは、ロシア、中国、そして中東からさまざまに異なる脅威に直面することになった。

　サミュエル・Ｐ・ハンチントンが述べているように、世界情勢を「文明の衝突」と呼ぶことには意義があるが、その言葉からは紛争が軍事衝突だけであるかのような印象を受ける。しかし、動機、長期の計画、理由づけを探っていくと、紛争がいくつもの異なるレベルに存在していることがわかる。行動には直線性、連続性、計画性がある。グローバルにつながった世界では、過去と現在のできごとが、未来にどのように働くのかを見きわめることが重要だ。それぞれの地域に、独自の計画、目的、物語の形がある。現代社会の特徴は、文化とイデオロギーの「物語の衝突」なのである。

　そうするあいだにも、予想外の新しい傾向が広く混乱を引き起こしている。「ポピュリストの爆発」あるいは「自由民主主義に対する反乱」と特徴づけられる文化の衝突が、かつて成し遂げられたと考えられていた自由民主主義の理想と実行に揺さぶりをかけている。前世紀には短命な運動でしかなく、はなから成功の見込みのない政党だったものが、オーストリア、イギリス、フランス、ドイツ、ギリシア、イタリア、オランダ、ノルウェー、スペイン、スウェーデン、そしてアメリカで大きなポピュリズム運動に発展している。政治指導者や人々の生活に欠かせない制度への不信感、多数の移民によって国家のアイデンティティが薄まることへのいらだち、富裕層と一般社会のあいだに広がる格差、そして従来の政党と選挙で選ばれた人々との乖離といった複雑で込み入った感情的反応が、反体制派のポピュリズム政治に拍車をかけている。長期にわたる影響、現在の各国政府に見られるナルシシズムにあおられた社会の分断、かつては団結していた地域が政治的断絶に進んでいるという先の読めない未来を考えれば、これらを短期的な傾向とみなすことはできない。スーザン・ジャコビーがいうところの「不合理な時代」の下、未知の引き金によって今にも爆発が起こりそうだ。

ポピュリストの反体制派と主流派による政治は、アル・ゴアが『アル・ゴア未来を語る　世界を動かす6つの要因』で、膨大な資料を用いて語っている最新の傾向に対処する準備ができていないように見える。彼が「アース・インク」(地球株式会社)と呼ぶ、生まれるべくして生まれたグローバル経済は、グローバルな視点に立っているというよりむしろ、国家主義的なイデオロギーの収縮に対抗するものである。個人を「グローバル・マインド」と結びつける電子的なネットワークは、自由民主主義にとって大切な自由とプライバシーが侵害されるのではないかという幅広い不安を生んだ。遺伝子操作を可能にする化学や生物学の新技術は、従来の哲学では対処できない倫理的な懸念も含めて、さまざまな難しい問題を浮かび上がらせている。それらがみな、政策を決定し、規制を作ることのできない現政権の無能さを強調する。

20世紀最後の数十年が終わり、新しい千年紀《ミレニアム》が幕を開けた今、自由民主主義、消費者の豊かさ、幸福な郊外居住者というイデオロギーは、政治経済の神話とみなされるようになってきている。過去の多くの物語と同じように、そこで約束されていた個人と社会の力は永久に続くものではないようだ。その一方で、国内外のリーダーシップには問題に対処する力がなく、これまで何十年も知られていなかったグローバルな脅威がまとまって表面化してきた。目下の課題を次にあげる。

人口の増加——70年前、フェアフィールド・オズボーンが「世界人口はほぼ5倍、前世紀のあいだだけでも2倍になった」と述べ、わたしたちは、増え続ける人口がもたらす危険について警告を受けた。当時は、彼によれば「20億人がなんとか生き延びようとしている」時代だった。20年後、ポール・R・エーリックは著書『人口爆弾』で、35年で2倍になった35億人の人口がもたらす影響についてまとめ、さらに人口が60億人を超えたときに『人口が爆発する！ 環境・資源・経済の視点から』で内容を更新した。世界人口は2011年11月に70億、2020年には78億人に達し、今世紀末には100～120億人になるとする統計もある。ところが、この問題についてはみな口をつぐんでいる。「人口増加」という言葉が拒まれるのは、それを抑制する規制を作ろうと騒ぎ立てると性と生殖に関する権利を侵害すると、世界中で考えられているためである。アメリカの権利章典にその権利は含まれていないが、侵害してはならない権利とみなされており、議論の余地がない。さらに、親ふたり、子ふたりの各家族は単純な世代の交代に見える。ゆえに、人口の増加には目を向けられないままだ。かたや、人口の問題は1948、1968、1994、あるいは2020年のいつをとっても存在している。真の問題は人間でなく環境に対するものだが、次々に生まれてくる赤ん坊を環境問題と結びつける人はほとんどいない。大規模な飢餓、栄養失調、社会不安、そして戦争の原因はいくつもあげられて議論されているが、土地の収容能力、支えられる人数を超えた人口が隠された原因であることはだれの目にも明らかだ。

人口増加とその結果として生じる人口過剰は解決の難しい問題である。人口過密はストレス、犯罪、感染症の拡大を助長する。1340年代の大疫病はアジアから西欧に広がるまでに3年かかった。新型コロナウイルス感染症(COVID-19)は中国から全世界に広がるまでに3か月しか要しなかった。嘆いている場合ではない。わたしたちには人口を減らすこともできなければ、繁殖を止めることもできないのだ。破滅を招くその状況を、なすすべもなく見ているしかないのである。ジャン・ドルストによれば、そうした状況には「人間の大群」がもたらす巨大都市化や、社会、心理、医療の問題が含まれる。わたしたちの手元には、信頼できる予想を超えた結果となるであろう未来にまつわる新しい「物語」と、そこに含まれるたくさんの筋書きがあるが、世界中が豊かさ、繁栄、自由民主主義、そして平和を手に入れることは今やほぼ不可能である。

農業資源――人がいれば資源が必要だ。人間には継続的かつ断続的に食料と水がいる。世界中の人々にそれらを与えるにあたって、もっとも基本的な資源は農業と家畜に使うための十分な広さの土地である。耕作に適した土地がほとんどない地域があれば、豊富な地域もあるが、そのどれもが食料生産のための拡大を迫られている。ほとんどの人は、公平に分配されれば食料難と飢餓はなくなるものと考えているが、最近の計算によれば、アメリカ人が享受しているものと同じレベルの栄養を世界中の人に与えるためには、現在の138パーセントの食料が必要になる。人口に見合うだけの食料はすでに地球の限界を超えているのだ。過去何世紀にもわたって、広大な森林が農業のために伐採されて、すでに持続可能な限界を突破した。森は大気中の二酸化炭素を吸収する。食料生産のためにこれ以上森が減少すれば、大気から炭素を取り除き、動物や人間が生きていくために必要な酸素の還元を行う地球の働きに狂いが生じる。

飽くことを知らない人間の農業への欲望は、作物を植え、住む場所を確保するための土地、そして地球の資源を取り出すために大自然や海の底を荒らすことにつながっている。世界中で、広大な森林が伐採され、湿地が埋め立てられ、採鉱や石油採掘によって景観が損なわれている。一例をあげると、わずか20年（1996〜2016）のあいだに、ミャンマーは農業のための土地開墾によってマングローブの森の63パーセントを失った。エコロジカル・フットプリント（全人類が地球にかけている負荷）はすでに地球上の開墾可能な面積を超え、世界は窮地に陥っている。世界人口とその増加が原因であるため、わたしたちは同じ結論を出さざるをえない。つまり、ほかに方法がないのだから、ただ見守るしかない。

地球の資源――食料生産のための土地開墾以外に、人口増加は技術圏《テクノスフィア》の拡大にも直結する。当初それは、人が互いの利益のために地域にまとまって暮らす単純な都市化プロセスだった。けれども今や都市社会は、ガラス張りのビル、巨大な工場や倉庫、大型の航空機や客船、リゾートマンション、娯楽テーマパークといった無秩序に広がる人工物の世界になった。人間が作ったこの世界のすべてが、金属、大理石、花崗岩、石灰岩、砂といった地球から取り出した物質で構築されている。アル・ゴアのまとめによれば、人類は今「地球資源の急速な消費に頼った生き方をしている。われわれの世代は、地球に蓄積された宝物をできるかぎり手早く消費する権利が人間にあるという考えを受け継いでしまったために」身動きが取れなくなってしまっているという。人間はガラスのために毎年海岸から500億トンの砂を取って、年間100億トンのコンクリートを流し込んでいる。これはひとり当たりに換算すると7トンだ。人工物の総重量は30兆トンで、地球上の男、女、子ども、新生児を含めたすべての人ひとり当たり約363万キログラムになる。

地球の資源はまだ全部使い尽くされていないが、一部の希少資源は乏しくなってきており、露天掘りの採鉱によって昔の景観は見る影もない。世紀末までに人口が50パーセント増加すると必要な物質も同様に50パーセント増えて、それにともない、拡大するテクノスフィアのために掘り出されたりはぎ取られたりする地球の資源も増加する。それらをすべて合わせると、資源の枯渇と地球の消耗という結末しかない新しい「物語」ができあがる。

ゴミの山——人類は現在、毎日ひとりあたり約1・4キログラム、世界でおよそ100億キロのゴミを排出している。一部はリサイクルされているものの、半分以上は埋め立てられている。地球上の大都市周辺にはそうした無数のゴミの山ができあがっている。梱包材やペットボトルは数日以内、壊れた家具や電化製品は数年以内、解体された建物は数十年以内に砕かれ、つぶされて埋められる。人類のテクノスフィアは、つねに改良、修復、追加する必要があるため、家のリフォーム、ビルの解体、道路の再舗装工事、インフラの改良から建材などのゴミが出る。テクノスフィアに用いられる地球の資源には寿命があり、数世代を超えて利用できることはめったにない。自然界ではすべてのものがリサイクルされている。人間のテクノスフィアは採鉱からゴミ処理状まで一方通行の直線で、再利用されることはない。

高まるエネルギー需要――石炭、石油、天然ガスの採掘ができるようになった人類は、エネルギーを利用する機械や新たな方法を次々に考え出した。わたしたちは、ビルや家に冷暖房を用い、車や船や航空機を燃料で動かし、資材や廃材をトラックで輸送し、ブルドーザーを用いて土地の平坦化や美化を行い、陸と海底を掘削し、トラクターで雪かきをし、クレーンを使って建設し、鉄球で解体し、そして、天井扇、芝刈り機、草刈り機、落ち葉を吹き飛ばすブロワーや芝生の縁刈り機、冷蔵庫、オーブン、電子レンジ、アイロン、トースター、電気シェーバー、ヘアドライヤー、コンピューター、携帯電話といった燃料を用いて動かすさまざまな装置を使っている。豊かな社会を維持するためにはそうしたものが必要に思われるため、わたしたちは日々大量の石油を採掘、輸送、消費し、とてつもない長さの天然ガスパイプをつないで、グローバルなサプライチェーンを維持している。今世紀末までに人口が50パーセント増加すれば、エネルギーの需要とゴミの排出は最低でも同じ割合で増加するだろう。

これらのリストは、食料、空間、資源、エネルギーといった明らかな人間のニーズと関係している。さらに広範囲な問題に目を向けると、途方にくれそうなほど衝撃的だ。誤って使用されたらどのような結果になるのか見当もつかない核の拡散、何世代にもわたって利用できない土地を生む使用済み核燃料の廃棄、野生生物の減少と絶滅、地球温暖化と気候変動、世界中で死にゆく珊瑚礁、氷河や氷土の融解、海面の上昇、大気と水の汚染、暴風雨、洪水、干ばつ、森林火災の増加。何十年ものあいだ取り上げられてこなかったこうした問題は、今や日々のニュースになっている。軍事侵攻、テロリズム、国家主義者のポピュリズム、政治紛争、経済格差の報道よりも多い。

確かに、これまでにも文明全体が消滅してしまったことはあった。古代都市カホキアは表土が枯渇して滅んだ。イスラエルはローマ人に破壊された。ローマ人はゴート人に侵略された。アメリカ先住民族は徐々に土地を追われていった。そうした状況はたくさんあったが、人々は生き延びて、いつのまにか忘れられてしまった。わたしたちは、現代の文明が成し遂げてきた自由民主主義を含むさまざまな理想が保たれ、現在は恵まれていない世界の3分の1の人々にも広がって、世紀末までにさらに50パーセント増加することが見込まれる人口にまで拡大するものと考えたい。そうした難問に比べれば、平和維持はボードゲームに見え、自由な社会を作るための教育は空元気でしかない。人類は環境に負荷をかけすぎた。未来の「物語」は白紙の章でできている。そこにあるのは「だれも住めない地球」となって人類を脅かす細切れのストーリーであり、すべての物語を終わらせる物語だ。

すべての人に自由民主主義をという夢は今や崩れかけている。実現可能かどうかはだれにもわからない。50年前、環境問題は「恒久的な危機」だといわれた。今でもそうだが、問題は何倍にも膨れ上がっている。アル・ゴアはかつて、ナチスによる不当なユダヤ人迫害が起きた水晶の夜《クリスタルナハト》に照らして、人類の状況は「エコロジカル・クリスタルナハト」だと述べた。過去四半世紀のあいだずっと、希望を示さなければという思いに駆られて、彼は、書籍、論説、インタビューを通して語ってきた。だが、いまだに希望を見いだせないままだ。著書『地球の掟――文明と環境のバランスを求めて』で彼が呼びかけた「グローバル復興計画」は、権力を握っている人々の心を動かすことはできなかった。一連のユネスコの宣言は半世紀前に承認され、文字にされたが、その後忘れ去られてしまった。新たなミレニアムになろうかというころに考案された「地球憲章」はひと握りの環境学者と数百人の環境会議の出席者のあいだだけで認知され、議論されている。グリーン・ニューディール政策は資本主義経済に脅威を与えると非難されてしまった。人類は、創意に富んだ想像力をどこへ向ければよいのかわからない状況だ。かつて有望だった、全人類における自由民主主義という理想の「物語」は実現しそうもない。代わりの物語の登場人物、筋書き、章、テーマ、矛盾、そして終局は未知数だらけで混沌としたままである。

Conant, James Bryant. 1945. *General Education in a Free Society.* Report of the Harvard Committee. Cambridge, MA: Harvard University Press.

Dorst, Jean, 1970. *Before Nature Dies.* Trans. Constance D, Sherman. Boston: Houghton Mifflin.

Eatwell, Roger, and Matthew Goodwin. 2018. *National Populism: The Revolt against Liberal Democracy.* New York: Pelican Books.

Fukuyama, Francis. 1989. "The End of History." *The Human Interest,* 16（Summer）: 3–18.

——. 1992. *The End of History and the Last Man.* Washington, DC: Free Press.『歴史の終わり』渡部昇一訳、三笠書房、2020年

Galbraith, John Kenneth. 1958. *The Affluent Society.* Boston: Houghton Mifflin.『ゆたかな社会』鈴木哲太郎訳、岩波書店、2006年

——. 1967. *The New Industrial State.* Boston: Houghton Mifflin.『新しい産業国家』斎藤精一郎訳、講談社、1984年

Gore, Al. 1989. "An Ecological Kristallnacht. Listen." *New York Times*（March 19）.

——. 1992. *Earth in the Balance: Ecology and the Human Spirit.* Boston: Houghton Mifflin『地球の掟：文明と環境のバランスを求めて』小杉隆訳、ダイヤモンド社、2007年

——. 2013. *The Future: Six Drivers of Global Change.* New York: Random House.『アル・ゴア未来を語る：世界を動かす6つの要因』中小路佳代子訳、KADOKAWA、2014年

Huntington, Samuel P. 1996. *A Clash of Civilizations and the Remaking of World Order.* New York: Simon & Schuster.

Jacoby, Susan. 2008. *The Age of American Unreason.* New York: Vintage.

Judis, John B. 2016. *The Populist Explosion: How the Great Recession Transformed American and European Politics.* New York: Columbia Global Reports.

Kennan, George F. 1946. "Long Telegram." Reprinted as "George Kennan's Long Telegram'," *Foreign Relations of the United States, 1946,* ed. US Department of State. Volume VI, Eastern Europe; The Soviet Union. Washington, DC: United States Government Printing Office, 1969: 696–709.

Montessori, Maria. 1946. *Education for a New World.* Madras: Kalakshetra.『新しい世界のための教育：自分をつくる0歳〜6歳』関聡訳、青土社、2018年

——. 1949. *Education and Peace.* Trans. Helen R. Lane［1972］. Atlanta, GA: Henry Regnery.

Osborn, Fairfi eld. 1948. *Our Plundered Planet.* Boston: Little, Brown.

Picker, Lee. 2016. "Where Are ISIS's Foreign Fighters Coming from?" *National Bureau of Economic Research.* Cambridge, MA: NBER（June）.

Reich, Charles. 1970. *The Greening of America.* New York: Crown Books.『緑色革命』邦高忠二訳、早川書房、1983年

Reves, Emery. 1945. *The Anatomy of Peace.* New York: Harper.『平和の解剖』稲垣守克訳、毎日新聞社、1949年

Wallace-Wells, David. 2020. *The Uninhabitable Earth: Life after Warming.* New York: Tim Duggan Books『地球に住めなくなる日：「気候崩壊」の避けられない真実』藤井留美訳、NHK出版、2020年

Wood, Barry. 1970. "The Perpetual Crisis." *The Stanford Daily*（October 20）. 3.

Revolution." In Carver, 55–105.
Owen, D. R. G. 1952. *Scientism, Man and Religion.* Philadelphia, PA: Westminster Press.
Snow, Edgar. 1972. *The Long Revolution.* London: Hutchison.
Spencer, Mark G., ed. 2013. "Introduction" to Karl Marx, *Capital.* Cody, WY: Wordsworth, xi–xxvi.
Thomas, Paul. 1991. "Critical Reception: Marx Then and Now." In Carver, 23–54.
Tse-Tung, Mao. 1968. "On Contradiction." *Four Essays on Philosophy.* Peking: Foreign Language Press, 23–78.

30 アドルフ・ヒトラー——アーリア人とユダヤ人の物語

Baynes, Norman H. 1942. *The Speeches of Adolph Hitler, 1922–1939,* 2 vols. Oxford: Oxford University Press.
Churchill, Winston S. 1948. *The Gathering Storm.* Boston: Houghton Mifflin.
Foxman, Abraham Jonah. 1999. "Introduction" to Hitler, xiii–xxii.
Frank, Anne. 1951. *The Diary of a Young Girl.* Trans. B. M. Mooyaart. New York: Franklin Watts.
Goldhagan, Daniel Johan. 1997. *Hitler's Willing Executioners: Ordinary Germans and the Holocaust.* New York: Vintage.
Goldstein, Phyllis. 2011. *A Convenient Hatred: The History of Antisemitism.* Brookline, MA: Facing History and Ourselves.
Gunther, John. 1938. *Inside Asia.* New York: Harper.
——. 1940. *Inside Europe.* New York: Harper.
Henig, Ruth. 1995. *Versailles and After: 1919–1933.* New York: Routledge.
Hilberg, Raul. 1973. *The Destruction of the European Jews.* New York: New Viewpoints.『ヨーロッパ・ユダヤ人の絶滅』望田幸男、原田一美、井上茂子訳、柏書房、2012 年
Hitler, Adolf. 1926. *Mein Kampf.* Ed. Abraham Foxman. Trans. Ralph Manheim. New York: Houghton Mifflin.『わが闘争：完訳』平野一郎、将積茂訳、角川書店、2001 年
Lamy, Philip. 1996. *Millennium Rage: Survivalists, White Supremacists, and the Doomsday Prophecy.* New York: Plenum Press.
Marcus, Jacob Rader. 1999. *The Jew in the Medieval World.* Cincinnati: Hebrew Union College Press.
Michael, Robert. 2006. *Holy Hatred: Christianity, Antisemitism, and the Holocaust.* New York: Palgrave Macmillan.
Nicholls, William. 1995. *Christian Antisemitism: A History of Hate.* Lanham, MD: Jason Aronson.
Payne, Robert. 1973. *The Life and Death of Adolph Hitler.* New York: Praeger.
Reitlinger, Gerald. 1953. *The Final Solution: The Attempt to Exterminate the Jews of Europe 1939–1945.* New York: Beechhurst Press.
Roy, Ralph Lorde. 1953. *Apostles of Discord: A Study of Organized Bigotry and Destruction on the Fringes of Protestantism.* Boston: Beacon Press.
Shirer, William L. 1960. *The Rise and Fall of the Third Reich: A History of Nazi Germany.* New York: Simon & Schuster.『第三帝国の興亡』松浦伶訳、東京創元社、2008 年

エピローグ——物語の衝突

Ambrose, Stephen E. 2010. *Rise to Globalism: American Foreign Policy Since 1938,* 9th ed. New York: Penguin.『戦争への道程：第二次世界大戦のメカニズム』吉田一彦、植田和文編注、研究社出版、1992 年
Churchill, Winston S. 1950. "The Atlantic Charter." In *The Grand Alliance.* Boston: Houghton Mifflin, 433–50.

Miller, Arthur. 1953. *The Crucible.* New York: Dramatists Play Service.
Miller, Perry. 1956. *Errand into the Wilderness.* Cambridge: Harvard University Press.
Miller, Perry, and Thomas Johnson. 1963. *The Puritans: A Sourcebook of Their Writings,* 2 vols. New York: Harper Torchbooks.
Morgan, Edmund S. 1963. *Visible Saints: The History of a Puritan Idea.* Ithaca, NY: Cornell University Press.
Morison, Samuel Eliot, ed. 1952. *Of Plymouth Plantation 1620–1647 by William Bradford.* New York: Modern Library.
Norton, Mary Beth. 2002. *In the Devil's Snare: The Salem Witchcraft Crisis of 1692.* New York: Vintage Books.
O'Sullivan, John. 1845. "The Great Nation of Futurity." *The Democratic Review,* 6:23, November 1839; "Annexation," *The Democratic Review* 17: 6–11.
Parris, Rev. 1694. "Meditations for Peace" (18 November 1694). In Cooper and Minkema, 185–93.
Robinson, John, 1977. *A Justification of Separation from the Church of England.* Reprint of 1610 edition. New York: Walter J. Johnson.
Tawney, R. H. 1950. *Religion and the Rise of Capitalism.* New York: Mentor Books.
Weber, Max. 2003. *The Protestant Ethic and the Spirit of Capitalism.* Garden City, NY: Dover.
Winthrop, John. "A Modell of Christian Charity." In *The Puritans,* 2 vols, ed. Perry Miller and Thomas H. Johnson. New York: Harper Torchbooks, vol. 1, 195–99.

29 マルクス主義の無階級社会

Ball, Terence. 1991. "History: Critique and Irony." In Carver, *Cambridge Companion,* 134–35.
Bossenbrook, William J. 1940. *Development of Contemporary Civilization.* Lexington, MA: D. C. Heath.
Carver, Terrill, ed. 1991. *The Cambridge Companion to Marx.* Cambridge: Cambridge University Press.
Christman, Henry M., ed. 1966. *The Essential Works of Lenin.* New York: Bantam Books.
Cohen, Arthur A. 1964. "On Contradiction in the Light of Mao Tse-tung's Essay on Dialectical Materialism." *The China Quarterly,* no. 19 (July–September), 38–46.
Engels, Friedrich 1820–1895. "Socialism: Utopian and Scientific." In Marx and Engels, 353–94.
Hale, Horatio. 1882. "A Lawgiver of the Stone Age." *Proceedings of the American Association for the Advancement of Science.* [AAAS Meeting, Cincinnati, August 1881]. Salem, MA: Salem Press, 324–41.
Kennan, George F. 1946. "Long Telegram." Reprinted as "George Kennan's Long Telegram',"
Foreign Relations of the United States, 1946. Ed. US Department of State. Volume VI, Eastern Europe; The Soviet Union. Washington, DC: United States Government Printing Office, 1969: 696–709.
Lichtheim, George. 1967. "Introduction" to G. W. F. Hegel. *The Phenomenology of Mind.* New York: Harper & Row.
Marx, Karl. 2013. *Capital: A Critical Analysis of Capitalist Production.* Ware, Hertfordshire: Wordsworth Classics.
Marx, Karl, and Friedrich Engels. 1848. *The Communist Manifesto, The Condition of the Working Class in England in 1844, Socialism: Utopian and Scientific.* Ware, Hertfordshire: Wordsworth Classics.
Miller, Richard W. 1991. "Social and Political Theory: Class, State, and

A Reconsideration of the Documentary Evidence" (PDF) . *Historical Archeology: A Multidisciplinary Approach.* Rensselaer, NY: Rensselaerswiijck Seminar V., 139– 44.

Vecsey, Christopher. 1986. "The Story and Structure of the Iroquois Confederacy." *Journal of the American Academy of Religion,* vol. 54, no. 1: 79– 106.

Wallace, Paul. 1946. *The Iroquois Book of Life: White Roots of Peace.* Santa Fe, New Mexico: Clear Light.

Warrick, Gary. 2007. "Precontact Iroquoian Occupation of Southern Ontario." In *Archaeology of the Iroquois: Selected Readings and Research Sources,* ed. Jordan E. Kerber. Syracuse University Press, 124– 63.

Williams, Kayanesebh Paul. 2018. *Kayanerenko:Wa: The Great Law of Peace.* Winnipeg: University of Manitoba Press.

28 ニューイングランド、清教徒たちのカナン

Bercovitch, Sacvan. 1972. *Typology and Early American Literature.* Amherst: University of Massachusetts Press.

——. 1978. *The American Jeremiad.* Madison: University of Wisconsin Press.

Bossenbrook, William J. 1940. *Development of Contemporary Civilization.* Lexington, MA: D. C. Heath.

Bradford, William. 1952. *Of Plymouth Plantation,* ed. Samuel Eliot Morison. New York: Knopf.

Calvin, John. 1559. *Institutes of the Christian Religion,* 2 vols, ed. John T. McNeill, et al. Philadelphia, PA: Westminster John Knox Press.

Christman, Henry M., ed. 1966. *Essential works of Lenin: "What Is to Be Done?" and Other Writings.* New York: Dover.

Cooper, James F. and Kenneth P. Minkema, eds. 1993. *The Sermon Notebooks of Samuel Parris, 1689–1694.* Boston: Colonial Society of Massachusetts.

Cotton, John. 1630. *Gods Promise to His Plantation.* Digital Commons@University of Nebraska- Lincoln.

Danforth, John. 2010. *A Brief Recognition of New-Englands Errand into the Wilderness Made in the Audience of the General Assembly of the Massachusetts Colony at Boston.* Reprint of 1671 edition. Ann Arbor, MI: EEBO Editions.

Davis, Thomas M. 1972. "The Traditions of Puritan Typology." In Bercovitch 1972, 11– 46.

De Voto, Bernard. 1952. *The Course of Empire.* Boston: Houghton Mifflin.

Edwards, Jonathan. 2012. "Personal Narrative," "A Divine and Supernatural Light" and "Sinners in the Hands of an Angry God." *The Norton Anthology of American Literature,* 8th ed, ed. Nina Baym. Vol. A: 398– 441.

Fox, John. 1954. *Fox's Book of Martyrs: A History of the Lives, Sufferings and Triumphant Deaths of the Early Christian and Protestant Martyrs,* ed. William Byron Forbush. Grand Rapids, MI: Zondervan.

Lenin, Vladimir. 1899. *The Development of Capitalism in Russia.* In Christman, 11– 51.

——. 1902. *What is to be Done?* In Christman, 53– 175.

Lowance, Mason L. 1972."Cotton Mather's *Magnalia* and the Metaphors of Biblical History" In Bercovitch (1972) , 139– 60.

Mather, Cotton. 1692. *The Wonders of the Invisible World.* Reprint: New York: Dorset Press, 1991.

——. 1977. *Magnalia Christi Americana,* Books I and II. Ed. Kenneth B. Murdock. Cambridge: Harvard University Press.

Province of New- York in America. Reprint of 1727 and 1747 volumes. Ithaca, NY: Cornell University Press.

Crawford, Neta. 2008. "The Long Peace among Iroquois Nations." In *War and Peace in the Ancient World,* ed. Kurt A. Raaflaub. Hoboken, NJ: John Wiley.

Edmonds, Margo, and Ella Clark, eds. 1989. *Voices of the Winds: Native American Legends.* Edison, NJ: Castle Books.

Fadden, John, illustrator. 1971. *The Great Law of Peace (Kaianerekowa) of the Longhouse People (Hotinonsionne)*. Mohawk Nation at Akwesasne via Rooseveltown: White Roots of Peace.

Fenton, William Nelson. 1998. *The Great Law and the Longhouse: A Political History of the Iroquois Confederacy.* Norman: University of Oklahoma Press.

Franklin, Benjamin. 1987. *Writings.* New York: Library of America.

Greene, Nelson, ed. 1925. *History of the Mohawk Valley: Gateway to the West, 1614–1925.* Chicago: S. J. Clarke.

Hale, Horatio, ed. 1883. *The Iroquois Book of Rites,* ed. D. G. Brinton. Princeton, NJ: Princeton University Press.

Henry, Thomas R. 1955. *Wilderness Messiah: The Story of Hiawatha and the Iroquois.* New York: Bonanza Books.

Hewitt, J. N. B. 1902. "Orenda and a Definition of Religion." *American Anthropologist,* vol. 4, no. 1 (January–March) : 33– 46.

Johansen, Bruce. 1979. *Franklin, Jefferson and American Indians: A Study in the Cross-Cultural Communication of Ideas* (thesis) . Seattle: University of Washington.

——. 1982. *Forgotten Founders: How the American Indian Helped Shape Democracy.* Cambridge: Harvard Common Press.

Mann, Barbara A., and Jerry L. Fields. 1997. "A Sign in the Sky: Dating the League of the Haudenosaunee." *American Indian Culture and Research Journal,* vol. 21, no. 4: 105– 63.

Morgan, Lewis Henry. 1851. *League of the Ho- De- No- Sau- Nee or Iroquois.* Rochester: Sage.

Murphy, Gerald, 1997. "About the Iroquois Constitution." *Modern History Sourcebook: The Constitution of the Iroquois Confederacy.* New York: Fordham University.

Parker, Arthur C., and Seth Newhouse, eds. [Dayodekane] . 1916. "The Dekanawida Legend together with the Tradition of the Origin of the Five Nations League." In *The Constitution of the Five Nations.* New York State Museum Bulletin, 14– 60.

Parker, Arthur C. 1923. "The Origin of the Longhouse." In *Seneca Myths and Folktales.* Lincoln: University of Nebraska Press, 403– 6.

——. 2016. *The Constitution of the Five Nations— or— the Iroquois Book of the Great Law.* Albany, NY: University of the State of New York. Bulletin 84.

Parkman, Francis. 1983. *France and England in North America,* 2 vols. New York: Library of America.

Sanders, Thomas E., and Walter E. Peek. 1973. "The Liberated and the League: The Law of the Great Peace and the American Epic," and "The Epic of Dekanawida," in *Literature of the American Indian,* eds. Sanders and Peek. London: Collier Macmillan, 183– 192, 193– 208.

Scott, Duncan C. 1911. "De- Ka- Nah- Wi- Dah and Hiawatha." *Royal Society of Canada Transactions,* vol. 5, section 2, 194– 201.

Snow, Dean R. 1982. "Dating the Emergence of the League of the Iroquois:

Prophet of Liberty. Oxford: Oxford University Press.
Geary, Patrick J. 1990. *Furta Sacra: Thefts of Relics in the Central Middle Ages.* Princeton, NJ: Princeton University Press.
Harrisse, Henry. 1897. *Diplomatic History of America: Its First Chapter: 1452– 1493– 1494.* London: B. F. Stevens.
Jahoda, Gloria. 1975. *Trail of Tears: The Story of the American Indian Removal 1813– 1855.* New York: Henry Holt.
James, King 1909. "The First Charter of Virginia, April 10, 1606." In *The Federal and State Constitutions (and) Charters.* Washington, DC. Government Printing Office.
Levin, David. 1959. *History as Romantic Art.* Stanford, CA: Stanford University Press.
Lewis, Meriwether. 1964. *Lewis and Clark Expedition, 1804– 1806,* 3 vols, ed. Nicholas Biddle. New York: J. B. Lippincott.
Newcomb, Steven T. 2008. *Pagans in the Promised Land: Decoding the Doctrine of Christian Discovery.* Golden, CO: Fulcrum.
Ranke-Heinemman, Uta. 1994. *Putting Away Childish Things; The Virgin Birth, the Empty Tomb, and Other Fairy Tales You Don't Need to Believe to Have a Living Faith.* Trans. Peter Heinegg. San Francisco, CA: HarperCollins.
Smith, John. 1616. *A Description of New England: or the Observations, and Discoveries of Captain John Smith (Admirall of That Country) in the North of America, in the Year of Our Lord 1614.* London: Robert Clerke.
——. 1624. *The Generall Historie of Virginia, New England & the Summer Isles.* London: Michael Sparkes.
Swanson, Bruce. 1982. *Eighth Voyage of the Dragon: A History of China's Quest for Seapower.* Annapolis, MD: Naval Institute Press.
Waldo, Anna Lee. 1979. *Sacajawea.* New York: Avon Books.
Ziegler, Benjamin Munn. 1939. *The International Law of John Marshall,* Chapel Hill: University of North Carolina Press.

26　海上帝国ポルトガルの叙事詩

Atkinson, William C. 1952. *Luis Vaz de Camoens the Lusiads.* New York: Penguin Books.
Boxer, C. R. 1969. *The Portuguese Seaborne Empire, 1415– 1825.* New York: Knopf.
Bullough, Geoff rey. 1963. "Introduction" to Luis de Camoes, *The Lusiads.* Trans. Sir Richard Fanshawe. Carbondale, IL: Southern Illinois University Press, 9– 28.
Camoes, Luis Vaz de. 1997. *The Lusiads.* Trans. Landeg White. New York: Oxford University Press.
De Menesis, Francisco. 1970. *The Conquest of Malacca.* Trans. Edgar Knowlton. Kuala Lumpur: University of Malaya Press.
Knowlton, Edgar C. 1970. "Introduction" to De Menesis. ix – xxxv.
Newitt, Marlyn. 2005. *A History of Portuguese Overseas Expansion, 1400– 1668.* London: Routledge.
Nowell, Charles E. 1952. *A History of Portugal.* Princeton, NJ: Princeton University Press.
Pierce, Frank, ed. 1973. *Luis de Camoes Os Lusiadas.* Oxford: Oxford University Press.
White, Landeg. 1997. Introduction. In Camoes, ix– xxvii.

27　デガナウィダとイロコイ連邦

Canfield, William W. 1902. *The Legends of the Iroquois: Told by "The Cornplanter."* New York: A. Wessels.
Colden, Cadwalader. 1964. *The History of the Five Indian Nations Depending on the*

Coghlan, Ronan. 1995. *The Illustrated Encyclopedia of Arthurian Legend.* New York: Barnes & Noble.
Cole, Mary Hill. 1999. *The Portable Queen: Elizabeth I and the Politics of Ceremony.* Amherst: University of Massachusetts Press.
Dovey, Zillah. 1996. *An Elizabethan Progress: The Queen's Journey to East Anglia, 1578.* Madison, NJ: Fairleigh Dickinson University Press.
Erickson, Carolly. 1983. *The First Elizabeth.* New York: St. Martin's Griffin.
Forbush, William Byron, ed. 1967. *Fox's Book of Martyrs.* Grand Rapids, MI: Zondervan.
Hibbert, Christopher. 1991. *The Virgin Queen: Elizabeth I, Genius of the Golden Age.* Reading, MA: Perseus Books.
Musset, Lucien. 2011. *The Bayeux Tapestry.* Suffolk, UK: Boydell Press.
Palliser, D. M. 1983. *The Age of Elizabeth: England under the Later Tudors, 1547– 1603.* London: Longman.
Pasmore, Stephen. 1992. *The Life and Times of Elizabeth I at Richmond Palace.* Kew, UK: Richmond Local History Society.
Roberts, Brynley F. 1991. "Geoffrey of Monmouth, *Historia Regum Britanniae* and *Brut Y Brenhinedd.*" In *The Arthur of the Welsh.* Cardiff : University of Wales Press, 98– 116.
Somerset, Anne. 2003. *Elizabeth I.* New York: Anchor Books.
Spenser, Edmund. 1979. *The Fairie Queene,* ed. Robert Kellogg and Oliver Steele. New York: Odyssey Press.
Weir, Alison. 1998. *The Life of Elizabeth I.* New York: Ballantine Books.
White, Helen C. 1963. *Tudor Books of Saints and Martyrs.* Madison: University of Wisconsin Press.
Wilson, Elkin Calhoun, ed. 1939a. *England's Eliza.* Abingdon- on- Thames, UK: Taylor & Francis.
Wilson, Mona. 1939b. *Queen Elizabeth.* London: Daily Express.

25「発見」――ヨーロッパの権力の物語

Anderson, William, ed. 1991. *Cherokee Removal: Before and After.* Athens, GA: University of Georgia Press.
Ardrey, Robert. 1966. *The Territorial Imperative.* New York: Atheneum.
Barry, John. 2012. *Roger Williams and the Creation of the American Soul.* New York: Viking Press.
Blaisell, Bob, ed. 2000. *Great Speeches by Native Americans.* Mineola, NY: Dover.
Bradford, William. 1952. *Of Plymouth Plantation,* ed. Samuel Eliot Morison. New York: Knopf.
Brown, Peter. 1981. *The Cult of the Saints: Its Rise and Function in Latin Christianity.* Chicago, IL: University of Chicago Press.
Cherry, Conrad, ed. 1988. *God's New Israel: Religious Interpretations of American Destiny.* Chapel Hill: University of North Carolina Press.
Davenport, Frances Gardiner et al. 1917. *European Treaties Bearing on the History of the United States and Its Dependencies to 1648,* vol. 1, Washington, DC: Carnegie Institution of Washington.
Dreyer, Edward L. 2006. *Zheng He: China and the Oceans in the Early Ming Dynasty.* Upper Saddle River, NJ: Pearson.
Foreman, Grant. 1989. *Indian Removal: The Emigration of the Five Civilized Tribes of Indians,* 11th ed. Norman: University of Oklahoma Press.
Gaustad, Edwin S. 2001. *Roger Williams:*

1961. "Introduction." In Von Eschenbach, vii– xxiii.
Rosenberg, Samuel N. et al. eds. 1998. *Songs of the Troubadours and Trouveres.* New York: Garland.
Tatlock, J. S. P. 1950. *The Legendary History of Britain: Geoffrey of Monmouth's Historia Regum Britanniae and Its Early Vernacular Versions.* Berkeley: University of California Press.
Von Eschenbach, Wolfram. 1961. *Parzival.* Trans. Helen M. Mustard and Charles F. Passage. New York: Vintage.『パルチヴァール』加倉井粛之ほか訳、郁文堂、1998 年
Weiss, Judith, trans. 1999. Introduction to Wace. *Roman de Brut: A History of the British: Text and Translation.* Exeter: University of Exeter Press.
Wolf, Alois. 2003. "Humanism in the High Middle Ages: The Case of Gottfried's *Tristan.*" In Hasty, 23– 54.

23 エチオピア王国と契約の箱

Abramsky, Samel, et al. 2007. "Solomon." *Encyclopaedia Judaica* 18, 2nd ed.. Farmington, MI: Gale, 755– 63.
Budge, E. A. Wallace. 1988. *Kebra Nagast.* Reprint of 1922 translation. New York: Dover Books.『ケブラ・ナガスト』蔀勇造訳、平凡社、2020 年
Gray, John（2007）, "Book of Kings." *Encyclopaedia Judaica* 12. 2nd ed. Farmington Hills, MI: Gale, 170– 75.
Hubbard, David Allan. 1956. *The Literary Sources of the Kebra Nagast*［Thesis］. St. Andrews: University of St. Andrews.
Johanson, Donald C., and Maitland A. Edey. 1981. *Lucy: The Beginnings of Humankind.* New York: Simon & Schuster.
Jordan, Michael. 1993. *Encyclopedia of Gods.* New York: Facts on File.
Mazar, Amihai. 2007. "The Search for David and Solomon: An Archaeological Perspective." In *The Quest for the Historical Israel: Debating Archaeology and the History of Early Israel,* ed. Brian
B. Schmidt. Atlanta, GA: Society for Biblical Literature, 117– 39.
Myers, Allen C. ed. 1987. *The Eerdmans Bible Dictionary.* Grand Rapids, MI: Eerdmans.
Raffaele, Paul. 2007. "Keepers of the Lost Ark?" *Smithsonian Magazine.* http://www.smithsonianmag.com/ people- places/ ark-covenant- 200712.html
Rubenstein, Richard A. 1999. *When Jesus Became God: The Epic Fight over Christ's Divinity in the Last Days of Rome.* New York: Harcourt Brace.
Schmidt, Brian, ed. 2007. *The Quest for the Historical Israel.* Atlanta, GA: Society for Biblical Literature.
Turner, Patricia, and Charles Russell Coulter. 2000. *Dictionary of Ancient Deities.* New York: Oxford University Press.

24 処女王の物語

Abbott, Dean Eric, et al. 1972. *Westminster Abbey.* Los Angeles: Annenberg School Press.
Archer, Jayne Elisabeth. 2007. *The Progresses, Pageants, and Entertainments of Queen Elizabeth I.* Oxford: Oxford University Press.
Archer, Jayne Elisabeth, et al. 2014. *John Nichols's The Progresses and Public Processions of Queen Elizabeth. A New Edition of the Early Modern Sources,* 5 vols. Oxford: Oxford University Press.
Beeson, Trevor. 1984. *Westminster Abbey.* London: FISA（Great Britain）.
Biddle, Martin. 2013. *King Arthur's Round Table: An Archaeological Investigation.* Suffolk, UK: Boydell Press.

NJ: Princeton University Press.
Gerberding, Richard A, 1987. *The Rise of the Carolingians.* Oxford: Oxford University Press.
Gregory of Tours. 2010. *The History of the Franks.* Trans. Lewis Thorpe. London: Penguin Books.
Harrison, Robert, trans. 2012. *The Song of Roland.* New York: Signet.
Holmes, George, ed. 1988. *The Oxford History of Medieval Europe.* Oxford: Oxford University Press.
Hummer, H. J. 1988. "Franks and Alammani: A Discontinuous Ethnogenesis." In *Franks and Alammani in the Merovingian Period: An Ethnographic Perspective,* ed. Ian Wood. Woodbridge, CA: Boydell Press, 9–20.
Latowsky, Anne. 2008. "Charlemagne as Pilgrim? Requests for Relics in the *Descriptio qualitor* and the *Voyage of Charlemagne.*" In Gabriele, 153–67.
Lord, Albert B. 1960. *The Singer of Tales.* Cambridge: Harvard University Press.
Nelson, J. 1977. "Inauguration Rituals." In *Early Medieval Kingship,* ed. P. H. Sawyer and I. N. Wood. Leeds: University of Leeds, 50–71.
Newth, Michael A., trans. 1989. *The Song of Aspremont.* New York: Garland.
——, trans. 2010. *Fierbras and Floripas: A French Epic Allegory.* New York: Italica Press.
Notker the Stammerer. 2008. "The Deeds of Charlemagne." In *Two Lives of Charlemagne,* ed. David Ganz. London: Penguin Books, 45–116.
Pastan, Elizabeth. 2008. "Charlemagne as Saint? Relics and the Choice of Window Subjects at Chartres Cathedral." In Gabriele, 97–135.
Reese, R. L., et al. 1981. "The Chronology of Archbishop James Usher." *Sky and Telescope.* Vol. 62: 404–405.
Sherwood, Merriam, trans. 1927. *The Merry Pilgrimage* New York: Macmillan.

22 アーサー王の伝説の王国

Chretien de Troyes. 1991. *Arthurian Romances.* Trans. William W. Kibler. London: Penguin.
Curley, Michael J. 1994. *Geoffrey of Monmouth.* Woodbridge, CT: Twayne.
Fleming, Fergus. 1996. *Heroes of the Dawn.* New York: Barnes & Noble.
Garmonsway, G. N. 1965. *The Anglo Saxon Chronicle.* London: G. M. Dent.『アングロ・サクソン年代記』大沢一雄、朝日出版社、2012年
Geoffrey of Monmouth. 1966. *The History of the Kings of Britain.* London: Penguin.『ブリタニア列王史』瀬谷幸男、南雲堂フェニックス、2007年
Hakluyt, Richard. 1969. *The Principal Navigations Voyages Traffiques & Discoveries of the English Nation.* 12 vols. Reprint of 1589 edition. New York: Augustus M. Kelley.
Hasty, Will, ed. 2003. *A Companion to Gottfried von Strassburg's "Tristan."* Rochester, NY: Camden House.
Hollister C. Warren. 1966. *The Making of England: 55 B.C. to 1399.* Boston: D. C. Heath.
Littleton, C. Scott, and Linda A Malcor. 1996. "Legends of Arthur." *Heroes of the Dawn* London: Duncan Baird.
Loomis, Roger Sherman. 1963. *The Development of Arthurian Romance.* New York: W. W. Norton.
Lupack, Alan. 2005. *The Oxford Guide to Arthurian Literature and Legend.* Oxford: Oxford University Press.
Mustard, Helen M. and Charles F. Passage.

Literature." In Brend and Melville, 23– 30.
De Mieroop, Marc Van. 2006. *A History of the Ancient Near East, 3000–323 BC,* 2nd ed. London: Blackwell.
Ferdowsi, Abolqasem. 1997. *The Shahnameh: The Persian Book of Kings.* Trans. Dick Davis. New York: Viking.『王書 : 古代ペルシャの神話・伝説』岡田恵美子訳、岩波書店、1999 年
Hardy, P. 1977. "Modern European and Muslim Explanations of Conversion to Islam in South Asia: A Preliminary Survey of the Literature." In Nehemia Levtzion, ed. 1979, *Conversion to Islam.* New York: Holmes & Meier.
Holland, Tom. 2012. *In the Shadow of the Sword.* New York: Little, Brown.
Jackson, Guida. 1994. *Encyclopedia of Traditional Epics.* Santa Barbara, CA: ABC- CLIO.
Manteghi, Haila. 2018. *Alexander the Great in the Persian Tradition: History, Myth and Legend in Medieval Iran.* London: I.B. Tauris.
Melville, Charles. 2010. "The 'Shahnameh' in Historical Context." In Brend and Melville, 3 – 15.
Nafi si, Azar. 1997. "Foreword." In Ferdowsi, ix – xi.
Sandu, Kernial Singh, and Paul Wheatley, eds. 1983. *Melaka: The Transformation of a Malay Capital c. 1400– 1980.* 2 vols. Kuala Lumpur: Oxford University Press.
Shellabear, W. G. Diusahakan. 1975. *Sejarah Melayu.* Petaling Jaya, Malaysia: Penerbit Fajar Bakti Sdn. Bhd.
Stoneman, Richard, et al. 2012. *The Alexander Romance in Persia and the East.* Groningen: Barkhuis.
Wake, C. H. 1982. "Melaka in the Fifteenth Century: Malay Historical Traditions and the Politics of Islamization." In Sandu and Wheatley, 1.128– 161.
Winstedt, Richard Olof. 1969. *A History of Classical Malay Literature.* Oxford: Oxford University Press.

21　フランク人、シャルルマーニュ、武勲詩

Crosland, Jessie, trans. 2010. *The Song of Roland.* Reprint of 1907 edition. Whitefish, Montana: Kessinger.『ローランの歌』鈴木力衛訳。講談社。1955 年
Dahmus, Joseph. 1967. *Seven Medieval Kings.* Garden City, NY: Doubleday.
Dalrymple, G. Brent. 1994. *The Age of the Earth.* Stanford, CA: Stanford University Press.
Einhard. 1960. *The Life of Charlemagne.* Ann Arbor: University of Michigan Press.
——. 2008. "The Life of Charlemagne." Trans. David Ganz. *In Two Lives of Charlemagne.* London: Penguin.『カロルス大帝伝』国原吉之助訳、筑摩書房、1988 年
Fouracre, Paul, and Richard A. Gerberding, 1966. *Late Merovingian France: History and Hagiography: 640– 720.* Manchester: Manchester University Press.
Fredegar, 1987. "Chronicles." trans. Richard A. Gerberding, *The Rise of the Carolingians.* Oxford: Oxford University Press.
Fried, Johannes. 2016. *Charlemagne.* Trans. Peter Lewis. Cambridge: Harvard University Press.
Gabriele, Matthew, and Jace Stuckey, eds. *The Legends of Charlemagne in the Middle Ages: Power, Faith, and Crusade.* New York: Palgrave Macmillan.
Ganz, David, trans. 2008. *Two Lives of Charlemagne.* London: Penguin.
Geary, Patrick J. 1990. *Furta Sacra: Thefts of Relics in the Central Middle Ages.* Princeton,

面史』井沢元彦監修、杉谷浩子訳、徳間書店、2004年

Forbush, William Byron, ed. 1967. *Fox's Book of Martyrs: A History of the Lives, Sufferings and Triumphant Deaths of the Early Christian and the Protestant Martyrs.* Grand Rapids, MI: Zondervan.

Gibbon, Edward. 1866–78. *The History of the Decline and Fall of the Roman Empire.* London: Penguin.

Gutierrez, Juan Marcos Bejarano. 2016. *Secret Jews: The Complex Identity of Crypto-Jews and Crypto-Judaism.* Scotts Valley, CA: Create Space.

——. 2017. *The Rise of the Inquisition: An Introduction to the Spanish and Portuguese Inquisitions.* Scotts Valley, CA: Create Space.

Holmes, George, ed. 1988. *The Oxford History of Medieval Europe.* Oxford: Oxford University Press.

Hone, William. n.d. *Lost Books of the Bible.* Reprint of 1926 edition. Old Saybrook, CT: Konecky & Konecky.

Kamen, Henry. 2014. *The Spanish Inquisition,* 4th ed., revised. New Haven, CT: Yale University Press.

Kramer, Heinrich Godfrey, and James Springer. 1971. *Malleus Maleficarum, or: The Hammer of Witches.* New York: Dover.

Lea, Henry Charles. 1961. *The Inquisition of the Middle Ages.* Abridgement by Margaret Nicolson. New York: Macmillan.

Perez, Joseph, and Janet Lloyd. 2006. *The Spanish Inquisition: A History.* New Haven, CT: Yale University Press.

Ratzinger, Cardinal Joseph. 1995. *Catechism of the Catholic Church.* New York: Image Books.

Robinson, James M. 1990. *The Nag Hammadi Library,* 3rd ed. San Francisco, CA: HarperOne.

Strayer, Joseph Reese. 1971. *The Albigensian Crusades.* New York: Dial Press.

Sumption, Jonathan. 2000. *The Albigensian Crusade.* London: Faber & Faber.

Valla, Lorenzo. 1985. *The Profession of the Religious and the Principal Arguments* from *The Falsely- Believed and Forged Donation of Constantine.* Trans. Olga Zorzi Pugliese. Toronto: Centre for Reformation and Renaissance Studies.

20 王たちの叙事詩、アレクサンドロス大王、マラッカ・スルタン朝

Abdullaeva, Firuza. 2010. "The 'Shahnamah' in Persian Literary History." In Brend and Melville, 16–22.

Abidin, Datuk Zainal. 1983. "Power and Authority in the Melaka Sultanate: The Traditional View." In Sandhu and Wheatley, 101–12.

Andaya, Barbara Watson, and Leonard Y. Andaya. 1982. *A History of Malaysia.* London: Macmillan.

Bowen, John R. 1983. "Cultural Models for Historical Genealogies: The Case of the Melaka Sultanate." In Sandhu and Wheatley, 162–79.

Brend, Barbara, and Charles Melville. 2010. *Epic of the Persian Kings: The Art of Ferdowsi's Shahnameh.* Cambridge: Fitzwilliam Museum.

Brown, C. C. trans. 1970. *Sejarah Malayu, or Malay Annals.* Kuala Lumpur: Oxford University Press.

Carledge, Paul. 2004. *Alexander the Great: The Hunt for a New Past.* New York: Overlook Press.

Davis, Dick. 1997. "Introduction." In Ferdowsi, xiii–xxxvii.

——. trans. 2010. "The *Shahnameh* as World

In Demarest and Taylor, 63– 96.
Tanco, Luis Becerra. 1675. "The Felicity of Mexico in the Wonderful Apparition of the Virgin Mary, Our Lady of Guadalupe." In Demarest and Taylor, 97– 112.
Turner, Patricia, and Charles Russell Coulter. 2001. *Dictionary of Ancient Deities.* Oxford: Oxford University Press.
Underhill, Evelyn. 1911. *Mysticism: A Study of the Nature and Development of Man's Spiritual Consciousness.* New York: E. P. Dutton『神秘主義 : 超越的世界へ到る途』門脇由紀子ほか訳、ナチュラルスピリット、2016 年
Warner, Marina. 1976. *Alone of All Her Sex: The Myth and Cult of the Virgin Mary.* New York: Vintage Books.
Watts, Alan W. 1954. *Myth and Ritual in Christianity.* London: Thames & Hudson.
Zamora, Lois Parkinson. 2006. *The Inordinate Eye: New World Baroque and Latin American Fiction.* Chicago: University of Chicago Press.

19　神聖ローマ帝国の創作物語

Augustine. 1958. *The City of God,* ed. Vernon J. Bourke. Garden City, NY: Doubleday.『神の国』服部英次郎、藤本雄三訳、岩波書店、1991 年
Bettensen, Henry. 1947. *Documents of the Christian Church.* Oxford: Oxford University Press.『キリスト教文書資料集』聖書図書刊行会編集部訳、聖書図書刊行会、1962 年
Brown, Peter. 1981. *The Cult of the Saints : The Rise and Function in Latin Christianity.* Chicago, IL: University of Chicago Press.
Brown, Thomas. 1988. "The Transformation of the Roman Mediterranean." In Holmes, 1– 57.
Burn- Murdoch, H. 1954. *The Development of the Papacy.* London: Faber & Faber.
Cameron, Ron. 1982. *The Other Gospels: Non-canonical Gospel Texts.* Philadelphia, PA: Westminster John Knox Press.
Chaline, Eric. 2010. *History's Greatest Deceptions.* Athens, Greece: New Burlington Books.
Coleman, Christopher Bush. 1914. *Constantine the Great and Christianity, Three Phases: The Historical, the Legendary and the Spurious.* New York: Columbia University Press.
——. 2018. *The Treatise of Lorenzo Valla on the Donation of Constantine Text ⊠Latin⊠ and Translation into English.* Sydney, Australia: Wentworth Press.
Dante, Alighieri. 2003. *The Divine Comedy.* Trans. John Ciardi. New York: Berkeley『神曲』谷口江里也訳、アルケミア、1996 年
——. 2011. *De Monarchia.* Scotts Valley, CA: Create Space.『帝政論』小林公訳、中央公論新社、2018 年
Davies, Owen. 2017. *The Oxford Illustrated History of Witchcraft and Magic.* Oxford: Oxford University Press.
Davis, Raymond, ed. 1989. *The Book of Pontiff s (Liber Pontificalis) : The Ancient Biographies of the First Ninety Roman Bishops to AD 715.* Liverpool: Liverpool University Press.
Denley, Peter. 1988. "The Mediterranean in the Age of the Renaissance, 1200– 1500." In Holmes, 222– 75.
Dunn, Ross E., and Laura J. Mitchell. 2015. *Panorama: A World History.* New York: McGraw-Hill.
Editors, Charles River. 2019. *The Spanish Inquisition and Portuguese Inquisition: The History and Legacy of the Roman Catholic Church's Most Infamous Institutions.* Independent Publishing.
Ellerbe, Helen. 1995. *The Dark Side of Christian History.* San Rafael, CA: Morningstar Books.『キリスト教暗黒の裏

New York: HarperCollins.
Spencer, Robert. 2006. *The Truth about Muhammad: Founder of the World's Most Intolerant Religion*. Washington, DC: Regnery.
Warraq, Ibn. 1995. *Why I Am Not a Muslim*. Amherst, NY: Prometheus Books.
——, ed. 2000. *The Quest for the Historical Muhammad*. Amherst, NY: Prometheus Books.

17　聖母マリア

Helms, Randel McCraw. 1988. *Gospel Fictions*. Amherst, NY: Prometheus Books.
Hone, William. 1963. *Lost Books of the Bible*. Old Saybrook, CT: Konecky & Konecky. Reprint of *The Lost Books of the Bible and the Forgotten Books of Eden*. New York: World Publishing.
Hunt, Morton M. 1959. *The Natural History of Love*. New York: Barnes & Noble.
Keyes, Francis Parkinson. 1941. *The Grace of Guadalupe*. New York: Messner.
Northrop, F. S. C. 1946. *The Meeting of East and West: An Inquiry Concerning World Understanding*. New York: Macmillan.『東洋と西洋の會合 : 世界平和原理の探究』櫻澤如一、田村敏雄共訳、時論社、1950 年
Paine, Thomas. 2009. *The Age of Reason: The Complete Edition*. Escondido, CA: World Union of Deists.『理性の時代』渋谷一郎監訳、泰流社、1982 年
Pelikan, Jarosalve. 1996. *Mary through the Centuries: Her Place in the History of Culture*. New Haven, CT: Yale University Press.『聖母マリア』関口篤訳、青土社、1998 年
Ratzinger, Cardinal Joseph and the Synod of Bishops. 1986. *Catechism of the Catholic Church*. New York: Doubleday.
Rubinstein, Richard E. 1999. *When Jesus Became God: The Epic Fight of Christ's Divinity in the Last Days of Rome*. New York: Harcourt Brace.
Warner, Marina. 1976. *Alone of All Her Sex: The Myth and Cult of the Virgin Mary*. New York: Vintage Books.

18　大地の女神トナンツィンとグアダルーペの聖母

De la Vega, Luis Lazo. 1649. "The Miraculous Apparition of the Beloved Virgin Mary, Our Lady of Guadalupe, at Tepeyac near Mexico City." In Demarest and Taylor, 39– 53.
De Poblete, Doctor Don Juan. 1648. "Approbation." in Demarest and Taylor, 59– 61.
Demarest, Donald, and Coley Taylor, eds. 1956. *The Dark Virgin: The Book of Our Lady of Guadalupe: A Documentary Anthology*. Freeport, ME: Coley Taylor.
Keyes, Francis Parkinson. 1941. *The Grace of Guadalupe*. New York: Messner.
Morison, Samuel Eliot. 1974. *The European Discovery of America: Vol 2, The Southern Voyages A.D. 1492–1616*. Oxford: Oxford University Press.
Northrop, F. S. C. 1946. *The Meeting of East and West: An Inquiry Concerning World Understanding*. New York: Macmillan.『東洋と西洋の會合 : 世界平和原理の探究』櫻澤如一、田村敏雄共訳、時論社、1950 年
Pelikan, Jaroslav. 1996. *Mary through the Centuries: Her Place in the History of Culture*. New Haven, CT: Yale University Press.『聖母マリア』関口篤訳、青土社、1998 年
Ratzinger, Cardinal Joseph, and the Synod of Bishops. 1986. *Catechism of the Catholic Church*. New York: Doubleday.
Sanchez, Miguel. 1649. "The History of the Miraculous Image of the Most Holy Virgin of Guadalupe as She appeared in Mexico."

参考文献

16　ムハンマド、クルアーン、イスラム教

Armstrong, Karen. 2002. *Islam: A Short History.* New York: Modern Library.『イスラームの歴史：1400年の軌跡』小林朋則訳、中央公論新社、2017年

——. 2007. *Muhammad: A Prophet for Our Time.* San Francisco, CA: HarperOne.『ムハンマド：世界を変えた預言者の生涯』徳永里砂訳、国書刊行会、2016年

Brown, Jonathan A. C. 2009. *Hadith: Muhammad's Legacy in the Medieval and Modern World,* 2nd ed. London: One World.

Cook, Michael. 1983. *The Koran: A Very Short Introduction.* Oxford: Oxford University Press.『コーラン』（1冊でわかる）大川玲子訳、岩波書店、2005年

Erikson, Erik H. 1980. *Identity and the Life Cycle.* New York: W. W. Norton.『アイデンティティとライフサイクル』西平直、中島由恵訳、誠信書房、2011年

Farah, Caesar. 1968. *Islam.* Hauppauge, NY: Barron's Educational Series.

Goldziher, Ignaz, and George McCue. 1967– 71. *Muslim Studies.* 2 vols. London: Routledge.

Goswami, Bijoya, trans. 2001. *Lalitavistara.* Kolkata: Asiatic Society.

Guillaume, A. trans. 1955. *The Life of Muhammad : A Translation of Ibn Ishaq's Sirat Rasul Allah.* New York: Oxford University Press

Gunter, John. 1938. *Inside Asia.* New York: Harper.

Horovitz, Josef. 1927. "The Earliest Biographies of the Prophet and Their Authors." Trans. Marmaduke Pickhall（2002）. *Islamic Culture,* vol. 1: 535– 559; vol. 2: 22– 50, 164– 82; 495– 523.

Hurgronje, Snouck. 1916. *Mohammedanism: Lectures on Its Origin, Its Religious and Political Growth, and Its Present State.* New York: G. P. Putnams.

Jeffrey, Arthur. 1926. "The Quest of the Historical Muhammad." *The Muslim World,* vol. 16, no. 4（October）: 327– 48.

Khan, Muhammad Muhsin, trans. 1971. *The Translation of the Meanings of Sahih Al Bukhari Arabic English,* 9 vols. Alexandria, VA: Al Saadawi.

Obermann, Julian. 1944. *Islamic Origins: A Study in Background and Foundation.* Princeton, NJ: Princeton University Press.

Ohlig, Karl- Heinz. 2007. "Evidence of a New Religion in Christian Literature 'Under Islamic Rule'." In Ohlig 2014, 176– 250.

——, ed. 2014. *Early Islam: A Critical Reconstruction Based on Contemporary Sources.* Amherst, NY: Prometheus Books.

Peters, F. E. 1991. "The Quest for Historical Muhammad." *International Journal of Middle East Studies,* vol. 23, no. 3（August）: 291– 315.

Rodinson, Maxine. 1950. *Muhammad.* New York: Pantheon Books.

Seguy, Marie- Rose. 1993. *The Miraculous Journey of Mahomet.* New York : George Braziller.

Smith, Huston. 1958. *The World's Religions.*

【著者】バリー・ウッド（Barry Wood）

カナダ生まれ、アメリカに帰化。スタンフォード大学で英米文学、人文学、宗教学の博士号を取得。ヒューストン大学でビッグバンから現在までの宇宙の物語の歴史と人類の状況との深いかかわりに重点を置く「コズミック物語」の教鞭を執る。テキサス国際教育コンソーシアムとマレーシアのマラ工科大学でも教壇に立った。そのほかさまざまな学術誌に寄稿している。国際ビッグヒストリー学会の創設メンバーでもある。

【訳者】大槻敦子（おおつき・あつこ）

慶應義塾大学卒。訳書にカーカー『ココナッツの歴史』、クィンジオ『鉄道の食事の歴史物語』、マーデン『ミラーリングの心理学』、ジョーンズ『歴史を変えた自然災害』、スウィーテク『骨が語る人類史』、ハンソン＆シムラー『人が自分をだます理由』、カイル『ネイビー・シールズ最強の狙撃手』などがある。

捏造《ねつぞう》と欺瞞《ぎまん》の世界史《せかいし》

創作《そうさく》された「歴史《れきし》」をめぐる30の物語《ものがたり》

下

2023年2月27日　第1刷

著者…………バリー・ウッド

訳者…………大槻敦子《おおつきあつこ》

装幀…………伊藤滋章

発行者…………成瀬雅人
発行所…………株式会社 原書房

〒160-0022 東京都新宿区新宿1-25-13
電話・代表 03（3354）0685
http://www.harashobo.co.jp
振替・00150-6-151594

印刷…………新灯印刷株式会社
製本…………東京美術紙工協業組合

ISBN978-4-562-07263-7, Printed in Japan